PowerPoint 2003

在教学中的深度应用

马九克◎著

华东师范大学出版社

图书在版编目（CIP）数据

PowerPoint 2003 在教学中的深度应用/马九克著.
—上海：华东师范大学出版社，2008
ISBN 978－7－5617－6153－3

Ⅰ.P… Ⅱ.马… Ⅲ.多媒体—计算机辅助教学—软
件工具，PowerPoint 2003—中小学—师资培训—教材
Ⅳ.G434

中国版本图书馆 CIP 数据核字（2008）第 094272 号

教师新技能培训丛书

PowerPoint 2003 在教学中的深度应用

著　　者　马九克
责任编辑　刘　佳
审读编辑　江盈颖
装帧设计　卢晓红

出版发行　华东师范大学出版社
社　　址　上海市中山北路 3663 号　邮编 200062
电话总机　021－62450163 转各部门　行政传真 021－62572105
客服电话　021－62865537（兼传真）
门市（邮购）电话　021－62869887
门市地址　上海市中山北路 3663 号华东师范大学校内先锋路口
网　　址　www.ecnupress.com.cn

印 刷 者　华东师范大学印刷厂
开　　本　889×1194　16 开
印　　张　21.5
字　　数　522 千字
版　　次　2009 年 7 月第 2 版
印　　次　2009 年 7 月第 1 次
书　　号　ISBN 978－7－5617－6153－3/G·3572
定　　价　49.80 元

出 版 人　朱杰人

（如发现本版图书有印订质量问题，请寄回本社客服中心调换或电话 021－62865537 联系）

为马九克老师革新电子幻灯新作题记

七 绝 二 首

其一

课堂教学寻常见，
默默无闻十几年。
今日变革老故事，
电子幻灯展新颜。

其二

人生有志贵创造，
奇迹惊现出新苗。
尽染杏坛层层绿，
喜看他在丛中笑。

刘雍潜

2009 年 4 月 9 日夜作于广州大学城

（刘雍潜：研究员，全国中小学教师教育技术能力建设计划项目办公室常务副主任，中央电化教育馆学术委员会主任，中国教育技术协会秘书长）

序一

随着计算机的普及和信息技术环境的逐步优化,常用信息技术软件如 Word,Excel,PowerPoint,已经成为广大教师教学中不可或缺的工具。但通过调查,我们了解到,多数教师只会应用这些常用信息软件的基本功能,比如 PowerPoint 仅仅起到一个电子黑板的作用,这些信息软件的功能远远没有被开发、被利用起来。

七宝中学物理特级教师马九克老师,近几年来,对常用信息软件功能的开发应用进行了潜心研究,其研究的成果得到了上海交大、华东师大、上海师大等多位信息技术专家的高度肯定,普遍认为马老师的研究成果有以下三个特点:

易学性。是基于我们广大教师目前已普遍应用的常用信息软件的深度应用,最大特点是简单易学,教师只要有了使用这些软件的初步基础,深度应用学习会很顺利地完成。

实用性。可以充分发挥常用信息软件的功能,更好地支持课堂教学,提高课堂教学效率,更好地提升广大教师的信息技术素养。

创新性。马老师研究的问题,信息技术高级专家无暇去研究,而一般教师又无能力研究,因此是一个空白地带。到目前为此,国内还没有类似的研究成果,马老师所进行的深度应用研究具有一定的创新性。

素质教育要求教师要有独立的精神,这种独立的精神就是教师独特的教学特色、教学风格。《PowerPoint 2003 在教学中的深度应用》一书的推广应用将使教师的常态教学不同于以往的传统教学模式,它将有助于教师的课堂教学推陈出新,使课堂教学体现教育改革的精神,使课改先进的教育理念得以实践。

《PowerPoint 2003 在教学中的深度应用》作为一本在职教师信息技术培训教材,如果教师学过后只是套用,那只能是机械的实践。我们的心灵必须拥有创新的动力与能力,应当永不停息的自我学习、思考、创新,才能凸显培训的价值。教育的环境,本质上是一种有助于启动和启发思维的酵母,教师要利用教学课件创设适宜的教学环境,营造一种让学生产生愉悦的生动场面,以激发学生学习的兴趣,使学生自然地入情入境,并获得学习的快乐感与幸福感。

广大教师朋友,教育信息化促进教育现代化已经成为教育发展的大趋势。希望大家能够认清这一教育发展大势,努力使信息技术成为提高教与学效能的工具与资源,成为促进师生成长不可或缺的有效环境与资源,以持续提升教学效能,持续提升教育品质。

(张民生:国家督学,中国教育学会副会长,上海市总督学,上海市教育学会会长,原上海市教委副主任)

序二

黎加厚

国外一份资料介绍说，目前世界上，每天至少有 3 亿人在看 PPT。我们无需追究这个说法的数据是否准确，至少我们可以看到在我们的周围，PPT 已经成为人们学习和交流的重要的信息技术工具。从北大清华高等学府举行的顶尖级国际学术会议，到基层中小学校的课堂教学，从决定上千万元投资项目的论证报告，到决定你命运的 5 分钟求职演说，无论你是否意识到，你的 PPT 设计是否精彩，已经影响到你的工作、事业与人生！特别是在我们的课堂教学中，PPT 的应用已经成为主要的教学手段，能够很好的应用 PPT 制作出精美的课件，可以增强教师自身的魅力，最大限度的提高课堂教学的效益。

我认识马九克老师是参加在上海闵行区举行的首届全国 Moodle 信息化课程设计研讨会议上。他从 2003 年以来，一直结合自己的物理教学工作，琢磨和研究如何将 Microsoft Office 2003 的动画演示功能为教学所用。他的教学科研获得了极大的成功。

现在如果问问周围的老师和学生，你会不会使用 PPT，大家都会不加思考地说，当然会用。读了马九克老师编写的《PowerPoint 2003 在教学中的深度应用》一书，才突然感到，其实你不会 PPT。或者说，一般人使用 PPT，只使用了 PPT 的"打开文件、打字、设置属性、保存、播放演示"等几种最基本的功能。也许，这就是 IT 界流传的二八定律（80％的人只是用了一项技术的 20％功能）在 PPT 上面的再现。

马九克老师能够从 PPT 的自定义动画功能入手，深究其奥秘，从而开发出无限奇妙的功能，将我们习以为常的 PPT 做得五彩缤纷，这是我以前不曾想到的。我感到马九克老师的这项研究工作为在基础教育中推广应用现有的 Microsoft Office/PowerPoint 为平台，实现高质量的计算机辅助教学做出了贡献，这是一项很有作者原创特色的中学教学研究成果"。

现在绝大多数教师在教学中都在使用 PPT 呈现自己的讲课内容，但是很少想到如何利用 PPT 自身已有的功能设计出动态的画面，特别是在物理学、工程技术类课程中，利用 PPT 中为学习者展示动画课件。人们也没有想到，利用 PPT 的基本功能，在图形、声效、艺术效果及人机互动等方面可以达到其他多媒体软件诸如 Authorware 等制作课件的效果。这又一次给世界一个"按照非常规思维的人，能够得到非常规的结果"实证。

学习 Office 在教学中应用的高级功能。是提高 21 世纪教师的教育技术素养的重要组成部分。马九克老师创造的 Office 高级训练法，为广大教师提高教育技术素养提供了一个很好的途径，值得大力推广。马九克老师是一位研究型的教师，反思型的教师，他勇于在师德、教学工作中领跑、示范，他是锐意进取，勇于创新的人！感谢马九克老师把自己多年研究制作幻灯片的方法和技巧整理成本书，供读者学习和参考。

相信读者在马九克老师研究的基础上，会进一步发展设计制作 PPT 的技巧和创意，从而使我们的课堂教学更加多姿多彩、焕发勃勃生机，用我们的辛勤努力去谱写教育教学工作中更加美丽的华章！

黎加厚

于上海师范大学科技园

2009 年 2 月 18 日

（黎加厚：教育部全国教师教育信息化专家委员会委员，英特尔®未来教育中国项目专家组专家，教育部-微软携手助学项目特邀专家，著名教育信息技术研究专家，上海师范大学教育技术系主任）

前言

仇忠海

教师是教育改革的直接参与者与执行者，学生的发展、学校的发展都离不开教师的发展；离开了素质精良的师资群体，任何教育改革都将成为空谈。就学校而言，可以通过营造教师文化、拓展培训途径、经费支持、名师带徒、评比激励等措施，促进教师在人文科学素养、课堂教学技艺、反思研究能力、信息技术整合能力等方面快速提高，促进教师向以教学为专长的特色型教师、以情感为本的人格型教师、以探究见长的研究型教师等多种目标取向发展，全面提高教师的专业水平。

教学是专业性很强的工作，需要教师发挥智慧和创造力，需要情感和身心的投入。教师通过课堂教学的创新不断发展和完善自我，提高自己的专业水平，实现自身的职业理想。坚持数年的新一轮教改背景下的校本师资培训，使我校教师队伍的整体素质大为改观。今天，我们已拥有一支非常精良稳定的师资群体。我校师德高尚、业务精湛的教师不断涌现，他们敬业爱岗，教书育人，深得学生的爱戴。

目前，我校教师校本培训的五个层次已逐步形成：①专业知识和专业技能的培训。②专业修养和专业精神的培训。③教、研、训一体化的教育研究与课堂创新能力培训。④鼓励教师超越自我，积极开设拓展型课程，拓展专业发展空间。⑤鼓励教师著书立传，潜心专业研究，培养专家型教师。我校通过全体教师参与的"课堂教学创新"研究活动。教师教育理念得以全面提升，课堂新型的师生关系得到构建，学校课堂文化相应发展。七宝中学已经建立了一个课堂教学改革的可持续发展的机制。课堂教学创新机制建设的成败，关键是能否持续地促进教师开展课堂教学变革行动，成为行动的专家。只有在行动中，才能在课程资源的开发与利用、师生关系的构建、教学策略的优化、教学模式的选择及信息技术的应用中，发现问题，解决问题，总结经验，持续改进。

我校物理特级教师马九克，是一位事业心极强的研究型教师。在多年的教育教学实践中，他结合教学实际，对 Officer 的几个办公软件进行了深入的研究和实践，使得 PowerPoint、Word、Excel 等常用软件在教育教学中的应用有了新的突破，他的研究成果得到了上海市以及国内多位信息技术专家的高度评价，2008 年 12 月在南宁召开的中国教育技术协会年会上介绍了该研究成果后，引起了与会教育技术专家的极大兴趣，并获得了教育技术学术征文一等奖。2008 年 6 月联合国教科文组织，在朝鲜召开的多媒体信息技术应用大会上，展示该研究成果后，获得了与会专家的一致好评，认为有极大的推广价值。

目前我们教学过程中，很多抽象的概念，很难讲解清楚，即使借助演示实验，还需要通过多媒体课件进行说明，特别是对于一些微观现象的讲解，更需要借助多媒体信息技术的配合，现在的课堂教学中，越来越多的使用多媒体信息技术进行辅助教学。但是绝大多数教师在教学中不会自己制作课件，常常是使用别人用较复杂的软件制作成的课件，既不能满足自己的教学需要，又不便修改。事实上几乎所有教师都会使用 PowerPoint，但是多数教师只会使用 PowerPoint 中最基本的功能，即文字的出现，图片的飞入，根本没有将 PowerPoint 的功能开发出来。

本书是作者在对 PowerPoint 2003 的基本功能进行深入研究的基础上，进行了深度开发，拓宽了软件的应用领域。并结合教学实践摸索总结出的一些方法和技巧。PowerPoint 在图形、声效、艺术效果及人机互动等方面可以几乎达到其他复杂软件制作课件的效果。掌握了这些方法和技巧，会让你做出与众不同的 PowerPoint 演示文档。读者在制作幻灯片要求对象动作时，基本上所想做到的你全可以做到。可以让对象平动、转动、飞行，或者让对象随时进入和退出，让对象进行各种变形。本书作者把制作幻灯片的这些方法和技巧，整理后编辑成本书，供大家在制作幻灯片文档时学习和参考。书中不仅有大量制作 PowerPoint 课件的方法和技巧，也从幻灯片的制作艺术方面进行了详细的论述。书中附有大量的图片，并有很多制作课件的具体操作过程的介绍，确是一本较为完善的系统介绍幻灯片制作教学课件的工具参考书。本书能使读者在教学中和日常工作中快速地制作出高质量的，美观大方的 PowerPoint 演示文稿。可以提高课堂教学的绩效，提高办公室人员 PowerPoint 的操作技能与工作效率，全书语言流畅，图文并茂，易学易懂，实用性强。

本书适合于 PowerPoint 2003 的初级、中级及高级用户使用，特别是广大教育工作者在课堂教学课件的制作过程中学习和参考，也可以作为教师信息化技术应用方面培训的参考书。也同样适用于工矿企业产品推广宣传，也可作为广大办公室人员、电脑爱好者学习和使用。

在本书的编辑过程中，华东师范大学物理系博士生导师、全国高等物理教育研究会理事长胡炳元教授，上海师范大学教育技术系主任、教育部全国教师教育信息化专家委员会委员黎加厚教授，多次给予了指导和帮助，对本书提出了很多的编写意见。上海市闵行区教师进修学院、闵行区教育科学研究所对本书的编辑和出版给予了很大的帮助和支持。我们对以上专家和领导在本书编辑和出版过程中的帮助、关心和支持，在此表示深深的感谢。

由于作者不是搞计算机专业的，只是在教育教学的使用过程中，对这些软件在实际教学中进行的探索和研究，因此本书的错误和纰漏在所难免，希望能得到广大读者的批评指正，不胜感谢！

仇忠海

2009－5－18 于上海市七宝中学

（仇忠海：上海市七宝中学校长兼党委书记，上海市特级校长，中学特级教师，华东师范大学教师教育特聘教授，教育部校长培训中心兼职教授，国务院特殊津贴获得者，"上海市教育功臣"）

目录

第 1 章　PowerPoint 2003 应用技巧

1.1　基 本 操 作

1.1.1　自定义工具栏

在幻灯片制作过程中,为了使工作的方便,将常用的工具放置在工具栏上。常用的工具有:"上标"、"下标"、"公式编辑器"、"增大字号"、"减少字号"、"增大段落间距"、"缩小段落间距"、"复制"、"选择性粘贴"、"插入符号"、"带圈字符"、"自定义动画"。等等。设置的方法为:

(1) 调出"自定义"对话框。以下三种方法可以调出"自定义"对话框:

1) 点击"工具"→"自定义";

2) 点击"视图"→"工具栏"→"自定义";

3) 在工具栏右方,点击小三角的下拉列表,再点击"添加和删除按钮"→"自定义"。如图 1-1 所示。

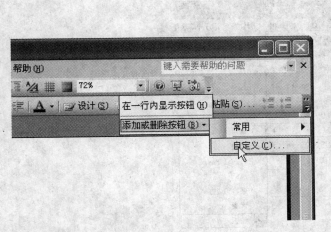

图 1-1

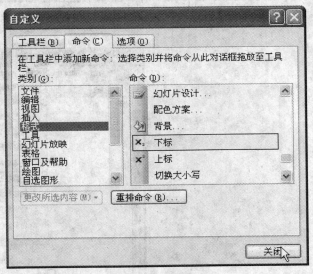

图 1-2

(2) 在"自定义"对话框中,点击"命令"选项卡,在"类别"中点击"格式",在"命令"中找到需要调出的项目,用鼠标左键将其拖到上方适当位置,放手即可。如图 1-2 所示。

(3) 在"格式"中,可以找到"上标"、"下标"、"增大字号"、"减少字号"、"增大段落间距"、"缩小段落间距",在"编辑"类别中可以拖出"选择性粘贴"和"复制",此复制按钮可以一次性的将"复制"和"粘贴"合二为一一次完成。如图 1-3 所示。在"插入"类别中可以拖出"公式编辑器"、"符号"、"艺术字"。还可以在"幻灯片放映"类别中找到常用的"自定义动画",等等。如图 1-4 所示。

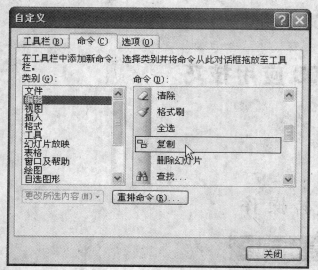

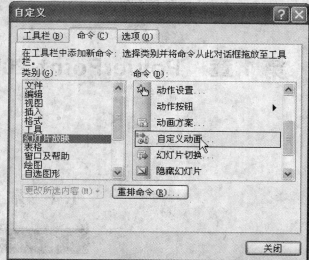

图 1-3   图 1-4

（4）演示文稿的编辑过程中需要制作大量的图片，常用的"绘图"工具除了常规的"自选图形"、"直线"、"椭圆"等几个以外，还需要有其他的一些工具。图 1-5 中是作图过程中常用的工具。只要点击"视图"→"工具栏"→"绘图"（如图 1-6 所示）就可以自动调出。如图 1-7 所示为绘图需要的其他常用按钮，需要从"自定义"对话框的"类别"中选中"绘图"，在"命令"选项中将其拖出即可，如图 1-8 所示。当然可以根据自己的需要再拖出其他的工具。

图 1-5

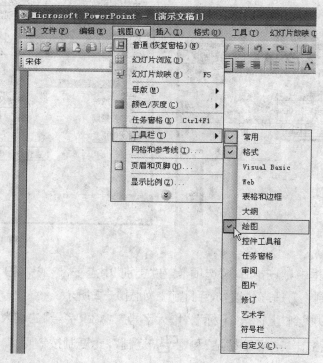

图 1-6

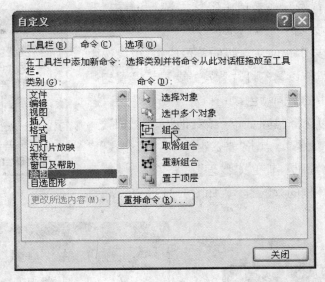

图 1-7

图 1-8

在图 1-7 中,它们依次是"向左旋转 90°"、"向右旋转 90°"、"水平翻转"、"垂直翻转"、"编辑顶点"、"自由旋转"、"组合"、"取消组合"、"置于顶层"、"置于底层"、"左对齐"、"居中"、"右对齐"、"顶端对齐"、"中部对齐"、"底端对齐"、"横向分布"、"纵向分布"等。

1.1.2 调整幻灯片的显示比例

不论在"普通视图"中还是在"幻灯片浏览视图"中,调整幻灯片的显示比例时,可以通过调节工具栏上的显示比例,如图 1-9 所示。或按下"Ctrl"键,滚动鼠标上的滚轮,可以方便地改变幻灯片的显示比例。

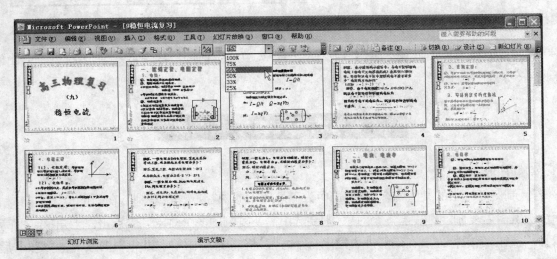

图 1-9

1.1.3 幻灯片的背景设置

（1）点击"格式"→"背景"，或者单击鼠标右键，再点击"背景"，打开背景设置窗口。如图1-10所示。

（2）某一张幻灯片如果不想使用母版的背景设置，可以选中"忽略母版的背景设置"，重新设置幻灯片背景。要重新设置幻灯片的背景，点选"颜色"框中的不同颜色，如图1-11所示。可以选择自己喜欢的颜色，也可以选择"其他颜色"或其他"填充效果"。

（3）设置其他的"填充效果"。点击"填充效果"，在"填充效果"对话框中，有四个选项卡，分别是"渐变"、"纹理"、"图案"和"图片"，在各个选项卡中可以设置不同的背景图案。如图1-12所示。

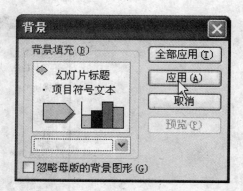

图 1-10

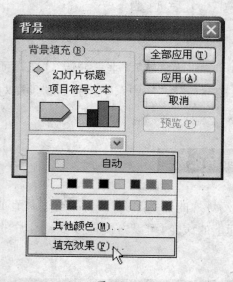

图 1-11

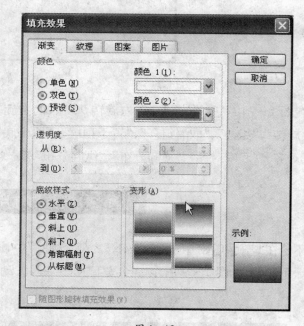

图 1-12

（4）背景图案设置好后，点击"应用"，则设置的方案应用于该幻灯片中，点击"全部应用"，则该设置应用于所有幻灯片中。

1.1.4 幻灯片的"复制"和"移动"

（1）幻灯片的"复制"

1）若复制幻灯片上的某些内容，需要选中该幻灯片上的内容，点击"复制"，在新的位置点击"粘贴"，或利用快捷键。若复制幻灯片上多个对象，则要选中需要复制的多个对象。先点击左下角"绘图"旁边的"选择对象"按钮，用鼠标左键在幻灯片中拉出一个方框，将需要选中的对象"框"起来，点击"复制"后进行"粘贴"即可。

2）若需要复制整张幻灯片，则在"普通视图"（点击"视图"→"普通"）的左边，选中要复制的幻灯片，利用"Shift"可以连续多选，利用"Ctrl"可以选中任意张幻灯片。如图 1 - 13 所示，在"普通视图"中选中 1、3、5、6 号幻灯片，然后"复制"，再进行"粘贴"即可。

图 1 - 13

（2）若在同一文稿中移动某一张或几张幻灯片，先选中该幻灯片，可以在"普通视图"上直接拖动，也可以点击"视图"→"幻灯片浏览"，在"幻灯片浏览视图"中拖动，放到适当位置即可。如图 1 - 14 所示。

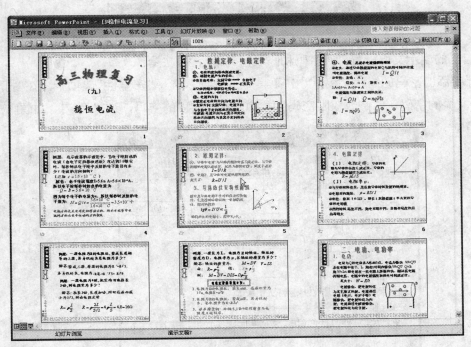

图 1 - 14

1.1.5　更改撤消操作次数的限制

PowerPoint 在默认情况下，可撤销的操作次数只有短短的 20 次，而这短短的 20 次机会在很多情况下不能满足需要。还需要重新设置，方法如下：

点击"工具"→"选项"命令。在"选项"对话框中,点击"编辑"选项卡,在"最多可取消操作数"一项中,选择适当数值。如 30 次(最多可输入 150 次)。如图 1 - 15 所示。

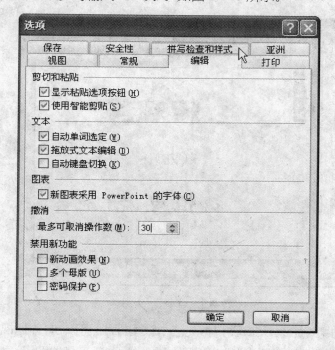

图 1 - 15

1.1.6　为 PowerPoint 文件加密

可以给自己的演示文稿设置打开密码和修改密码,设置方法是:

(1) 打开要添加密码的演示文稿,点击"工具"→"选项",选择"安全性"选项卡。在"打开权限密码"内,输入打开文稿的密码,在"修改权限密码"中,输入修改文稿的密码,点击"确定"。如图 1 - 16 所示。

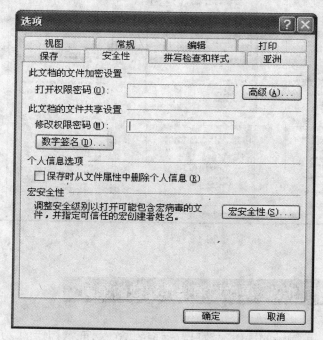

图 1 - 16

(2) 点击"确定"后,系统会弹出"确认密码"对话框,用户需要重新输入密码。点击"确定"即可。

1.1.7　改变文档的保存时间及保存位置

在"选项"的选项卡中,选中"保存",可以改变自动保存的时间间隔,如图 1 - 17 所示,时间间隔为 10 分钟。时间间隔太短,占用资源较大,时间间隔太长,如果遇到突然死机或停电,丢失的内容较多。也可以在这里修改文档的默认保存位置。

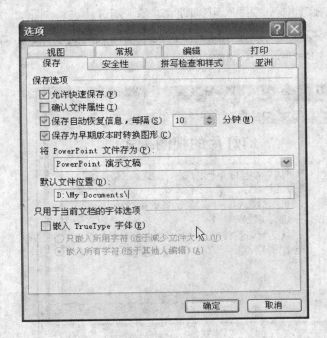

图 1 - 17

1.1.8　改变文件列表中文件显示的个数

点击文档左上角的"文件"菜单,可以看到最近使用的 PowerPoint 文件的列表,它可以使你很快地打开你最近使用的文档。这个显示的文件的个数可以改变。在"选项"的选项卡中,选中"常规"选项卡,可以改变在"文件"中显示的文件列表的个数,同时可以改变用户信息。如图 1 - 18 所示。

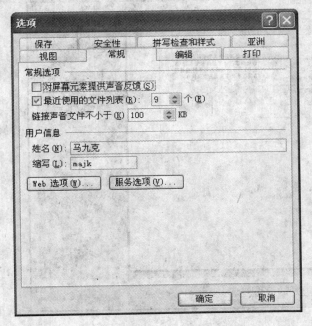

图 1 - 18

1.1.9　幻灯片的视图模式

幻灯片文档有不同的视图模式。有"普通"、"幻灯片浏览"、"幻灯片放映"、"备注页"模式，可以通过菜单指令或按钮指令进行切换。默认视图模式为"普通"模式。

（1）点击文档左下角的"幻灯片浏览视图"，可以同时对多张幻灯片进行浏览。

（2）点击文档左边的"大纲视图"，可以显示以占位符文本框输入的文字内容。如图1-19所示。而插入的文本框中的文字和其他图表则不在大纲视图中显示。

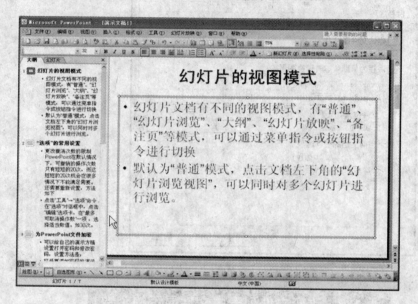

图1-19

（3）点击"格式"→"备注页"，可以得到"备注页"视图。如图1-20所示。在备注页视图中，可以完整显示备注的内容。

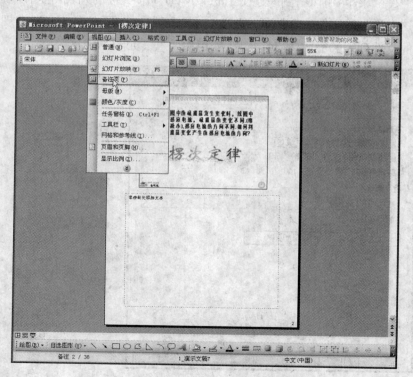

图1-20

（4）点击不同"模式"的按钮，利用"shift"键，可以实现一些快速的切换。

1）点击"普通视图"按钮的同时按下"shift"键，可以切换到"幻灯片母版视图"，再点击"普通视图"按钮，则重新切换回来；

2）点击"幻灯片浏览视图"按钮的同时按下"shift"键，可以切换到"讲义母版视图"，再点击"幻灯片浏览视图"按钮，则重新切换回来。

3）点击"从当前幻灯片开始幻灯片放映"按钮的同时按下"shift"键，可以切换到"设置放映方式"对话框。

1.1.10　幻灯片不同的保存格式

PowerPoint 课件制作完成以后，我们一般都习惯保存为默认的 PPT 格式（演示文稿），其实，还有很多保存格式可供我们选择，不同的格式可以满足我们不同的要求。

（1）保存为放映格式（PPS）

课件制作完后，若将它保存为"PowerPoint 放映"（扩展名 PPS），使用时双击文件图标就可直接开始放映，而不再出现幻灯片的编辑窗口。保存的方法：点击"文件"→"另存为"，在下面"保存类型"右边的下拉列表中，找到"PowerPoint 放映(∗ pps)"，输入文件名，如图 1-21 所示，点击"保存"即可。

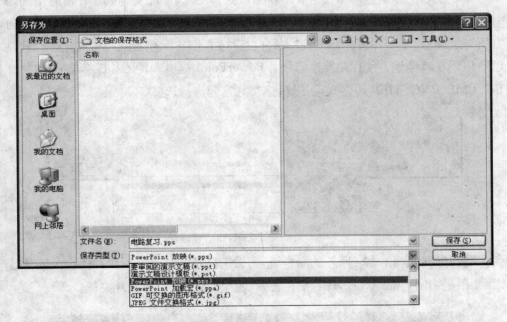

图 1-21

保存为 PPS 格式，放映时省略了打开 PowerPoint、点击"观看放映"的繁琐步骤；可以避免放映时由于操作不慎等原因而将后面的演示内容提前"曝光"的现象出现；也可以避免课件内容被他人意外改动。

如果想对该文件做进一步的修改，可以提前保存一份 PPT 演示文稿作为副本；或将 PPS 放映文件在常规 PowerPoint 编辑页面中打开即可。

（2）保存为设计模板

经常要制作同一种类型风格的幻灯片课件，而 PowerPoint 提供的设计模板又不太适合，可以把自己经过精心设置的幻灯片保存为模板格式,在下面"保存类型"右边的下拉列表中,找到"演示文稿设计模板(＊pot)",如图 1－22 所示。输入文件名,点击保存即可。

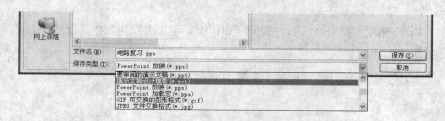

图 1－22

再制作同类幻灯片时,打开即可。

(3) 保存为大纲/RTF 文件

如果只想把课件中的文本部分保存下来,在下面"保存类型"中,选中"大纲/RTF 文件(＊rtf)",就可以把课件保存为大纲/RTF 文件。RTF 格式的文件可以用 Word 等软件打开。但是这种保存的格式,只能保存添加在文本占位符(即在幻灯片各版式中用虚线圈出的用于添加文本的方框)中的文本,而自己插入的文本框中的文本以及艺术字等无法保存。

(4) 保存为图片格式

在 PowerPoint 文档的编辑过程中,调整图片格式、组合图片、添加文本都是非常方便的,利用它的填充效果可以设置各种背景样式,利用自选图形以及大量的艺术字效果可以制作各种图片,同时,还可以轻松实现对象的移动、缩放、旋转、翻转等。当设置好幻灯片后,把它保存为图片格式,这张幻灯片就以图片的格式出现了,以后在其他地方使用也非常方便。PowerPoint 提供多种图片保存格式,如图 1－23 所示。有 GIF、JPEG、BMP、PNG、TIFF 等格式,可以根据实际需要进行选择。

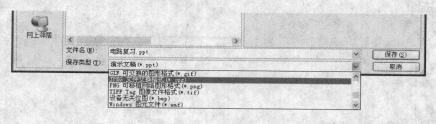

图 1－23

点击"保存"后,出现如图 1－24 所示的命令框,可以选择是将每张幻灯片都保存为图片,还是只输出当前幻灯片。如果是输出全部幻灯片,保存后的图片会集中放在同一个文件夹里。

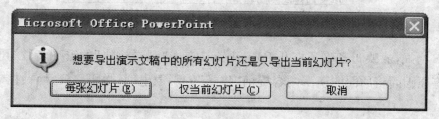

图 1－24

(5) 保存为 Web 页格式

看到一个不错的 PPT 文件,里边有图片、声音和视频,如果想把它"取出来",供今后制作幻灯片时使用,可以通过把演示文稿另存为 Web 页格式,把文档内的图片、声音和视频等文件单独提取出来。在"保存类型"中,选中"网页(* . htm; * . html)",如图 1 - 25 所示。就可以把课件保存为网页格式。点击保存后,会生成一个网页文件及一个同名文件夹,在该文件夹中,所有的图片、音乐、视频等文件都会变成一个个单独的文件出现在里面。

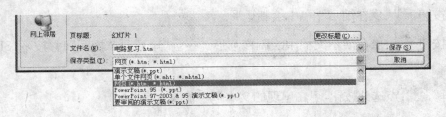

图 1 - 25

1.2 绘 图

1.2.1 "绘图"工具栏的应用

(1)"绘图"工具栏的调出

如果在操作界面上找不到绘图工具栏,在菜单栏中点击"视图"→"工具栏"→"绘图","绘图"工具栏在操作界面的底部出现。如图 1 - 26 所示。

图 1 - 26

(2)"绘图"工具栏中常用工具功能

1)"绘图"按钮 绘图(R)▾ :点击该按钮右边的三角符,会弹出一个下拉菜单,在此菜单中包含了各种处理图形的命令选项,如"组合"、"对齐或分布"、"叠放次序"、"旋转和翻转"等。如图 1 - 27 所示。

2)"选择对象"按钮 :单击此按钮,按下左键,拖动鼠标,可以对多个对象(如多个图片、多个公式等)进行选中。以便对多个对象进行操作。

3)"旋转"按钮 (可通过自定义工具栏调出):选中对象,点击此按钮,可使对象按顺时针或逆时针方向做任何角度的自由旋转。

4)"自选图形"按钮 自选图形(U)▾ :点击该按钮上的三角符,里面提供了多种常用的基本图形。如"基本形状"中有各种常用的图形。

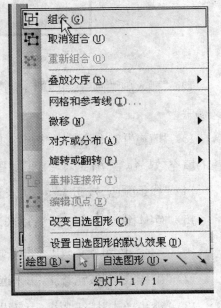

图 1 - 27

5)"直线"按钮 :在演示文稿中绘制直线。

6）"箭头"按钮 ：在演示文稿中绘制箭头。在画"直线"和"箭头"时，按下"Shift"键，可以方便地画出水平线和竖直线，当按下"Shift"键时，画出的倾斜线条的角度只能是 15°角的整数倍，所以利用此功能可以方便地画出 30°、60°、45°等角度的直线。

7）"矩形"按钮 ：供在演示文稿中绘制矩形。

8）"椭圆"按钮 ：供在演示文稿中绘制椭圆形。在画"矩形"和"椭圆"时，按下"Shift"键，可以画出正方形和圆形。

9）"文本框" ：点选此按钮，可在出现的文本框中输入文字。

10）"竖排文本框" ：点选此按钮，可在出现的文本框中输入竖排的文字。

11）"艺术字"按钮 ：点选此按钮，便出现"艺术字库"对话框，如图 1－28 所示。选中不同的"艺术字样式"，点击"确定"。可插入具有独特效果的艺术字。

图 1－28

12）"插入剪贴画"按钮 ：点选此按钮，弹出"剪贴画"对话框，可以选择满意的剪贴画插入到演示文稿中。

13）"填充"按钮 ：对指定对象进行填充颜色的设置。其中可以对填充的效果进行设置，可以设置的填充效果包括"渐变"、"纹理"、"图案"以及"图片"等内容。

14）"线条颜色"按钮 ：用来改变线条的颜色。

15）"字体颜色"按钮 ：用来设置字体的颜色。

16）"线条"按钮 ：用来选择不同的线条类型，即线条的粗细。

17）"虚线线型"按钮 ：用来选择虚线线条的类型。

18）"箭头样式"按钮 ：用来设置带有箭头的线条的样式。

19）"阴影样式"按钮 ：用来设置对象的阴影效果，可以对对象进行阴影的样式、方向和颜色等内容进行设置。

20）"三维效果样式"按钮 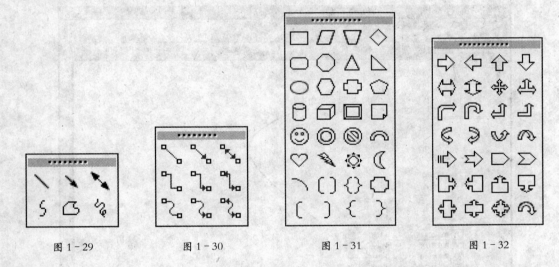：用来设置对象的三维效果。可以对对象进行三维效果的样式、深度及颜色等内容进行设置。

1.2.2　自选图形及应用

自选图形菜单中有许多预设的图形，其分类和用途说明如下：

（1）"线条"如图 1－29 所示。可以画出任意多边形，画出带箭头或不带箭头的直线或曲线。

（2）"连接符"如图 1－30 所示。用于表示各对象间的连接关系。

（3）"基本形状"如图 1－31 所示。用于绘制各种几何图形和简单符号。

（4）"箭头总汇"如图 1－32 所示。用于绘制各种箭头符号，与线条绘制出的箭头符号相比，它可以设置填充颜色和边框颜色。

图 1－29　　　　　图 1－30　　　　　图 1－31　　　　　图 1－32

（5）"流程图"如图 1－33 所示。是标准流程图的符号，有些也可以作为自选图形使用。如电路图中"灯泡"和"正电荷"的表示符号等。

（6）"星与旗帜"如图 1－34 所示。生动形象的星形和旗帜用于突出某个对象或文本，如表示爆炸的图形，也可以用多"齿"的"星"画转动的齿轮。

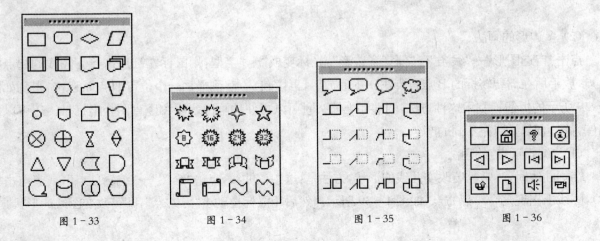

图 1－33　　　　　图 1－34　　　　　图 1－35　　　　　图 1－36

（7）"标注"如图 1-35 所示。对一些对象进行标注说明。

（8）"动作切换"如图 1-36 所示。在制作交互式演示文稿时用于幻灯片间的切换。

在利用"自选图形"画图时，按下"Shift"键，所有图形都等比例缩放。画图或改变图形时，按下"Ctrl"键时，图形以中心为基点，向周围缩放。否则以左上角为基点缩放。同时按下"Shift"和"Ctrl"键，则图形以中心为基点，向周围等比缩放。

1.2.3 自选图形中"线条"的用法

（1）曲线的画法

点击"自选图形"→"线条"→"曲线"，光标变成"十"字形，用鼠标左键点击一下图线的起点如 A 点，放手后在需要转折的 B 点再点击一下后放手，再拉向 C 点，在最后一个位置上双击，得到如图 1-37 所示的曲线。

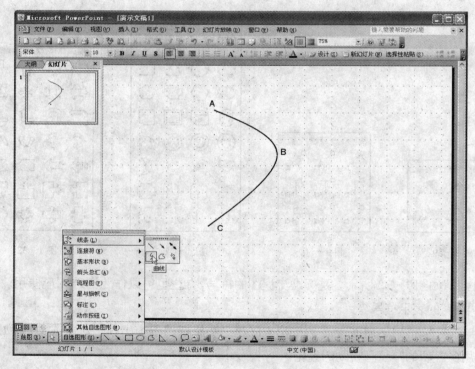

图 1-37

（2）多边形的画法

点击"自选图形"→"线条"→"任意多边形"，光标变成"十"字型，用鼠标左键点击一下图线的起点如 A 点，放手后在需要转折的 B 点再点击一下后放手，再拉向 C 点，到最后一个位置 D 点时双击，得到如图 1-38 所示的折线。利用这种方法，两端加上箭头时可以方便地画出水平和竖直两个坐标轴。还可以画出任意多边形，并填充不同的颜色。

（1）"编辑顶点"的用法

在画曲线时，经常需要改变曲线的形状，方法是：选中该曲线，点击"绘图"→"编辑顶点"（或者点击右键），图线上出现几个小黑方点，如图 1-39 所示。然后用鼠标拉动小"黑方点"，即可改变图线的形状。

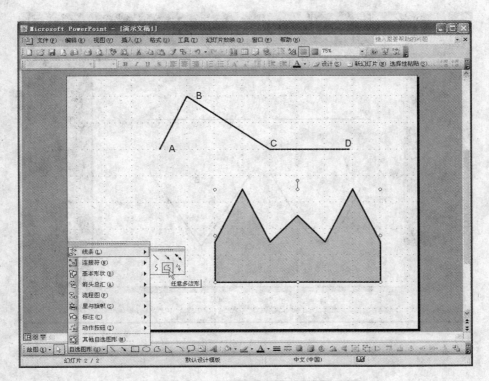

图 1-38

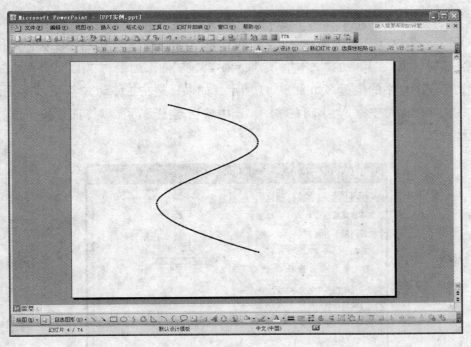

图 1-39

用"自选图形"上的"曲线"和"直线"分别画出两条直线 A 和 B，如图 1-40 所示，表面上看两条直线是相同的。分别右击两图线，点击"编辑顶点"，用鼠标左键点击直线 A 上任意点然后拉动，可以得到曲线 A'，用鼠标左键点击直线 B 上任意点然后拉动，可以得到折线 B'。

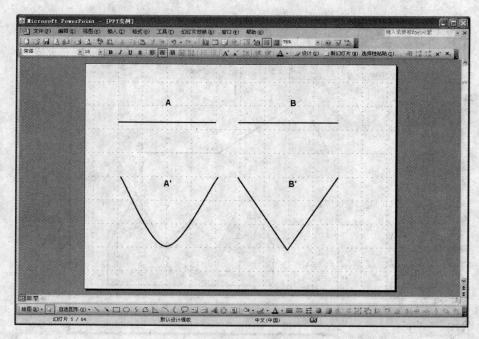

图 1－40

1.2.4　为自选图形添加文字

选中需要添加文字的自选图形右击鼠标，然后选择"添加文本"，则图形中出现光标，此时在图形中输入文字即可。一般文字都是出现在中间，若要改变文字的位置，选中该图形边框双击，即弹出"设置自选图形格式"对话框，在其中的"文本框"选项卡中，调整"内部边距"中"上"、"下"、"左"、"右"的距离，可以改变文字在图形中的位置。如图 1－41 所示。如果只是左右移动文字，在文字后面打空格，文字向左移动；在文字前面打空格，文字向右移动。选中该自选图形，可以对自选图形内的文字格式、颜色等项目进行设置。

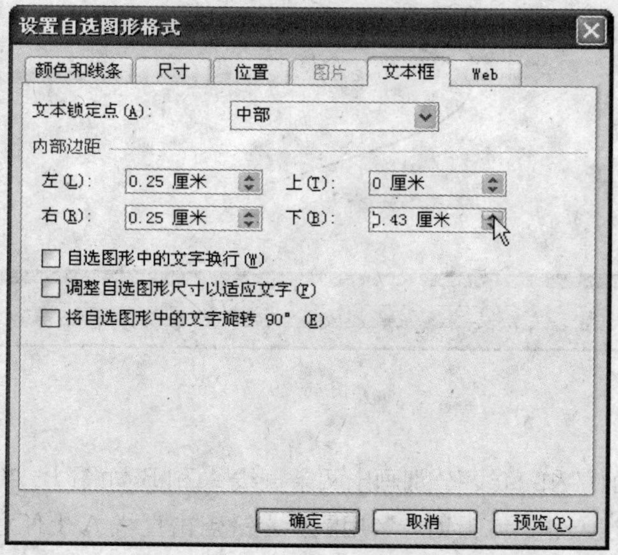

图 1－41

1.2.5　自选图形的复制

在文档编辑过程中,常常要对自选图形进行复制,制作多个副本。通常是"复制"后"粘贴",实际上"复制"和"粘贴"可以一次完成,点击"编辑"菜单下面"复制(Ｉ)"或者利用快捷键"Ctrl＋D",可以直接得到副本。这样不仅仅是"复制"、"粘贴"一次完成,还可以使每个副本按照要求等距离排列。方法是:选中对象,按下"Ctrl＋D",移动复制后的对象到适当位置(可以利用方向键),再多次按下"Ctrl＋D",则可以复制出等间距的副本。如图1－42所示。

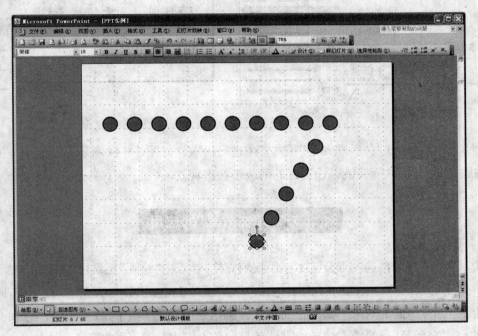

图1－42

1.2.6　线条和边框的设置

"线条"格式的设置工具在"绘图"工具栏上有四项,分别介绍如下:

(1)"线条颜色" 〔图标〕,用于设置自选图形的外边框或画出的直线或曲线等线条本身的颜色。使用时先选中图形,再单击该按钮,或单击右边的向下箭头打开一个下拉菜单,在其中选择不同的颜色。

(2)"线型" 〔图标〕,可以改变线条的粗细。线条的类型既可以是一条线,也可以是两条线或三条相互平行的直线。单击"线型"按钮,弹出菜单,点击下面的"其他线条",在"设置自选图形格式"对话框的"颜色和线条"选项卡中,在"线条"下面的"颜色"、"虚线"、"样式"、"粗细"等内容中进行设置。如图1－43所示。

(3)"虚线线型" 〔图标〕,点击该按钮,打开一个菜单,可以在此设置线条是实线还是虚线以及不同的虚线样式。

(4)"箭头样式" 〔图标〕,点击该按钮,打开一个菜单,可以在这里设置两端箭头的形状,点击菜单下面的"其他箭头",在"设置自选图形格式"对话框中的"颜色和线条"选项卡中,可以在"箭头"下面的"前端形

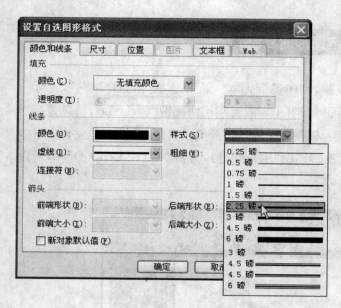

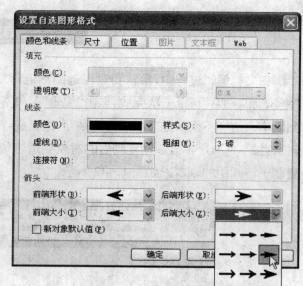

图 1 - 43　　　　　　　　　　　　　　　　　　　　　图 1 - 44

状"、"前端大小"、"后端形状"、"后端大小"等内容中进行设置。如图 1 - 44 所示。若选中下面的"新对象默认值",则以后每次画出的箭头就以设置好的箭头形状出现。

1.2.7　"填充效果"的应用

使用填充工具,可以为自选图形及艺术字设置填充格式,点击"绘图"工具栏中的"填充颜色"按钮,弹出如图 1 - 45 所示的菜单,点击上面的"无填充颜色",则图片完全透明,与填充色为白色不同,如果填充色为白色,则会遮挡住下面的对象。菜单上面的八种颜色是配色方案中的八种颜色,下面的两种颜色是已经使用过的自定义颜色,一般填充颜色的默认色是配色方案中的第五种颜色。

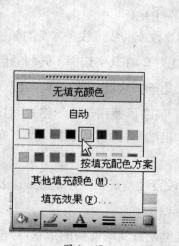

图 1 - 45

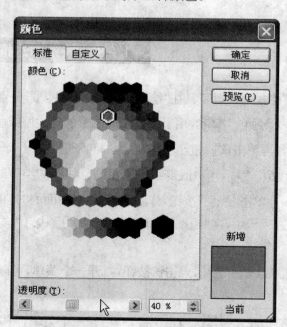

图 1 - 46

（1）点击上图中的"其他填充颜色"，在弹出"颜色"对话框的"标准"选项卡中，如图1-46所示。选择一种颜色，可以先预览，再点击"确定"。拉动下面"透明度"中的小滑块，可以改变填充色的透明度。

（2）"填充效果"。点击图1-45中的"填充效果"命令，可以得到图1-47所示的"填充效果"对话框，这里有四个选项卡，分别是"渐变"、"纹理"、"图案"、"图片"，它们都可以作为自选图形或艺术字的内部填充的一种。

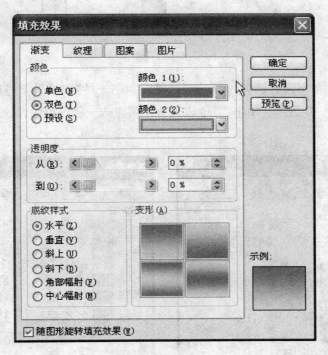

图 1-47

1）在"渐变"选项卡中，有三种渐变，分别是"单色"、"双色"和"预设"。如图1-47所示。

➤ "单色"：使用一种颜色渐变，再加上白色或灰色等其他颜色；

➤ "双色"：用户自己选择两种颜色；

➤ "预设"：可以使用PowerPoint预设颜色方案中的一种。单击"预设"时，"预设颜色"出现，在下拉列表中选择一种预设颜色的渐变。

所有颜色的"渐变"，都可以对"透明度"进行设置，都可以设置"底纹样式"和"变形"。图1-48是从上部的黑色到下部的白色的艺术字的渐变。

图 1-48

在"填充效果"对话框的底部，选中"随图形旋转填充效果"，当图形转动时则填充效果也随着转动。否则填充效果不随图形的转动而转动。如图1-49所示。图a中设置填充效果时选中"随图形旋转填充

效果",则复制旋转后得到图 b,否则得到图 c。(参见光盘 1.2.7"填充效果"的应用)

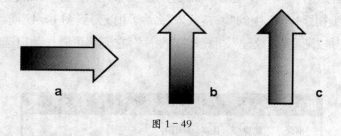

图 1－49

2)在"纹理"选项卡中,可以选择各种"纹理"效果。点击一种"纹理",下方出现该纹理的文字说明,如"绿色大理石",如图 1－50 所示。单击"其他纹理",还可以选一种图象作为纹理使用。

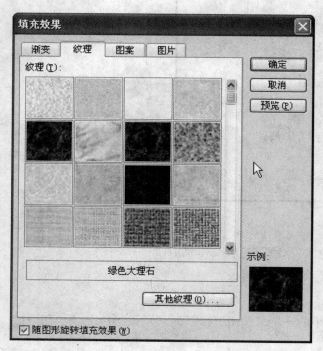

图 1－50

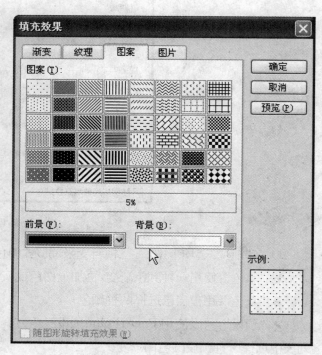

图 1－51

(3)在"图案"选项卡中,选择一种图案作为自选图形及艺术字内部的填充图案。如图 1－51 所示。"前景"和"背景"分别是指图案的前景颜色和背景颜色。

(4)在"图片"选项卡中,点击"选择图片",选择一张图片,点击"插入",就会把该图片插入到自选图形中。

1.2.8 "阴影"及"三维效果"的设置

(1)"阴影"的设置,选中自选图形或艺术字,点击"绘图"工具中的"阴影样式"即可,在"阴影设置"工具栏中,还可以进一步改变阴影的形状及颜色。图 1－52 是有填充色和无填充色两种情况下的自选图形和艺术字的阴影效果。(参见光盘 1.2.8"阴影"及"三维效果"的设置)

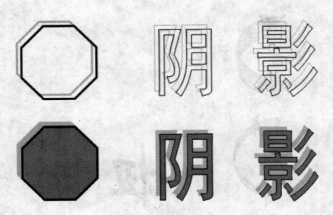

图 1-52

（2）"三维效果"的设置，选中自选图形或艺术字，点击"绘图"工具中的"三维效果"，在弹出的菜单中，选择不同的"三维效果"，如"三维样式 4"。通过在"三维设置"工具栏中调节"下俯"、"上翘"、"左偏"、"右偏"和"深度"等内容，可将平面图变成图 1-53 所示的立方体。

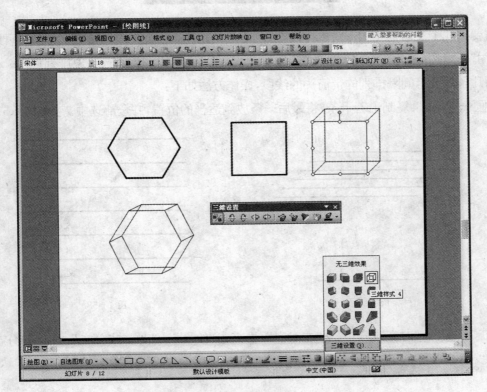

图 1-53

1.2.9 自选图形和艺术字形状的修改

对于自选图形和艺术字，通常可以通过拖动它的调整控制点来改变它的形状和大小。此外对于大部分自选图形和艺术字的拉伸和扭曲，常通过拖动图形上的小黄色菱形块来实现，图 1-54 是自选图形中通过调整一个黄色小菱形块改变棱台的形状，图 1-55 是自选图形中通过调整多个黄色小菱形块改变弧形箭头的形状。图 1-56 是通过调节艺术字下方的黄色小棱形块使艺术字变形了。

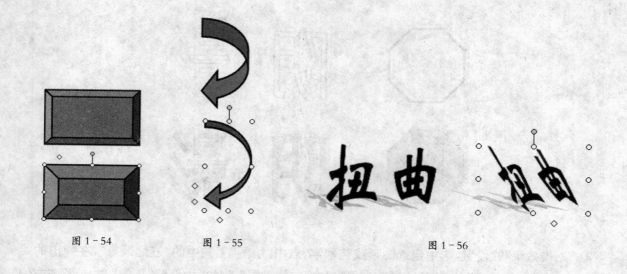

图 1 - 54   图 1 - 55   图 1 - 56

1. 2. 10　将对象整齐排列

　　常常需要将几个文本框和图形对象排列整齐,方法是选中需要进行排列的几个文本框或图片,点击左下角"绘图"→"对齐或分布"→"顶端对齐"(或其他内容),则可立即将所选对象排列整齐。

　　如要画几条需要等间隔排列的带箭头的线段,操作方法如下:

　　(1)先画一条线,再复制出若干条,将最后一条放到适当的位置,并全部选中。如图 1 - 57 所示。

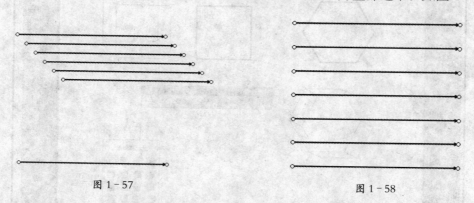

图 1 - 57   图 1 - 58

　　(3)点击"绘图"→"对齐或分布"→"左对齐",再点击"绘图"→"对齐或分布"→"纵向分布",即得到整齐排列的线条。如图 1 - 58 所示。然后点击"绘图"→"组合",将所有图线组合到一起。

1. 2. 11　图象旋转的技巧

　　在文档的编辑过程中,经常要对插入的图片、图形等对象进行旋转。下面介绍几种在 PowerPoint 中旋转对象的技巧。

　　(1)任意角度转动

　　选定某个图片对象(或自选图形、文本框),在对象的上方出现的一个绿色的小圆圈,用鼠标拖动小绿圆圈,则以对象中点为轴以任意角度转动。

　　(2)按固定角度旋转

旋转时,按住"Shift"键,光标选中绿色的小圆圈,可以让图形旋转时以中点为轴按15°的角度旋转,如图1-59所示,这适合一些需要特定角度的旋转。

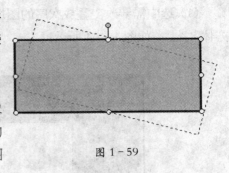

图 1-59

(3)改变旋转控制点

选中对象,点击"绘图"→"旋转或翻转"→"自由旋转",则对象的四周出现四个绿色小圆圈,每个小绿色圆圈都可以作为转动的控制点。如图1-60所示。这样就可以选择合适的控制点了,对图象进行任意旋转。如图1-61所示。

在进行旋转时,是以中心点为默认转动轴旋转的。若按下"Ctrl"键后,转动轴会移至该控制点对面的顶点上。如图1-62所示。

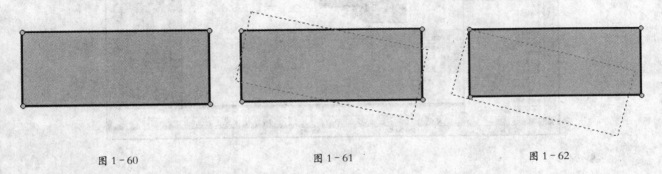

图 1-60   图 1-61   图 1-62

(4)精确控制转动的任意角度

右击自选图形,点击"设置自选图形格式",在"设置自选图形格式"对话框中的"尺寸"选项卡中,在"旋转(T)"中输入角度值,如图1-63所示,转动角度为"30°"。则对象顺时针转动30°。

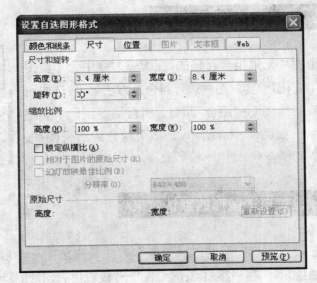

图 1-63

1.2.12　图形的叠放次序

对于多个图形,有时需要按照不同的要求,按不同的层次进行叠放。方法如下:

（1）选中需要改变叠放次序的图片，点击"绘图"→"叠放次序"→"置于顶层"，可以将"棱台"置于"立方体"之上。如图 1 - 64 所示。

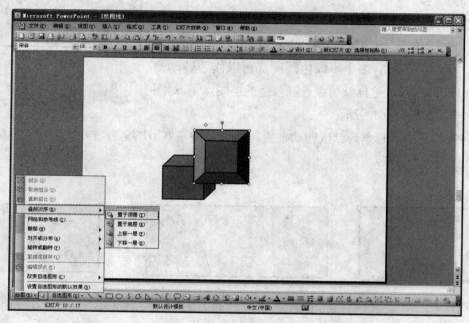

图 1 - 64

（2）如果点击"置于底层"，则将"棱台"置于"立方体"之下。对于多个图片，可以对某一个图形进行"上移一层"或者"下移一层"，进行不同的设置。（参见光盘 1.2.12 图形的叠放次序）

1.2.13　多个对象的组合

一个图片常常是由多个图片元素组合起来的，在编辑过程中为了使得几个图片的相对位置不发生变化，就要对图片进行组合。方法如下：选中所有要组合在一起的图片，点击"绘图"→"组合"即可。组合后得到一个完整的不会发生相对移动的图片。如图 1 - 65 所示，是多个对象的组合图片。（参见光盘 1.2.13 多个对象的组合）

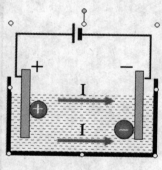

图 1 - 65

1.2.14　设置自选图形的默认效果

为了作图的方便，可以"设置自选图形的默认效果"，方法是先画出一个自选图形，设置"线条的粗细"、"线条的颜色"、"填充颜色"等内容。然后点击"绘图"→"设置自选图形的默认效果"即可，如图 1 - 66 所示。以后再画图形时，则会按照已经设置好的自选图形的格式画出图形。对于文本框中的文字，也可以设置好文字格式以后，点击"设置自选图形的默认效果"，以后再插入文本框输入文字时，可以按照已经设置好的文字格式显示文字。

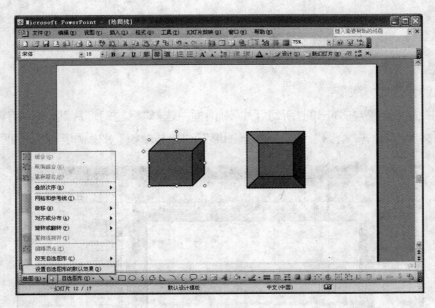

图 1 - 66

1.2.15　利用格式刷复制图片格式

一个图片的格式设置好后,可以把该图片的格式设置,利用格式刷复制到另一个图片中。操作方法如下:

(1) 画出一个自选图形,如圆形,对图形的线条颜色、线条的粗细、填充颜色进行设置;

(2) 再画一个自选图形,如五角星,选中已经设置好格式的圆,点击工具栏中的格式刷,再在五角星中点击一下,则五角星就变成了与圆有相同格式设置的五角星,如图 1 - 67 所示。(参见光盘 1.2.15 利用格式刷复制图片格式)

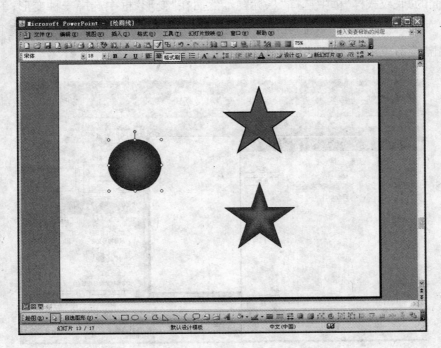

图 1 - 67

制作光芒四射背景的方法是：

（1）新建空白演示文稿，在弹出的"新幻灯片"对话框中选择"标题幻灯片"版式。将副标题文本框去掉。选中正标题文本框，单击"绘图"→"改变自选图形"→"星与旗帜"→"爆炸形2"。如图1-68所示。

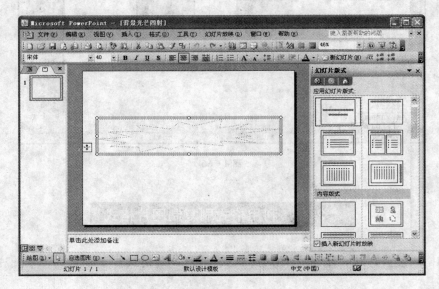

图 1-68

（2）在标题文本框外任意处单击右键，在弹出的快捷菜单中选择"背景"，弹出"背景"对话框。单击"背景填充"下面朝下的小黑箭头，在弹出的下拉列表中选择"填充效果"，在"填充效果"对话框的"渐变"选项卡的"颜色"框中选择"双色"，此时"颜色"框的右侧出现"颜色1"和"颜色2"两个下拉框，利用它们设置好颜色；在下面的"底纹式样"框中选择"从标题"，然后在"变形"框中选择一种变形；单击"确定"回到"背景"对话框。如果想让这种效果只出现在本张幻灯片中，则单击"应用"，如果想让整个文件都采用这样的背景，则单击"全部应用"。如图1-69所示。

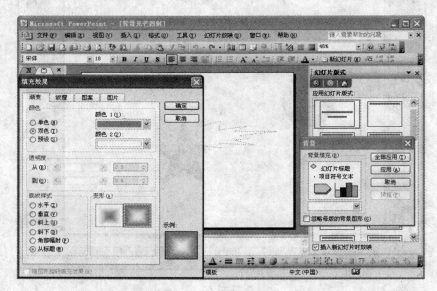

图 1-69

（3）调整文本框的大小和位置，可以得到不同形状的光芒四射的背景图。如图1-70所示。（参见光盘1.2.16制作光芒四射的背景）

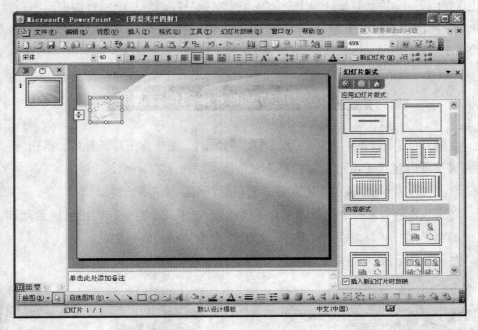

图1-70

1.3　动 画 设 置

1.3.1　自定义动画

幻灯片中各种图片的动画效果几乎全在"自定义动画"中进行设置。在设置时，要先选中需要进行动画设置的对象，可以是一个对象，也可以是多个对象同时选中，然后一起设置，这样可以提高工作的效率。选中被设置的对象，点击"自定义动画"中的"添加效果"，即可看到"自定义动画"中的四项内容。如图1-71所示。

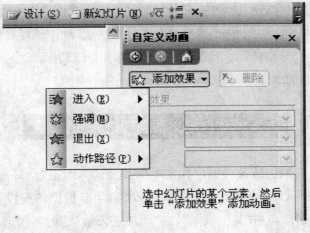

图1-71

（1）"进入"蓝色五角星图标，表示对象进入过程中的各种设置。

（2）"强调"黄色五角星图标，可以对图片或某些文字对象进行强调说明。

（3）"退出"红色五角星图标，是让单个对象或多个对象从在幻灯片演示过程中退出。

（4）"动作路径"白色五角星图标，可以设置对象的各种运动的路径。包括直线运动、曲线运动、自定义路径等的设置。

1.3.2　设定动画的开始时间及速度

在"自定义动画"的四项设置中，"开始"和"速度"两项的设置基本上是一样的。点击"开始"右边的小三角，可以看到有三项内容："单击时"、"之前"、"之后"。如图1-72所示。

（1）选择"单击时"，表示使用鼠标、方向键或回车键都可以使对象动作。

（2）选择"之前"，表示与上一个对象同时开始播放，若选中几个对象同时批量设置动画，则第一个是"单击时"，其他的都是"之前"，播放时，即单击一次几个对象的动画同时出现。

（3）选择"之后"，表示该动画在上一个动作结束后立即开始播放。

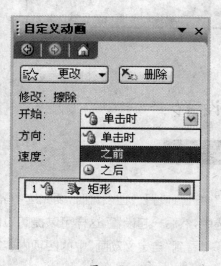

图1-72

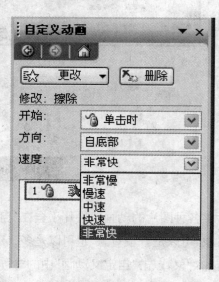

图1-73

"速度"选项是设置对象动作进行快慢的，显示的时间是指完成该动作所需的时间。点击右边的小三角，有五挡速度可供选择。"非常快"动作的速度是0.5秒，"快速"动作速度是1秒，"中速"动作速度是2秒；"慢速"动作速度是3秒、"非常慢"动作速度是5秒。如图1-73所示。

"方向"是用来选择对象的动作方向的。

1.3.3　"自定义动画""进入"的设置

选中一个或多个对象（对象包括各种图片和文本框及公式），点击"幻灯片放映"→"自定义动画"→"添加效果"→"进入"，在"进入"中有各种不同的进入动作，可以根据情况设置不同的效果，如选择"飞入"。如图1-74所示。还可以点击"其他效果"，在"添加进入效果"的各种选项中，选择一种动画效果，点击"确定"。如图1-75所示。

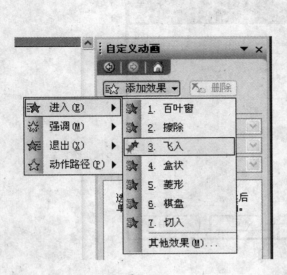

图 1 - 74

图 1 - 75

可以对"进入"的动作进一步的设置,以已经对一个矩形图片设置了"擦除"的"进入"动作为例。点击图 1 - 76 中的"1 矩形 1"(因为画的是矩形图片且是第一个图片,出现的文字和数字与绘制自选图形的顺序有关)右边的小三角(或者双击"1 矩形 1"),选择"效果选项"或"计时",在弹出的"擦除"对话框的"效果"选项卡中,可以设置动作的方向,还可以在"增强"中设置动作的声音及其他内容。如图 1 - 77 所示。

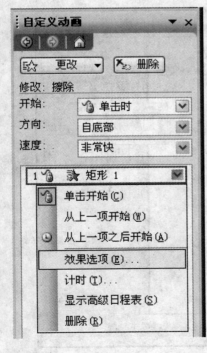

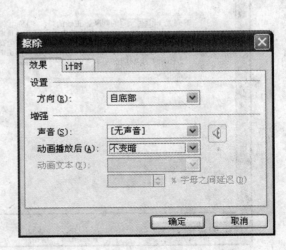

图 1 - 76

图 1 - 77

在"计时"选项卡中，可以设置"开始"的三种不同进入方式，可以设置"开始"的"延迟"时间，以及"速度"的快慢和"重复"的次数。如图1-78所示。"延迟"时间的设置适用于，若一个对象的出现，既不是在上一个对象动画结束之后，又不想与上一个对象的动画同时出现，则可以在此输入延迟的时间。

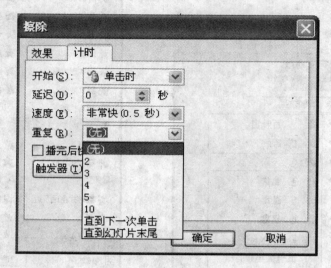

图 1-78

1.3.4 "进入"中"出现"的设置

在幻灯片放映过程中，为了避免整个屏幕突然出现大片的文字，观众没有思考时间，因此需要根据情况让文字像黑板写字一样慢慢的逐渐出现，设置方法如下：

（1）以一段文本框中的文字为例：选中文本框中第一行的某几个文字，点击"添加效果"→"进入"→"出现"。如图1-79所示。

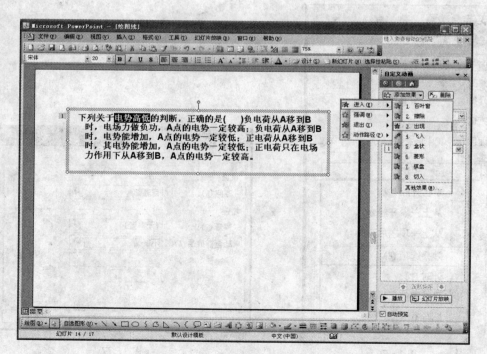

图 1-79

（2）点击"自定义动画"下面的表示文本框设置的"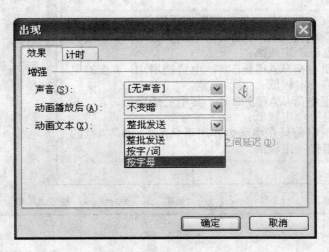"右边的小三角，点击"效果选项"，得到"出现"对话框的"效果"选项卡，在此可以设置"声音"；"动画播放后"设置是否改变颜色；在"动画文本"中，选择"按字母"（或按"字/词"），设置"字母之间的延迟秒数"，来控制每个字出现的速度，如设置"0.2秒"。如图1-80所示。

图 1-80

（3）将光标置于需要分为第二段的文字前面，如将光标放在第一行中的括号"（　　）"后面，打回车键，自动出现第二段的"出现"动画的设置，并与第一段的设置格式相同，若需要设置段落的编号，将光标放置在该段落中，点击"格式"→"项目符号和编号"，在得到的"项目符号和编号"选项卡中，可以选择"项目符号"选项卡或"编号"选项卡，如选择"编号"项目中的"A、B、C…"编号，如图1-81所示。点击"确定"，则第二段前面自动出现编号"A"。

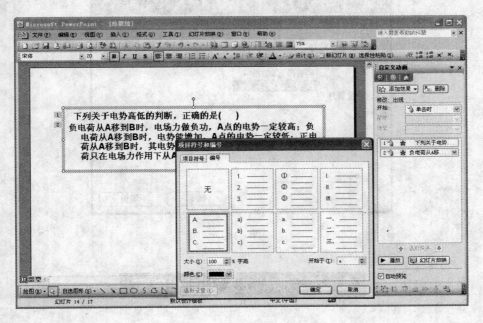

图 1-81

（4）再分别将光标置于需要分段的段前，连续打若干个回车。并调整文字的大小，即得到一个例题的文字"出现"的动画格式设置。放映时分别点击，每段可以分别出现。如图1-82所示。

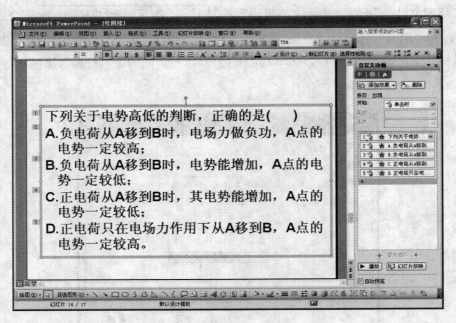

图 1-82

（5）如果文本框内的文字已经分好段落，可以选中文本框（而不是文字），然后点击"添加效果"→"进入"→"出现"，再双击"自定义动画"下面的表示"进入"的动画设置，在得到的"出现"对话框中，点击"正文文本动画"选项卡，选中"按第一级段落"，如图 1-83 所示。再点击"效果"选项卡，按图 1-80 所示进行字词出现速度的设置。点击"确定"。在放映时所有段落都可以在点击时分别出现。（参见光盘 1.3.4 "进入"中"出现"的设置）

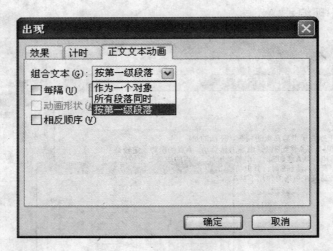

图 1-83

1.3.5 几种"进入"的动作设置

（1）电影字幕式效果

在文本框中输入文字后，选中文本框，点击"自定义动画"中的"添加效果"→"进入"→"其他效果"，在"华丽型"栏中选择"字幕式"，最后单击"确定"即可。如图 1-84 所示。

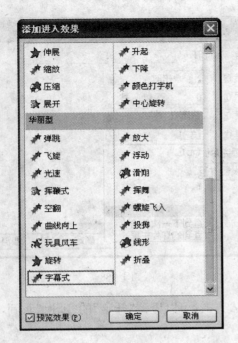

图 1-84

图 1-85

（2）下落反弹式效果

这种文本的动画效果在播放时,字符是一个接一个地从上方歪歪斜斜地下落,落下后每个字符还要上下反弹几次才能停下来。具体设置方法如下:

1）在文本框中输入文本。文本的字号要大些,最好选择笔画比较粗的字体。

2）选中文本框,点击"自定义动画"中的"添加效果"→"进入"→"其他效果",在"华丽型"栏中选择"挥舞",最后单击"确定"即可。图 1-85 所示是放映时的效果,"物体的运动"每个字都从上面落下。（参见光盘 1.3.5 几种"进入"的动作设置）

1.3.6　"自定义动画"中"强调"的设置

有时需要对某一图片或文字内容等对象进行"强调",以引起观众的注意。以"闪烁"为例,设置方法如下:

（1）选中需要自定义动画的文本框或图片,点击"添加效果"→"强调"→"闪烁"（或者其他效果）即可。也可以点击"其他效果",在"添加强调效果"中有各种不同的"强调"选项供选择。

（2）对"强调"动画的进一步设置,以已经对一个矩形设置了"闪烁"的"强调"动画为例。点击图 1-86 中"自定义动画"下面的表示"闪烁"的动画设置" 1 矩形 1 "右边的小三角,或者双击" 1 矩形 1 ",选择"效果选项"或"计时",在得到的"闪烁"对话框的"效果"选项卡中,可以在"增强"中设置动作的声音及其他内容。如图 1-87 所示。

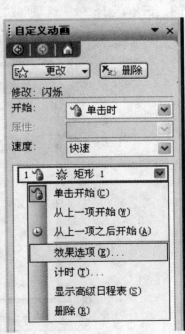

图 1-86

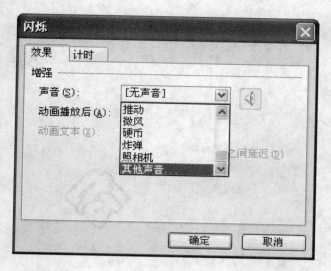

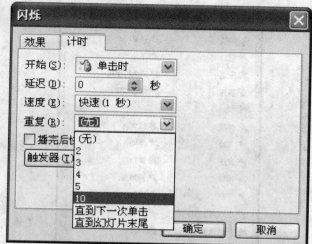

图 1-87　　　　　　　　　　　　　　　　　图 1-88

（3）在"计时"选项卡中，可以设置"开始"的三种不同进入方式，可以设置"开始"的"延迟"时间，以及"速度"的快慢和"重复"的次数。如图 1-88 所示。

1.3.7　"强调"中"陀螺旋"的应用

如果设置对象的"转动"动画，可以利用"强调"中的"陀螺旋"的旋转功能，设置方法：

（1）以一个圆柱体图片为例，选中对象，在"自定义动画"的任务窗格中，点击"添加效果"→"强调"→"陀螺旋"，即可得到默认速度为"中速"、"360°顺时针"转动的动画。

（2）动画效果的进一步设置。点击图 1-89 中"自定义动画"下面的"1　　　圆柱形 1　　▼"右边的小三角，选择"效果选项"或"计时"选项卡，或者双击"1　　　圆柱形 1　　▼"，在得到的"陀螺旋"对

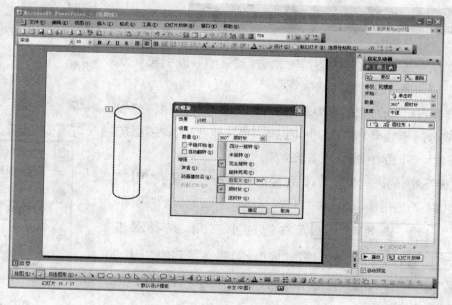

图 1-89

话框的"效果"选项卡中,点击"数量"右边的小三角,可以在这里改变转动的方向以及转动的角度,要设置任意的角度,可以直接在"自定义"中输入角度的数值,然后打回车(一定先打回车后再点击"确定"),如果选中"平稳开始"和"平稳结束",则动画开始和结束时速度较慢,如果"平稳开始"和"平稳结束"不选中,则匀速转动,如果选中"自动翻转",则顺时针转动结束后,自动进行同角度的逆时针转动,还可以在"增强"中设置动作的声音及其他内容。在"计时"选项卡中,可以设置"延迟"的时间、"速度"的快慢,"重复"的次数。

1.3.8 "陀螺旋"功能的拓展应用

"陀螺旋"功能只能够让对象绕中心点为转动轴转动,但是也可以利用此功能让对象绕一端转动,以小球在绳子拉力作用下绕圆心做圆周运动为例。进行如下设置:

(1) 做一个绳子拴着的小球,如图1-90中a所示,然后复制一个相同的图片,并将其上下翻转,利用对齐功能使两个图片对齐,然后组合,如图1-90中b所示。再分别选中上部分图片的两个图片元素"小球"和"直线",使其周围变为小黑点,如图1-90中c所示,将他们的线条颜色和填充色均设置成白色。

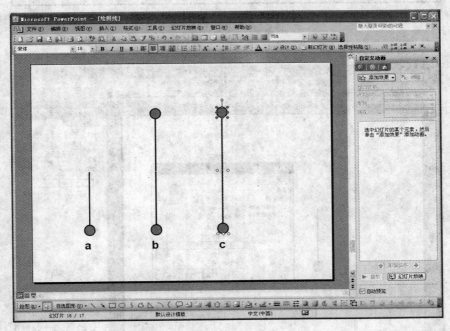

图 1-90

(2) 选中上部分已经变为白色的组合图片,在"自定义动画"任务窗格中,点击"添加效果"→"强调"→"陀螺旋",如图1-91所示。即得到以"上端点"为轴(实际上是以整个图片的中心点为轴)转动,默认速度为"中速"、"360°顺时针"转动的动画。

(3) 点击"自定义动画"下面的表示"陀螺旋"设置的" 1 🖐 🔄 组合 1 ▾ "右边的小三角,选择"效果选项"或"计时"选项,或者双击" 1 🖐 🔄 组合 1 ▾ ",在得到的"陀螺旋"对话框的"效果"选项卡中,点击"数量"右边的小三角,可以在此改变转动的方向及转动的角度,如果选中"自动翻转",则顺时针转动结束后自动进行逆时针转动。在"计时"选项卡中,可以设置"延迟"的时间、"速度"的快慢,"重复"的次数。如图1-92所示。

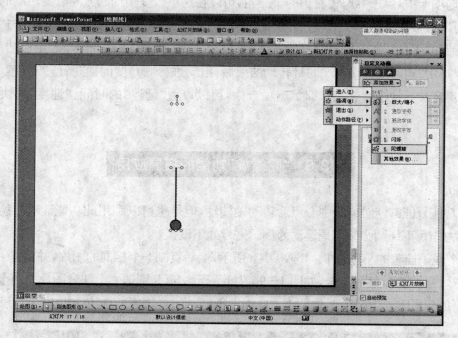

图 1－91

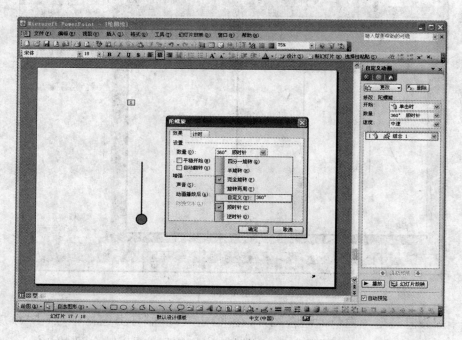

图 1－92

（4）由于图片的另一半设置成白色，在转动时常常会遮盖住其他对象，所以在画图时可以不使用线条，而使用自选图形画线，即使要画一条细直线，也可以利用"自选图形"中的"矩形"来画，如图 1－93 所示，利用"设置自选图形格式"对话框中的"尺寸"选项卡，可以设置高度为"6 厘米"，宽度为"0.02 厘米"的线条。两个对称图片组合后，可将另一半自选图形的线条和边框均设置成无色。这样有颜色的一半在转动时，另一半由于是无色的，就不会遮盖住其他对象了。

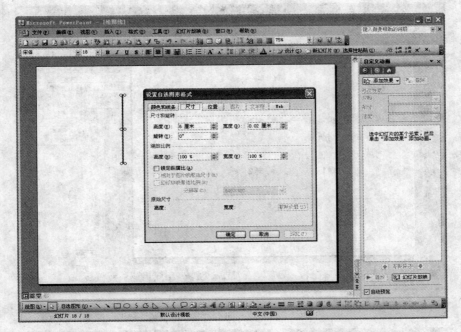

图 1-93

1.3.9 "闪烁"的应用

在幻灯片放映过程中,有时为了突出某些内容,需要让某些文字或图片对象闪烁几次,设置方法如下:

(1) 单一对象的"闪烁"

1) 在文本框中输入文字,然后选中该文本框,在"自定义动画"中,点击"添加效果"→"强调"→"闪烁"。

2) 再点击"自定义动画"下面设置好"闪烁"动画的图标右边的小三角,选中"效果选项",在"闪烁"对话框的"计时"选项卡中,可以设置"重复"的次数,或"直到下一次单击",点击"确定"。

(2) 两个对象的交替"闪烁"

有时常常需要让两个对象交替闪动出现,以两个圆的交替闪烁为例说明制作方法:

1) 利用"自选图形"画出一个圆,并设置好填充色及线条,再复制出另一个,左边的设为球1,右边的为球2,选中左边的球,点击"添加效果"→"进入"→"出现";再选中两个球,点击"添加效果"→"强调"→"闪烁"。如图 1-94 所示。

2) 再选中表示两个球"闪烁"效果的" 1 ☼ 椭圆 1 ▼ "和" 2 ☼ 椭圆 2 ▼ ",打开" 2 ☼ 椭圆 2 ▼ "后面的下拉菜单,点击"计时",得到"闪烁"对话框,在"计时"选项卡中,"开始"选择"之前","速度"可以任意选择,如"0.4 秒","重复"可任选,如选择"直到幻灯片末尾",如图 1-95所示。

3) 再双击表示"强调"的" 2 ☼ 椭圆 2 ▼ ",在"闪烁"对话框的"计时"选项卡中,"延迟"应设置为"0.4"的一半,即"0.2 秒"。如图 1-96 所示。点击"确定"。这样放映时两个球交替出现。在课件制作时,任何两个需要交替出现的动画均可按此方法设置。(参见光盘 1.3.9"闪烁"的应用)

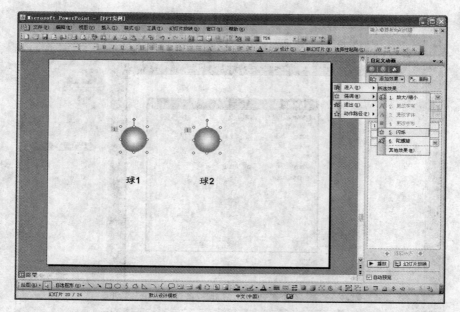

图 1-94

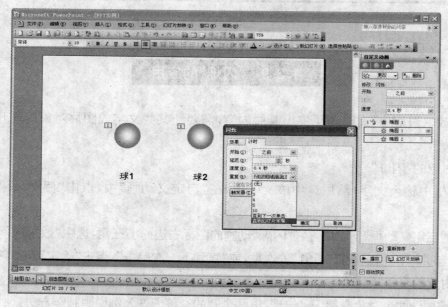

图 1-95

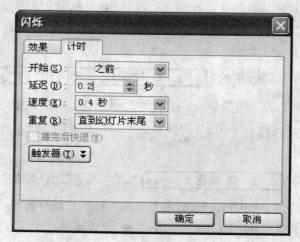

图 1-96

1.3.10 "自定义动画"中"退出"的设置

在演示过程中,如果想让某一对象退出,可以利用"自定义动画"中的"退出"功能,选择各种不同的方式让对象退出。以一个图片的退出为例,说明操作的方法:

(1) 选中该图片,点击"添加效果"→"退出"→"飞出"(或者其他效果)即可。

(2) 对动画效果进一步设置。点击"自定义动画"下面的"1 ★ 图片框 1 ▼"右边的小三角,选择"效果选项"或"计时",或者双击"1 ★ 图片框 1 ▼",在得到的"飞出"对话框的"效果"选项卡中,点击"方向"右边的小三角,可以在此改变飞出的方向。可以决定是否选中"平稳开始"和"平稳结束",还可以在"增强"中设置动作的声音。如图 1－97 所示。在"计时"选项卡中,可以设置"延迟"的时间、"速度"的快慢,"重复"的次数等内容。(参见光盘 1.3.10"自定义动画"中"退出"的设置)

图 1－97

1.3.11 "自定义动画"中"动作路径"的设置

利用"自定义动画"中的"动作路径"可以实现幻灯片中对象沿各种路径的运动。设置的方法是:

(1) 设置动作路径。选中需要运动的任意对象,(如"自选图形"、"文本框"或"图片"),以一个小球为例,选中小球,点击"添加效果"→"动作路径"→"圆形扩展"(或者其他运动路径),得到小球的圆周运动轨迹。如图 1－98 所示。也可以点击"其他动作路径",有更多的动作路径供选择。

(2) 动画效果的进一步设置。仍以上图小球为例,双击"自定义动画"下面的"1 ○ 椭圆 1 ▼",得到了"圆形扩展"对话框,可以进一步设置动画的效果,在"效果"选项卡中,"路径"右边一项一般按默认是"解除锁定",如果选中下面的"平稳开始"和"平稳结束",则动作开始和结束速度都是较慢的。选中下面的"自动翻转",则小球转动一圈后自动反向运动。在"增强"栏目中可以添加"声音"以及是否让"动画

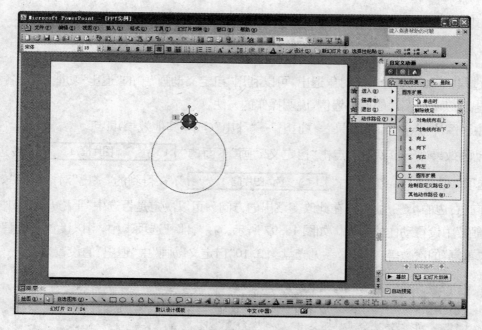

图 1-98

播出后"改变颜色,以强调动画的播放效果。如图 1-99 所示。

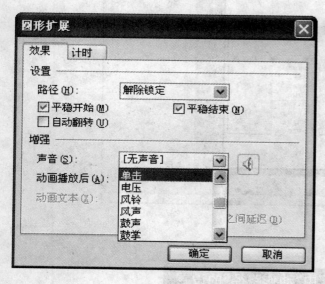

图 1-99

图 1-100

（3）在"计时"选项卡中,在"开始"右边可以选择动画的播出是"单击时"开始,还是与前一个对象同时进行或前一个动作结束时才开始动作。"速度"可以设置对象动作的时间,在"重复"中可以设置重复播放该动画的次数。如图 1-100 所示。

1.3.12　修改动作路径

动作路径设置好以后,出现的小"绿三角"表示动作开始的位置,小"红三角"表示动作结束的位置,单击路径可以看到在它的四周出现八个白色的调整大小控制点,用鼠标拖动控制点可以调整路径的大小和形状，按下"Shift"可以把原来的圆形轨迹的半径变大或变小，拖动绿色的旋转手柄还可以旋转动作路径。

动作路径的其他一些修改：

（1）使动作反向进行

设置好小球的动作路径"S形曲线1"后，选中小球，点击"自定义动画"下面的" 1 ～ 椭圆 1 ▼ "
右边的小三角，然后点击"反向路径方向"，则对象的动作路径就改变了方向。如图1－101所示。

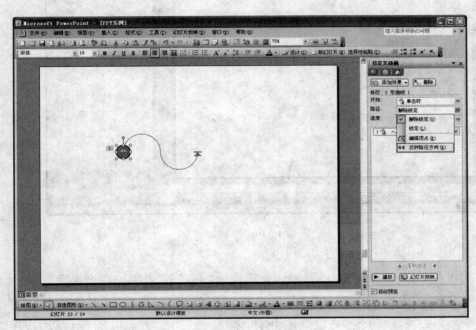

图 1－101

（2）编辑运动路径

可以对设置的动作路径进行编辑，即可以任意改变对象的运动路径，如在文本框内输入"运动"二字，
选中文本框，设置该文本框的运动路径为"正方形"，再右击动作路径，选中"编辑顶点"，如图1－102所
示。可以看到四个小黑正方形的路径编辑控制点，拉动任意一个小黑正方形控制点，即可改变对象的运
动路径，如图1－103所示。

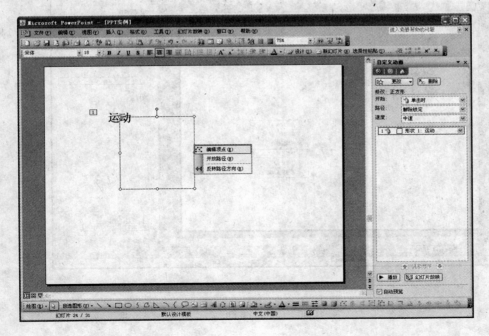

图 1－102

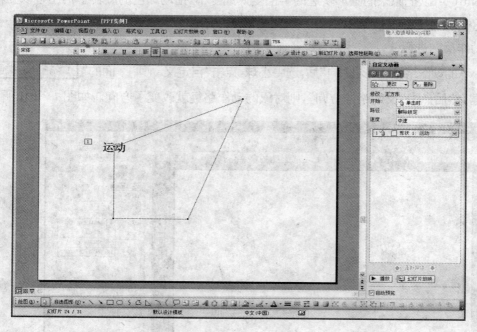

图 1 - 103

在"编辑顶点"的状态下,鼠标放在某一路径处,光标变为"十字形"且中间有个小黑方块时,右击鼠标,得到"添加顶点"、"删除线段"、"开放路径"等内容的操作项,如图 1 - 104 所示。点击"添加顶点",可以在鼠标处增加一个小黑方块,拉动小黑方块,可以继续改变路径形状。若点击"删除线段",则可以将封闭路径的某一部分删除。若路径为圆形,点击"删除线段"后,圆形的路径则变为四分之三圆运动路径。如图 1 - 105 所示。

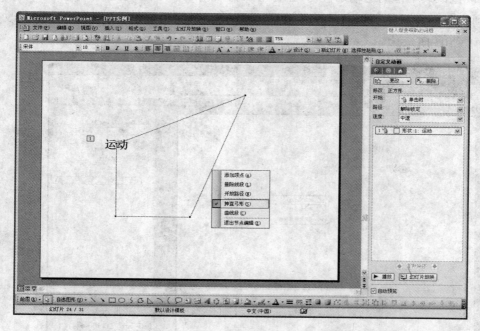

图 1 - 104

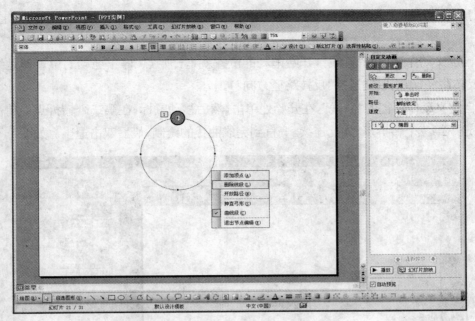

图 1－105

1.3.13 自定义动作路径

除了预设的动作路径以外，用户还可以自定义动作路径。方法如下：

（1）在"自定义动画"任务窗格中，选中要设定动画的对象，点击"添加效果"→"动作路径"→"绘制自定义路径"，然后选择要绘制的路径形状：直线、曲线、任意多边形、自由曲线等。如图 1－106 所示。

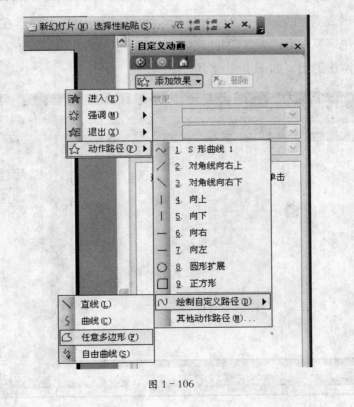

图 1－106

（2）在幻灯片上按下鼠标左键不放进行拖动，即可绘制出所需的路径，几种不同的自定义动作路径说明如下：

1）选择自定义动作路径的"直线"，开始拖动的位置就是开始点，停止拖动的位置就是结束点，如果需要还可以反转路径（单击右键选择"反转路径方向"）。

2）选择自定义动作路径的"曲线"，在开始处单击，然后移动鼠标，在第二个转折点处单击鼠标，然后再移动鼠标，定下第三个转折点，如此连续，一直到完成曲线的绘制，最后双击退出。如图 1-107 所示。

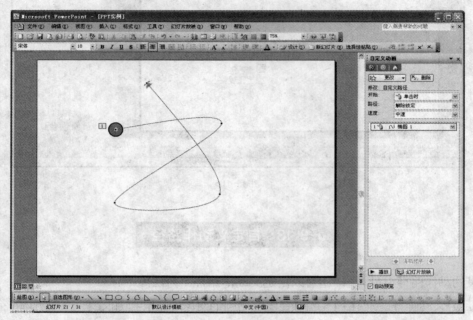

图 1-107

3）选择自定义动作路径的"任意多边形"，在开始处单击，然后移动鼠标，在第二个转折点处单击鼠标，然后再移动鼠标，定下第三个转折点，如此连续，一直到完成任意多边形的绘制（画水平和竖直线时可以按下"Shift"），最后双击退出。如图 1-108 所示。

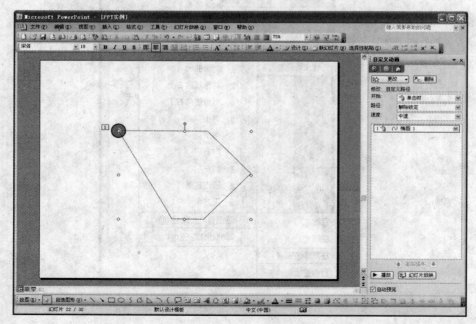

图 1-108

（3）选择自定义动作路径的"自由曲线"，鼠标变成铅笔形状，在开始处拖动鼠标，按住鼠标键不放。完毕后单击或双击鼠标，或者松开鼠标键等待 1 秒钟。如图 1-109 所示。

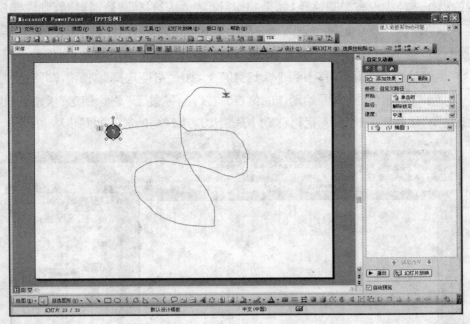

图 1-109

（4）所有自定义动作路径都可以通过"编辑顶点"对路径进行编辑。在"编辑顶点"的状态下，可以通过右击鼠标，选择"抻直弓形"，将某段曲线变为直线，如图 1-110 所示。是将图 1-107 下面的曲线变成了直线。

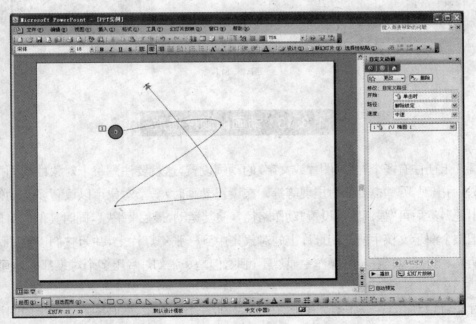

图 1-110

1. 3. 14 "锁定"和"解除锁定"动作路径

（1）在"自定义动画"下面，打开"路径"右边的下拉列表，如图 1-111 所示，可以设置"锁定"和"解除锁定"。默认的是"解除锁定",所谓"锁定"是指对路径的锁定,即移动对象时路径被锁定在原位置不动,如果选择"解除锁定",则对象被移动时,路径也跟着移动。

（2）预设的动作路径中没有椭圆路径,如果制作行星绕太阳的椭圆轨道运动,则需要拉动已经设置好的圆形路径,如将图1-105中的圆形轨道通过拉动控制点变为如图1-111所示的椭圆轨道。这时候小球运动的开始点即小"绿三角"移动了位置,如果"路径"处于"解除锁定"状态,当移动小球时,路径会随着小球的移动发生相对移动,即小球移不到小"绿三角"上,如果路径选择"锁定",即路径位置不动,则可以直接移动小球到小"绿三角"上,即开始动作的位置。在"路径"处于"解除锁定"状态下,也可以通过移动路径将小"绿三角"移动到小球上,然后再移动小球来实现小球与轨道间的同步移动。

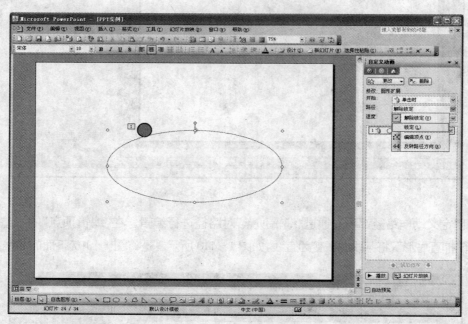

图 1-111

1.3.15 动画的顺序播放

一张幻灯片上往往有多个对象（图片或文字）的动画设置,这就要注意每个对象的动画播出顺序,哪些先出现,哪些后出现,哪些需要同时出现等等。在设置动画时,一个对象可以设置多个动作,即一个对象,可以先"出现",然后再"强调",再设置"动作路径",使其运动,最后"消失",同时其他的对象开始动作。理论上可以把整个演示文稿中所有幻灯片上的对象集中到一张幻灯片上,并为它们设置动画效果,依次出现、运动、消失。当然这样在实际操作中显然不可取,但是一张幻灯片上多个对象都有动画的设置是常见的。

（1）如图1-112所示,在一张幻灯片上有三个对象,一个文本框,两张图片。左上的图片编号为"图片框1"、右下的图片编号为"图片框2"、文本框的编号为"形状3:鲁镇",这些编号的数字与每个图片出现的先后顺序有关,但是不论某一个对象在一张幻灯片上设置多少次动画,它的编号不变。如编号为"图片框1"是左上角图片,先设置了"进入",再设置"退出"。第一次点击时,左上的图片先出现,然后文本框出现,第二次点击时,左上角图片消失的同时右下角图片出现。

图 1-112

（2）如果在第二次点击时要求左上角的"图片框1"在右下角的"图片框2"出现1秒后再消失，则可双击"自定义动画"下面的表示"消失"设置的" 🌟 图片框 1 ▼ "，在得到的"菱形"对话框的"计时"选项卡中，"开始"设为"之前"，"延迟"时间要设置为1秒，这样，在前面的对象动作开始1秒时该对象才开始动作。如图 1-113 所示。

图 1-113

（4）如果想重新排序，先选中"自定义动画"下面表示动作设置的标识，直接用鼠标拖动即可。或点击下面的"重新排序"，可以改变对象的播放顺序。（参见光盘 1.3.15 动画的顺序播放）

1.3.16 对象出现后然后自动消失

一个对象出现后有时需要让它再消失,设置的方法如下:

(1)选中一个对象,在"自定义动画"中,点击"添加效果"→"进入"→"飞入",可以对飞入动作的方向和速度进行设置,如从"底部"飞入,速度为"中速"。

(2)再次选中该对象,在"自定义动画"中,点击"添加效果"→"退出"→"菱形"(或其他),如图1-114所示。

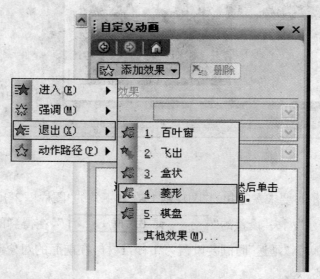

图1-114

(3)"开始"设置为从上一项"之后"开始,"延迟"可以设置为"2"秒(或其他值),点击"确定"。放映时,这个对象以"飞入"的动画方式进来后停留2秒后自动消失。如图1-115所示。

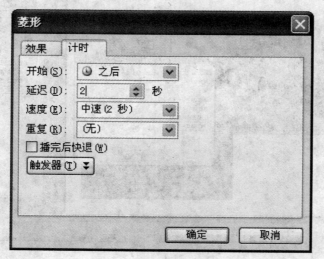

图1-115

(4)若播放完后直接消失,则选中上图的"播完后快退",则播出后对象自动消失。

1.3.17　多个对象的同时动作

有时需要几个对象（图片和文字）同时出现，设置方法为：

（1）将它们组合到一起，作为一个对象，这样组合后每个对象的动画是相同的。

（2）不同对象可以分别设置动画，但是第二个对象的"开始"应设置成"从上一项开始"，如图 1 - 116 所示。这样两个对象则同时出现，可以设置两个对象的不同运动方向。如果设置"从上一项之后开始"，则第一个动画完毕后，第二动画接着自动出现。

1.3.18　公式动画的批量设置

（1）有时从 Word 中复制过来的公式很多且很小，可以批量的对公式进行动画设置。先选中所有公式，用鼠标拉动到适当位置，如图 1 - 117 所示。放手后即得到放大了的公式。

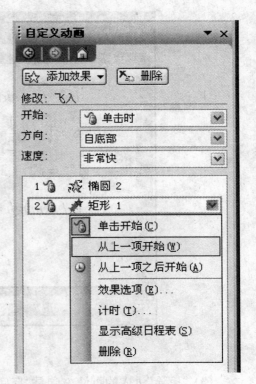

图 1 - 116

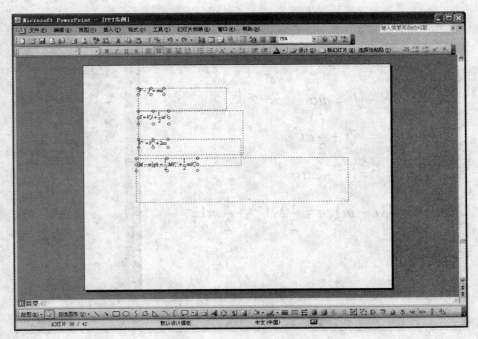

图 1 - 117

（2）选中放大了的公式，点击"添加效果"→"进入"→"擦除"（一般公式的"进入"动画用"擦除"较好）。如图 1 - 118 所示。

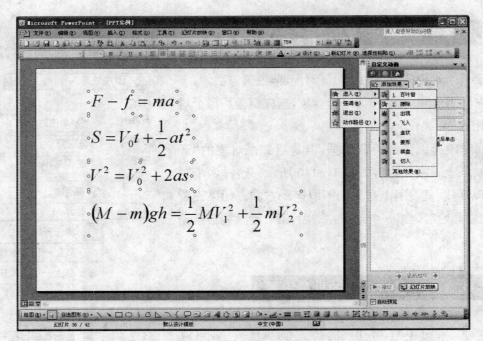

图 1－118

（3）"擦除"进入的默认方向是"自底部"，设置"自定义动画"下面的"方向"，修改为"自左端"，如图
1－119所示。默认速度"非常快"，修改为"慢速"。

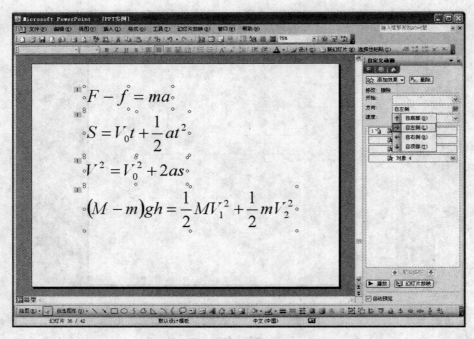

图 1－119

（4）批量设置对象时，默认的"开始"是同时的，即点击一下所有公式同时出现，一般我们总想让每个
公式点击时再出现。在"添加效果"下面的"开始"中选择"单击时"。这样每个公式的出现都是在鼠标单
击时。如图 1－120 所示。（参见光盘 1.3.18 公式动画的批量设置）

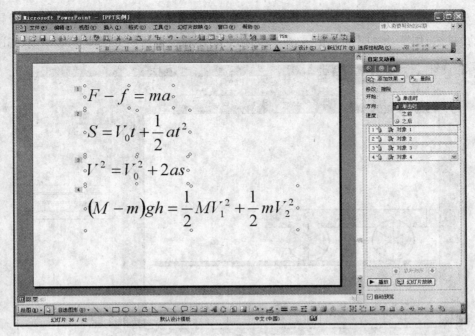

图 1－120

其他图片的批量动画设置方法类同。

1.3.19 批量设置动作路径

有时要求几个图片在移动时，它们的相对位置不发生变化，如小车的运动，车轮子和车身的相对位置不能发生变化，就需要批量一次性设置动作路径。

（1）利用"陀螺旋"功能，设置好两个车轮的转动效果。再画出路面和车身，选中两个轮子和车身。点击"添加效果"→"动作路径"→"向右"，如图 1－121 所示。

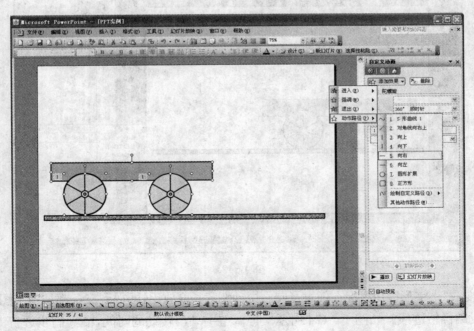

图 1－121

（2）两个轮子的转动和车身及两个轮子的平动是同时进行的，所以要让五个动画的设置同时开始。并要考虑转动的时间和平动的时间要相同，即转动和平动要同步进行。如图1-122所示均设置为慢速。

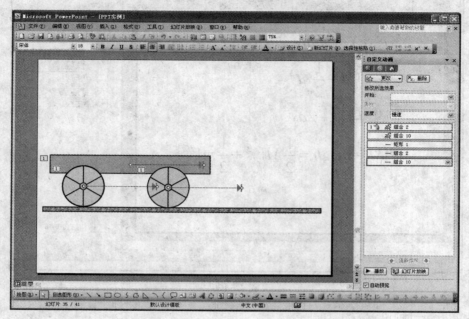

图1-122

（3）前面车子运动的动画批量设置，向右运动的路径长度是一定的，不能任意改变，若要设置任意长度的动作路径，分别改变三个动作路径的长度，很难保证三条路径长度相同同步运动。这时应选择自定义动作路径进行设置。方法如下：

1）选中三个图片，点击"添加效果"→"动作路径"→"绘制自定义路径"→"直线"，如图1-123所示。

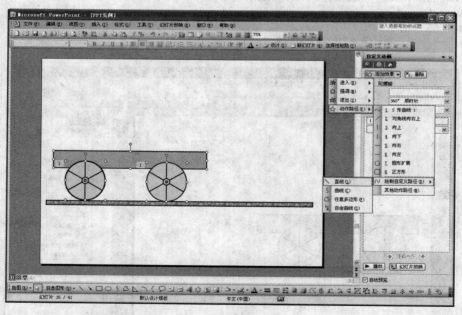

图1-123

2）光标变成"十字形"，用鼠标在任意点向右拉动任意长度放手，即得到三条都从三个图片的几何中心出发的运动路径轨迹线。如图1-124所示。再调整平动与转动的时间，使其同步进行。（参见光盘1.3.19批量设置动作路径）

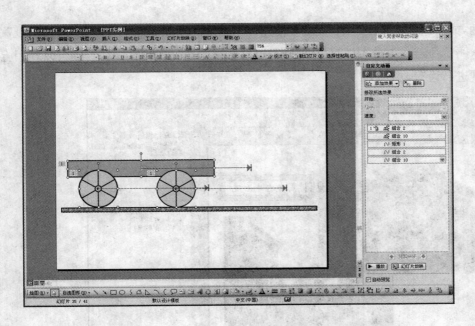

图 1-124

1.3.20 触发器的应用

利用单击鼠标播放动画一般是按照设置好的顺序进行各个对象的动画播放的,要使放映幻灯片时各对象的出现能够进一步的交互动作、互不干扰,可以利用触发器来实现,设置的方法是:

(1)先把一幅图片设置好"进入"的方式,如设置为"切入",再插入一个文本框或自选图形输入说明文字,如输入的文字为"点击图片出现",双击"自定义动画"下面的"1 🖱 ⭐ 图片框 1 ✔",在"切入"对话框的"计时"选项卡中,点击"触发器",选中"单击下列对象时启动效果",在右边的下拉框中点击"棱台 2:点击图片出现",如图 1-125 所示。再点击"确定"。在放映时当鼠标移至棱台上时会出现一个小手,点击"棱台",则图片出现。

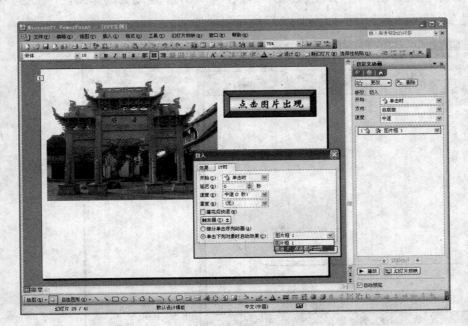

图 1-125

(2)如果让多个图片利用触发器按顺序出现,则应把所有设置好的图片动画方式都拖放到表示触发器设置标识的下面,或者选中自定义动画下面,要使用同一个触发器动作的所有动作设置,再设置触发器功能,如图1-126所示。若让每个图片都分别能够通过"触发器"点击时自由出现,则可以利用上述方法对每个图片的出现进行设置。

图1-126

1. 3. 21 连续动作路径的设置

根据课件的要求,一个对象有时需要几个连续动作对象的组合,即完成一个动作后再接着进行下一个动作,并且在设置"延迟"、"速度"和"重复"各项时,均可输入任意数值或小数值。以下面的动画(小球先做水平运动,接着做半圆弧运动,再在圆弧的最高点做平抛运动)为例说明连续动作路径的设置:

(1) 利用绘图工具画出直线和半圆弧线以及小球,设置小球水平运动的动作路径,并调整水平运动路径的长度,使其达到半圆弧的正下面,如图1-127所示。

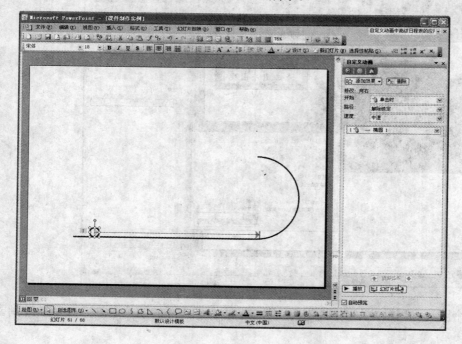

图1-127

（2）再选中小球，点击"自定义动画"下面的"添加效果"→"动作路径"→"圆形扩展"，调整圆形动作路径的位置，在"圆形扩展"对话框里，"重复"设置为"0.5"，如图 1－128 所示。在"效果"选项卡里，可以不选中"平稳开始"、"平稳结束"。

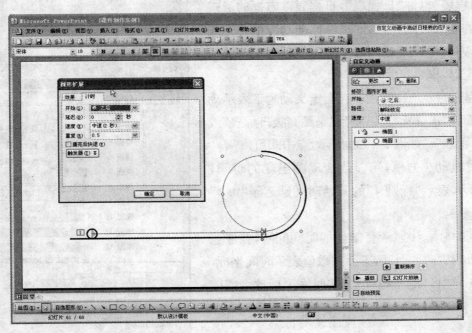

图 1－128

（3）再次选中小球，点击"添加效果"→"动作路径"→"绘制自定义路径"→"曲线"，从最高点画到下边，绘制出一个曲线的动作路径，调整动作路径的形状和位置，设置好后的动画如图 1－129 所示。三个动画分别动作。即前一个动作结束，后一个动作开始。（参见光盘 1.3.21 连续动作路径的设置）

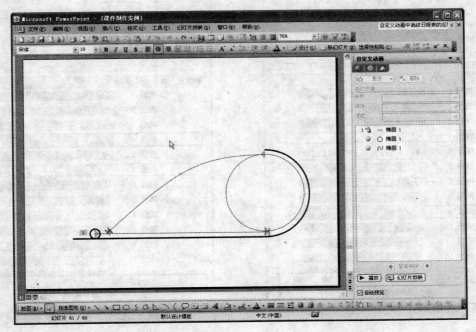

图 1－129

1.3.22 高级日程表的应用

"高级日程表"也称"日程表",日程表以方框的形式显示幻灯片的播放时间,可以通过鼠标拖动方框的方式来更改时间,方便地设置动画效果的时间延迟。若要想播放的时间延迟,只要向后拖动即可。

(1)日程表的显示和隐藏。在自定义动画下表示动画的标识上面,右击鼠标,可以看到"隐藏高级日程表"或"显示高级日程表"。如图1-130所示,点击即可。

(2)通过拉动小方框,可以改变动画出现的时间,图1-131所示,表示"椭圆4"的开始时间延迟了"0.3"秒出现。

(3)中间的分隔线显示了循环的时间间隔,在任意处用鼠标拖动可以改变时间,下面的数值表示时间坐标,可以点击左下角"秒"的下拉列表,将时间坐标放大或缩小。如图1-132所示。

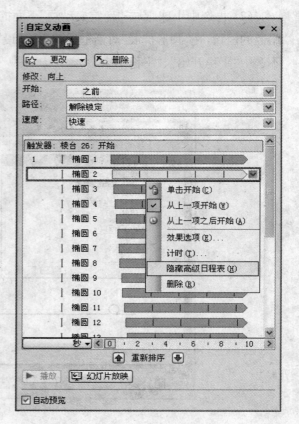

图 1-130

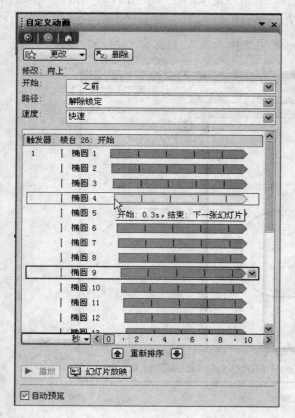

图 1-131

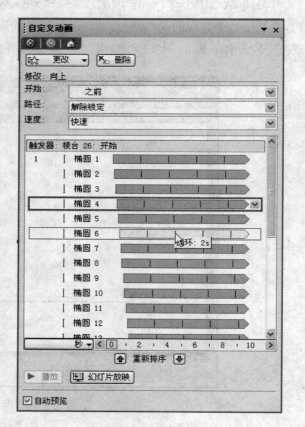

图 1-132

1.3.23　图片连续运动的制作方法

利用自定义动画功能可以制作出图片连续运动的动画。操作方法如下：

（1）利用绘图工具制作出相同的偶数个图片，放置在适当位置。如图1－133所示。

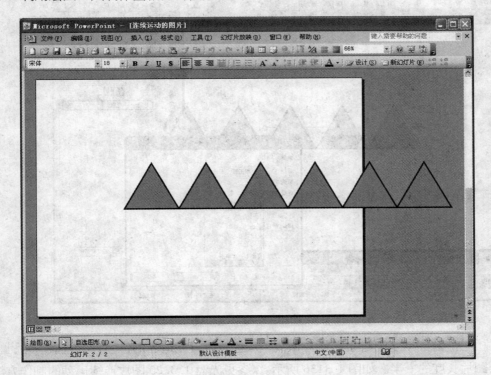

图1－133

（2）点击"自定义动画"→"添加效果"→"动作路径"→"向左"，然后拉动动作路径的小红箭头，使得运动路径的长度等于所有图片总长度的一半。如图1－134所示。

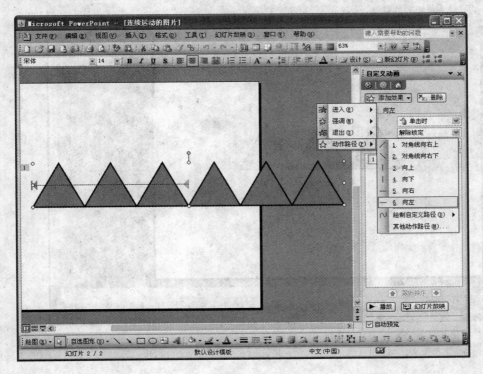

图1－134

（3）双击"自定义动画"下面表示动作的" "，在打开的"向左"对话框的"计时"选项卡中，选择"速度"和"重复"的次数。如图 1－135 所示。

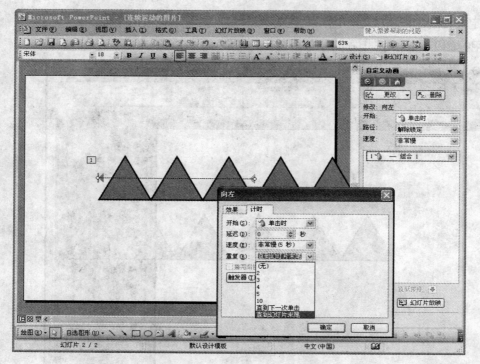

图 1－135

（4）再做出两个白色图片（为方便阅读，图片做成了灰色），放置在适当的位置，两个白色矩形图片间的距离，等于组合图片长度的一半。如图 1－136 所示。（参见光盘 1.3.23 图片连续运动的制作方法）

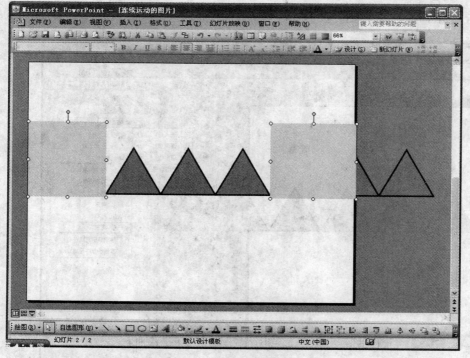

图 1－136

1.3.24 变形篮球的设置

（1）在网上搜索一个篮球图片，再画出一个地板图片，选中篮球，点击"自定义动画"下面的"添加效果"→"动作路径"→"向下"。双击"自定义动画"下面表示动作路径的图标" ![1 图片框 1] "，在向下对话框中的"效果"选项卡中，选中"平稳开始"，"平稳结束"和"自动翻转"不选中。如图1-137所示。速度选择"快速"。

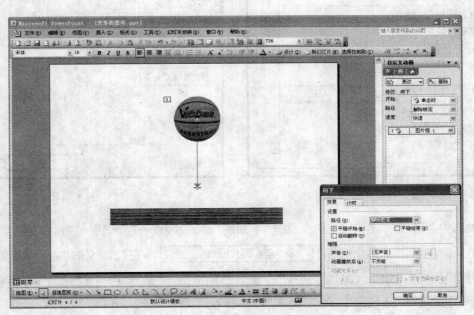

图 1-137

（2）再次选中篮球图片，点击"自定义动画"下面的"添加效果"→"强调"→"放大/缩小"。如图1-138所示。

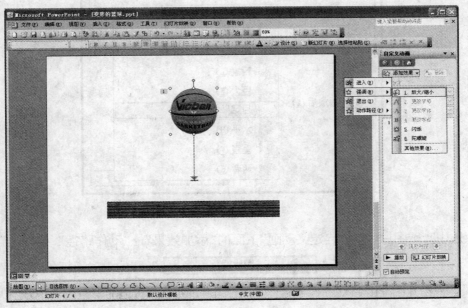

图 1-138

（3）双击"自定义动画"下"放大/缩小"动作路径的图标" 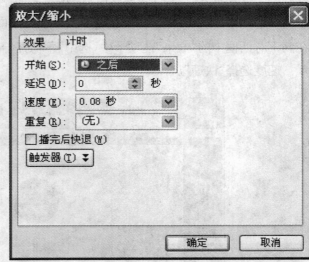 "，在"放大/缩小"对话框的"效果"选项卡中，把"尺寸"设置为"自定义80％"，选中"垂直"，然后按回车键，选中"平稳开始"。如图1－139所示。在"计时"选项卡中，速度选择"0.08秒"。如图1－140所示。

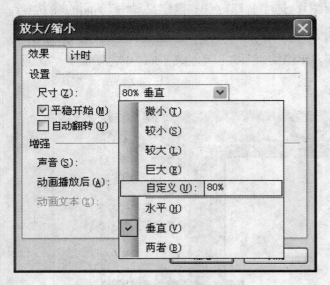

图 1－139

图 1－140

（4）再次选中篮球图片，点击"自定义动画"下面的"添加效果"→"强调"→"放大/缩小"。双击"自定义动画"下"放大/缩小"的第二个图标" 图片框 1 "，在"放大/缩小"对话框的"效果"选项卡中，把"尺寸"设置为"自定义120％"，选中"垂直"，然后按回车键，选中"平稳开始"和"平稳结束"。如图1－141所示。在"计时"选项卡中，速度选择"0.08秒"。

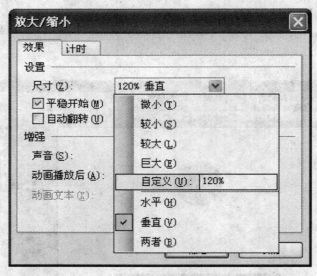

图 1－141

（5）再次选中篮球图片，点击"自定义动画"下面的"添加效果"→"动作路径"→"向上"。双击"自定义动画"下表示向上动作路径的图标" 图片框 1 "，在向上对话框的"效果"选项卡中，选中"平稳结束"，"平稳开始"和"自动翻转"不选中。在"动画播放后"右边的下拉列表中，选中"播放动画后隐藏"。如图1－142所示。然后点击"确定"。速度选择"快速"。

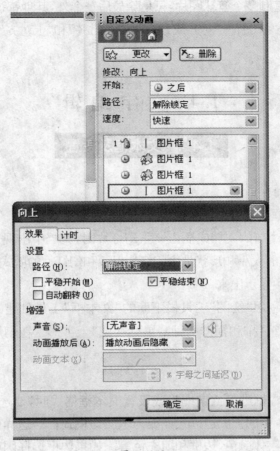

图 1 – 142

（6）选中设置好动画效果的篮球图片，复制一个，并设置一个"进入"中"出现"的动画。双击表示向上动作路径的图标" 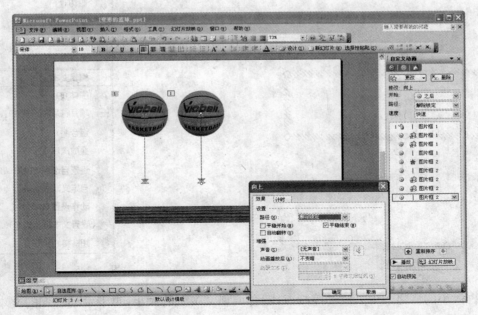 "，在"动画播放后"右边的下拉列表中，重新选中"不变暗"。如图 1 – 143 所示。

图 1 – 143

（7）利用上述方法可以复制多个篮球图片，只是除最后一个外，其他都设置成"播放动画后隐藏"，将所有篮球图片全部选中，点击"绘图"→"对齐或分布"→"左对齐"和"上对齐"即可。（参见光盘1.3.24变形篮球的设置）

1.4 文字编辑

1.4.1 文本框及设置

（1）两种文本框

文本框就是放置文字的框架，一种是占位符，另一种是手动文本框。

1）文本占位符。建立一个新的文档或插入一张幻灯片时，文档中出现一个如"单击此处添加文本"等内容的文本框，这个文本框的大小和形状是由幻灯片母版和幻灯片的版式所决定的。在文本占位符中输入的文字可以在大纲视图中显示出来。

2）添加的文本框。用户利用"绘图"工具栏下面的"文本框"工具创建的文本框。方法是：点击"绘图"工具栏右边的"文本框"（有竖排和横排两种），鼠标变成"十字形"，在幻灯片的任意地方拉出一个矩形，在其中输入文字。

（2）文本框的设置

1）文本框的选中。对文本框进行文字编辑或设置文本框格式时，要选中文本框，即点击文本框的"花边"，使文本框由图1－144中的上图边框式样变为下图边框式样。这样可以对文本框中的所有内容进行格式设置。如设置字号、字体颜色、边框和填充色等。如果边框选择困难时，则光标在文本框内时，按下"Esc"键即可快速选中文本框的边框。如果光标置于文本框内困难时，鼠标右击文本框的"花边"，在弹出的菜单中，点击"编辑文本"，即可将光标快速置于文本框内。如图1－145所示。

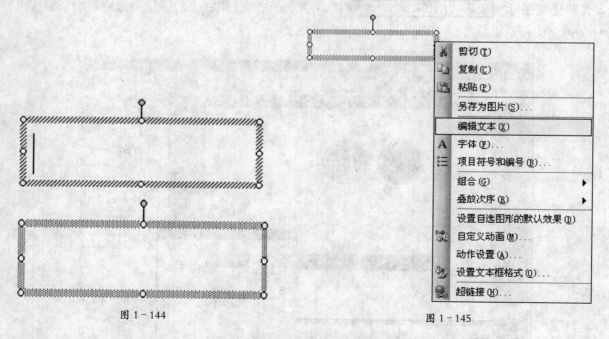

图1－144

图1－145

2）文本框大小的调整。可以拉动控制点，随意调整文本框的大小，对于手动添加的文本框，右击边框，再点击"设置文本框格式"，在得到的"设置文本框格式"对话框中，点击"文本框"选项卡，如果不选中

"调整自选图形尺寸以适应文字",则可以任意拉动文本框调整其大小,否则文本框的大小随文字的大小而变化。如图1-146所示。选中"将自选图形的文字旋转90°"可以将其中的文字旋转90°,即由横排文字可以变成竖排的。

3)文本框中文字内容的设置。右图中,可以设置文本框中的文字在文本框内的位置,在"内部边距"的下面,通过调整"左"、"右"、"上"、"下"中的数值改变文字在文本框中四周的位置。

4)精确调整文本框的大小。在"设置文本框格式"对话框中,选中"尺寸"选项卡,改变"高度"和"宽度"的数值,可以调整文本框的大小,如果选中"锁定纵横比",当改变"高度"或"宽度"时,会按比例进行变化。并且设置"旋转"中的角度数值,可以将文本框旋转一定的角度。如图1-147所示。

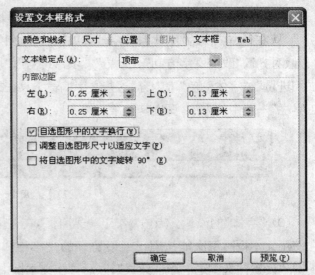

图1-146

5)对于以占位符形式出现的文本框,格式的设置与上述方法类同。不同版式的占位符有不同的默认字体、字号的设置,当占位符文本框中的内容较多时,则默认自动的缩小字号,且占位符大小不变,若不想自动调整文本,可以点击左下角出现的"自动调整选项",根据自动选项中的不同内容进行选取。如图1-148所示。若占位符中内容较少,则不会出现"自动调整选项"。

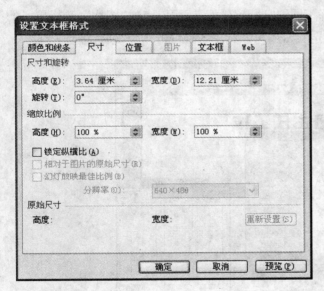

图1-147

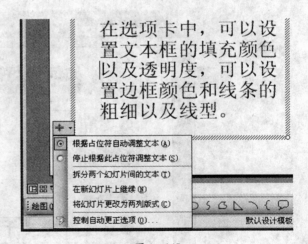

图1-148

(3)文本框的边框和填充。默认情况下,文本框是没有边框的,也无填充颜色。点击"设置文本框格式"对话框的"颜色和线条"选项卡中,可以设置文本框的填充颜色以及透明度,可以设置边框颜色和线条的粗细以及线型。

1.4.2 文字的编辑

(1)文字格式的设置

幻灯片中文字格式的设置与 Word 文字的格式设置基本相同。在文档上面的工具栏中,如图 1 - 149 所示,从左到右依次为"字体"、"字号"、"加粗"、"倾斜"、"下划线"、"阴影"、"左对齐"、"居中"、"右对齐"、"分散对齐"、"改变文字方向"、"编号"、"项目符号"、"增大字号"、"减小字号"、"行距"、"减少缩进量"、"增加缩进量"、"字体颜色"等内容,这些文字编辑工具在文档的编辑过程中,都是常用的。可以利用"自定义工具栏"一节中的方法,调出其他常用的工具。

图 1 - 149

(2)"字体"的设置。点击"格式"→"字体",在这里可以对文本框中的文字进行有关的设置。为了能在使用文本框时每次能按照已经设置好的文字格式输入文字,可以在设置好文字格式以后,点击"绘图"→"设置自选图形的默认效果",以后再在文本框中输入文字或在自选图形中输入文字时都会显示已经设置好的文字格式。

1.4.3 项目符号和编号

将鼠标放在文本框中,直接点击工具栏上的"项目符号"和"编号",则可以在文本中插入"项目符号"和"编号"。设置方法如下:

(1)点击"格式"→"项目符号和编号",可以选择不同的"项目符号",还可以点击"图片",选择更多的图片作为"项目符号"。如图 1 - 150 所示。点击"自定义",还可以利用各种符号作为"项目符号"。

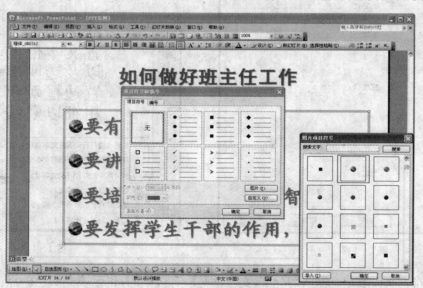

图 1 - 150

(2)点击"编号",可以选择不同的编号格式。

1.4.4 文字格式的复制

利用格式刷可以复制文字的格式。其方法是:

（1）选中已经设置好格式的文字，点击工具栏上的"格式刷"（单击使用一次，双击可以连续使用多次）。

（2）在被复制格式的文字上"刷"过去即可，或者双击"格式刷"后，在被复制的文字上单击或双击，复制一个词组，连续三击则整个段落被复制。如图 1 - 151 所示。

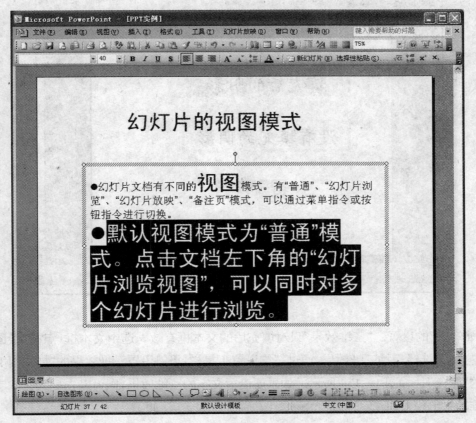

图 1 - 151

1.4.5　改变文字的行间距

改变文字的行间距可以通过"增大段落间距"和"减小段落间距"两按钮来实现。其方法是：选中文本框的边框，点击工具栏中的"增加段落间距"，得到了间距增大了的文字。也可以把光标置于某一段中，只改变某一段的文字间距。

也可以通过点击"格式"→"行距"，打开"行距"设置对话框，进行"行距"、"段前"和"段后"间距的精确设置。如图 1 - 152 所示。

图 1 - 152

1.4.6　文本框的"阴影"和"三维效果"设置

（1）"阴影"的设置，选中文本框，点击下面"绘图"工具栏中的"阴影样式"，可以设置文本框的阴影。

在设置时，如果文本框已经填充，则设置的阴影效果应用到文本框上，如果没有填充，则设置的阴影效果应用到文字上。如图1-153所示。还可以通过"阴影设置"工具，对阴影进行上、下、左、右移动，或设置阴影的颜色。

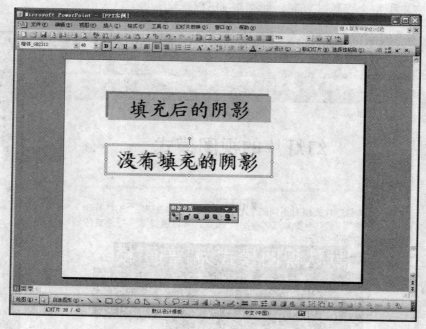

图1-153

（2）"三维效果"的设置。"三维效果"只对填充后的文本框有效。选中文本框，点击"绘图"工具栏中的"三维效果样式"，选择一种三维效果，通过三维设置工具栏，可以设置三维效果的"样式"和"深度"以及"三维效果"的"颜色"。如图1-154所示。如果要设置文字的三维效果，则可以先插入艺术字，然后对艺术字进行三维效果的设置。

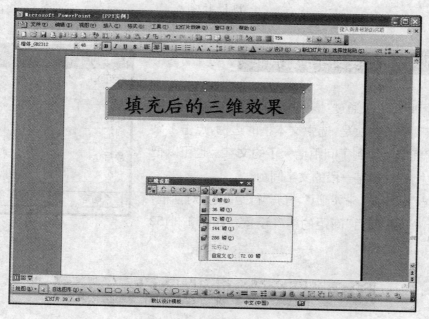

图1-154

1.4.7 添加备注

在做报告时,常常要对某一幻灯片有一些文字说明,可以通过"备注"项,对幻灯片添加备注。

(1) 将鼠标置于幻灯片文档的下端,当鼠标变为上下双向箭头时,向上拉动鼠标,即可显示出备注栏,在备注项中可以进行文字的编辑,如图 1 – 155 所示。可以对每一张幻灯片添加备注。

图 1 – 155

(2) 设置备注页的格式。

要设置备注页的文字格式,方便打印,可以在每张幻灯片的下面备注页内设置文字格式。也可以一次性的对"备注母版"格式进行设置。点击"视图"→"母板"→"备注母板",在备注文本区设置备注文本格式。如图 1 – 156 所示。

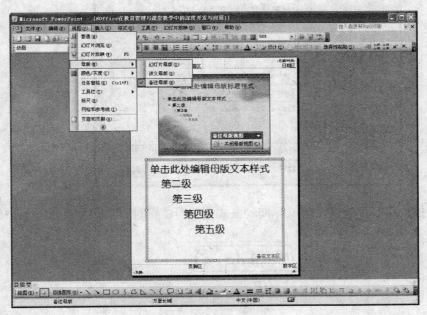

图 1 – 156

1.4.8 公式的编辑及颜色的更改

（1）公式的编辑

1）公式编辑器的调出。点击“插入”→“对象”，在“对象类别”中选择“Microsoft 公式 3.0”，点击“确定”。或者直接点击工具栏上已经拖出的“公式编辑器”按钮。得到如图 1－157 所示的公式编辑栏。如果没有出现上面的工具栏，则点击“视图”→“工具栏”，即可调出工具栏。

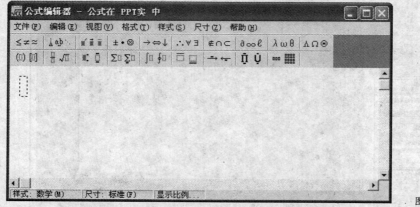

图 1－157

2）改变公式字符格式。点击“样式”→“定义”，在得到的定义“样式”对话框中，可以对字符的格式进行设置，如图 1－158 所示。

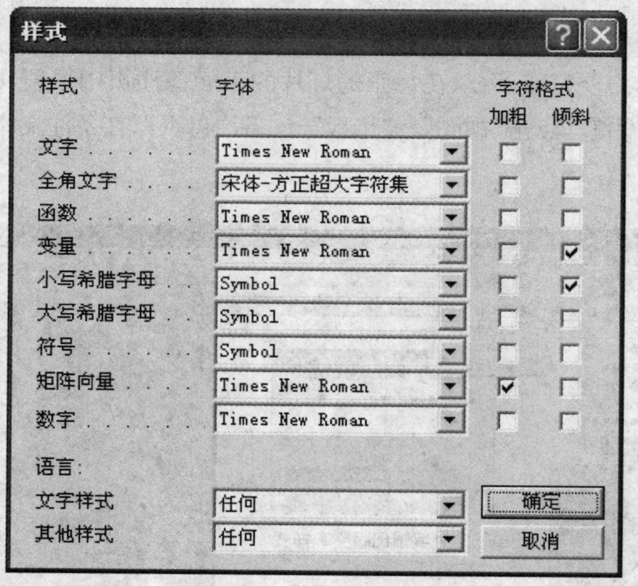

图 1－158

3）改变公式的大小。可以直接用鼠标拖动公式到适当位置时放手即可。如图 1－159 所示。

$$x=\frac{-b+\sqrt{b^2-4a(c+d)}}{2a}$$

图 1－159

（2）改变公式的颜色

公式是图片格式，公式的颜色不能通过字体颜色进行更改，它是作为图片的形式出现的。更改公式字体颜色的方法如下：

1）选中公式，点击"格式"→"对象……"，或者右击公式，点击"设置对象格式"，如图1-160所示。

2）在下图的"图片"选项卡中，点击"重新着色"，得到"重新着色"对话框，如图1-161所示。在"更改为"中选取合适的颜色，点击"确定"即可。

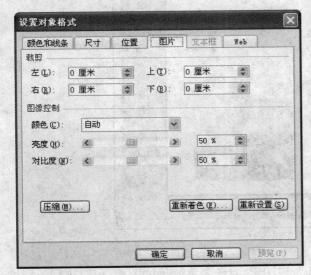

图1-160

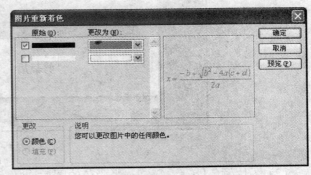

图1-161

（3）公式其他属性的设置。在"设置对象格式"对话框的"颜色和线条"选项卡中，可以设置公式的填充颜色和公式外边框的线条颜色和线型。如图1-162所示。

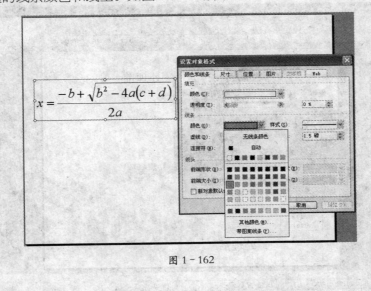

图1-162

1.5 图片图表及表格

1.5.1 图片工具栏的应用

（1）从其他地方复制过来的图片，为满足教学需要，常常要进行再编辑。选中图片，点击右键，点击

"显示图片工具栏"。在"图片"工具栏中点击"剪裁"等相关按钮,完成对图片的编辑。如图1-163所示,是剪裁前后的图片对比。

图1-163

（2）图片颜色处理。复制一张彩色的图片,要作为背景图案,对色彩太鲜艳的图片,可以进行色彩处理。在工具栏"颜色"中选择"灰度",并通过调整"增加亮度"和"降低亮度",可得到自己满意的图片。如图1-164所示,是处理前后的图片对比。

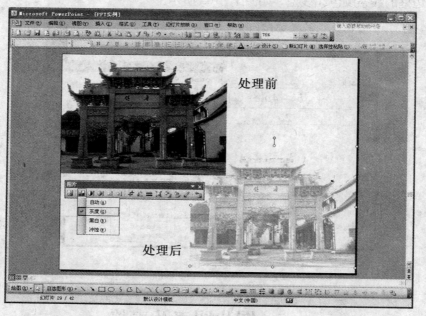

图1-164

（3）图片的压缩。点击工具栏右边的压缩按钮,得到"压缩图片"对话框,如图1-165所示。选中"常用于"中的"文档中所有图片",可以对所有图片进入压缩,在"更改分辨率"中,若选中"Web/屏幕",可以把图片压缩得更小,一般可以压缩到原来大小的十分之一。图片压缩后文件变得很小,但是并不影响放

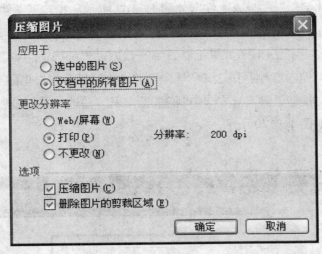

图 1-165

映的质量。

（4）其他设置。工具栏中的"向左旋转 90°"可以把图片向左旋转 90°，"线型"可以设置图片的边框线型，点击最右边的"重设图片"，可使图片恢复到原来状态。（参见光盘 1.5.1 图片工具栏的应用）

1.5.2 图表的插入

在幻灯片文档的编辑过程中，常常要把一些图表数据插入到幻灯片中，在幻灯片中插入图表的方法如下：

（1）插入图表。点击"插入"→"图表"，得到图 1-166 的图表。图表中的数据内容一般是不适合的，需要更改数据表的内容，方法如下：直接在表中输入数据；将其他数据复制过来；或者点击"编辑"→"导入文件"，由其他文件中导入数据。而常常是把 Excel 文件中的数据导入到 PowerPoint 的文档中。

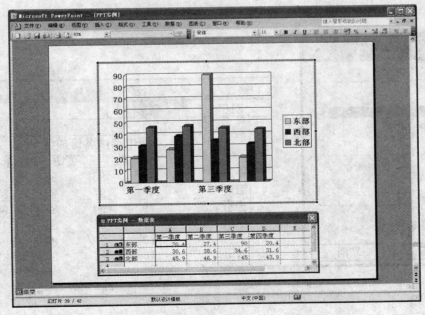

图 1-166

（2）导入数据。点击"编辑"→"导入文件"，如图 1－167 所示。找到了文件所在的位置点击后，得到如图 1－168 所示的对话框。在得到的"导入数据选项"对话框下面的"从工作簿中选择工作表"中选择数据所在的工作表，如"图表应用"工作表，如果工作表中的数据设置都很适中，可以直接选中"导入""整张工作表"。如工作表中有其他内容，则可以选择"导入"的"选定区域"，如根据图 1－169 所示中的内容，选定区域为"A2：F8"（在英文状态下输入），或选中"整张工作表"，并选中"覆盖现有单元格"，点击"确定"，得到插入数据后的图表，如图 1－170 所示。

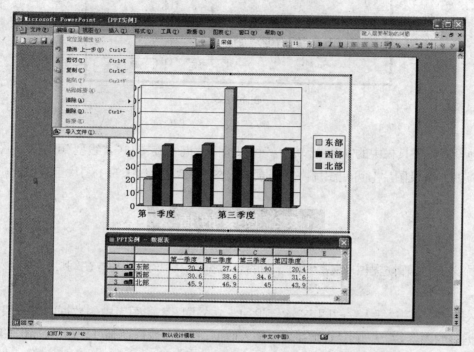

图 1－167

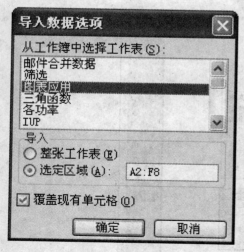

图 1－168

	A	B	C	D	E	F	G
1		期中考试各班成绩					
2		语文	数学	英语	物理	化学	
3	一班	76	93	83	92	86	
4	二班	78	97	80	87	90	
5	三班	79	94	87	90	83	
6	四班	77	95	85	93	89	
7	五班	79	90	82	94	87	
8	六班	76	94	84	87	89	

图 1－169

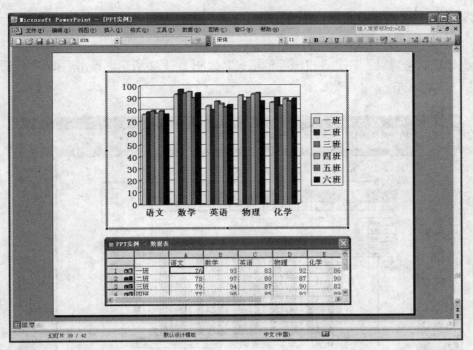

图 1-170

（3）退出编辑状态。在空白处点击，则数据表消失。得到如图 1-171 所示的插入图表。（参见光盘 1.5.2 图表的插入）

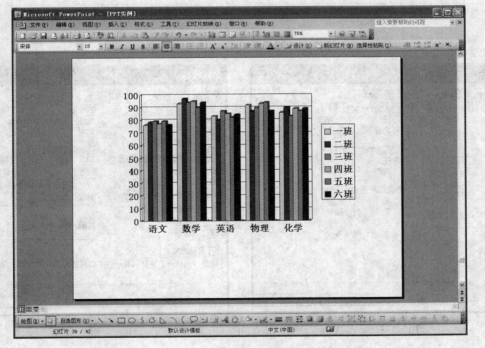

图 1-171

1.5.3　图表的格式设置

得到的图表还需要进一步设置，才能达到自己满意的效果。双击该图表，使其处于编辑状态。需要修改哪一项,就在该处右击,选取需要修改的项目。

（1）设置坐标轴格式

1）在横坐标处右击,然后点击"设置坐标轴格式",如图 1－172 所示。点击后得到"设置坐标轴格式"对话框,如图 1－173 所示。

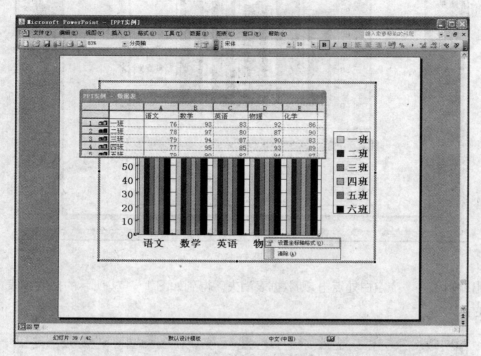

图 1－172

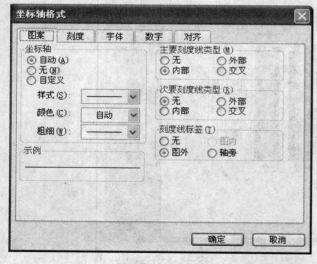

图 1－173

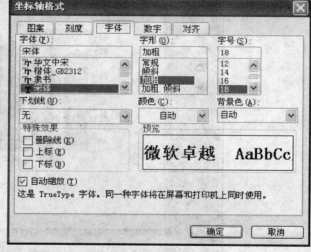

图 1－174

2）在图 1－173 的"图案"选项卡中,在"坐标轴"下面各项中,默认是"自动",可以选择"自定义",设置坐标轴的"样式"、"颜色"和"粗细",在右边可以对刻度线类型进行设置。在"字体"选项卡中,可以设置"字体"、"字形"和"字号"以及字体"颜色"等项内容。如图 1－174 所示。

3）纵坐标轴的设置。右击纵坐标轴,在得到的"设置坐标轴格式"对话框的"刻度"选项卡中,可以设置起始刻度的"最小值"、"最大值"和"主要刻度单位","主要刻度单位"指两数值刻度间的数值间隔。"次要刻度单位"是指两数值间的小刻度线的间隔。如图 1 - 175 所示。"次要刻度单位"只有在设置了次要网格线时生效。如在图 1 - 180 中可以选中"次要网格线"。"自动设置"的下面各项若选中,则均采用自动设置的默认值,若自定义数值,则前面的相应项不选中,如"最小值"设置为"60"等。设置后得到的图表如图 1 - 176 所示,纵坐标的起始刻度值为"60"。

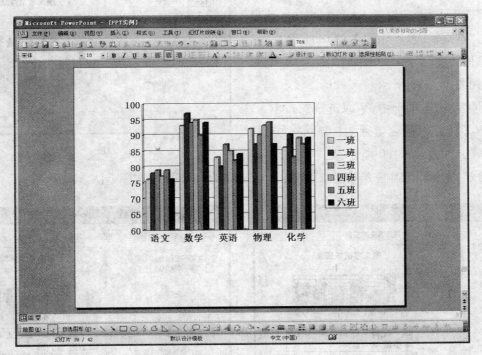

图 1 - 175

图 1 - 176

(2) 图形区域格式设置。图表在编辑状态时,点击上面工具栏上的"格式"→"所选图表区",得到"图形区格式"对话框,在"图案"的选项卡中,可以设置区域的颜色及边框的格式以及填充效果。如图 1 - 177 所示。

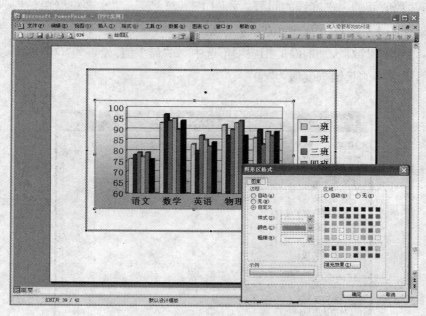

图 1－177

（3）设置图表。

1）点击工具栏中的"图表"→"图表选项"，或者选中图表后单击鼠标右键，得到"图表选项"对话框，在"标题"选项卡中，可以输入标题文字（当然也可以直接用文本框输入）。如图 1－178 所示。

2）在"图例"选项卡中，可以将"图例"的位置放在底部。如图 1－179 所示。

3）在"网格线"选项卡中，可以选择"分类（X）轴"和"数值（Y）轴"上是否显示"主要网格线"和"次要网格线"。如图 1－180 所示。选中"二维背景墙和网格线"，则背景墙由三维变为二维平面。其他选项卡都可以选择默认值。

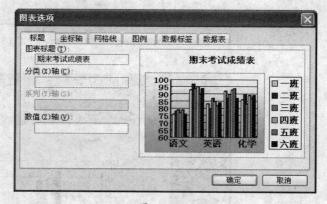

图 1－178

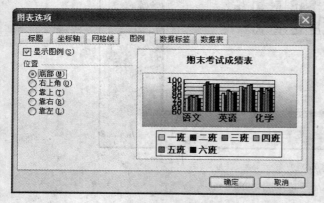

图 1－179

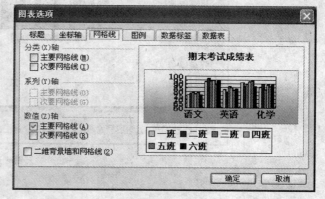

图 1－180

（4）设置标题格式

在图表处于编辑状态时，鼠标在标题区，鼠标右击，点击"设置图表标题格式"，在得到的"图表标题格式"对话框的"字体"中,可以对标题的"字体"、"字形"、"字号"和字体"颜色"等内容进行设置。如图1-181所示。在"图案"选项卡中,可以设置标题框的底纹和边框。

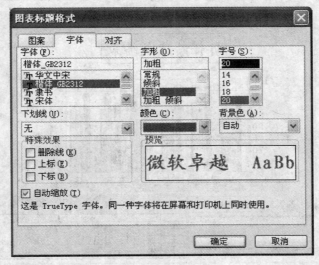

图 1 - 181

（5）设置图例格式

在图表处于编辑状态时,鼠标在图例区,右击可以"设置图例格式",在得到的"图表格式"对话框中。可以进行与上述类同的设置。设置好后鼠标在图表外单击,退出编辑状态,并调整图表的大小,得到的图表如图1-182所示。

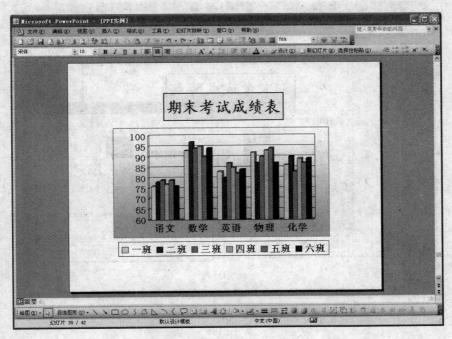

图 1 - 182

（6）改变图表的类型

1）行、列数据互换。在图表编辑状态,点击"数据",可以让"行"、"列"数据互换,如图1-183所示。即:显示每班的各科情况,或显示每科的各班情况。

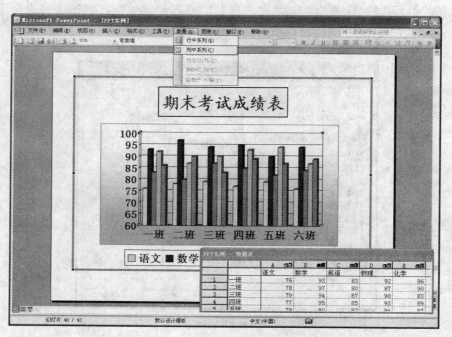

图 1-183

2）改变图表类型。双击图表区，使其处于编辑状态，点击上面菜单中的"图表"→"图表类型"，得到"图表类型"对话框，在"标准类型"选项卡中，"图表类型"选中"折线图"；"子图表类型"选择左上边的"折线图"，或者下面的"数据点折线图"。如图 1-184 所示。点击"确定"。

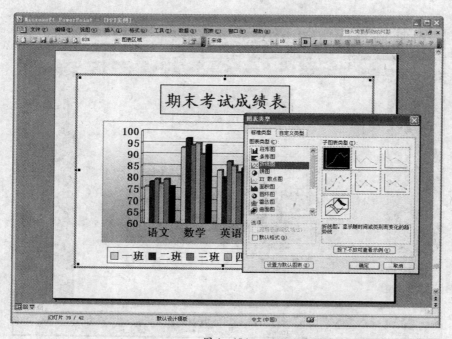

图 1-184

3）设置新图表格式。在得到的折线图中，右击不同的位置，可以对图表进行不同的设置。如图 1-185 所示，右击图线，点击"设置数据系列格式"，可以设置"线条"的颜色和粗细以及其他的格式。（参见光盘 1.5.3 图表的格式设置）

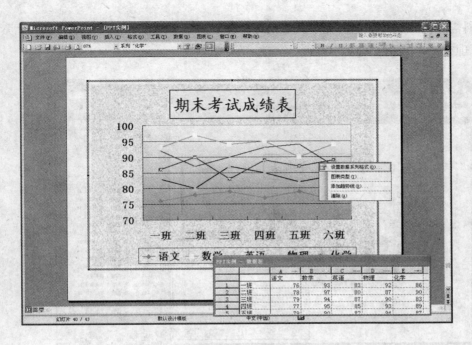

图 1－185

1.5.4　图表的动画设置

设置图表的动画时，可以让整个图表同时出现，也可以让图表中的每一个元素一个一个地出现，设置方法如下：

（1）选中图表，在"自定义动画中"中点击"添加效果"→"进入"→"擦除"（或"切入"、"出现"等）。

（2）双击"自定义动画"下面的表示"擦除"动画设置的" 1 🐭 ⭐ 图表 1 ▼ "，在得到的"擦除"对话框"计时"选项卡中可以设置"速度"，在"效果"选项卡中可以设置进入的"方向"及声音效果。

（3）在"图表动画"选项卡中，如果选择"按序列"，在放映点击鼠标时，一个班级的所有学科同时出现，六个班级需点击六次才能出现完毕，如图 1－186 所示；如果选择"类别"，则一个学科的所有班级成绩

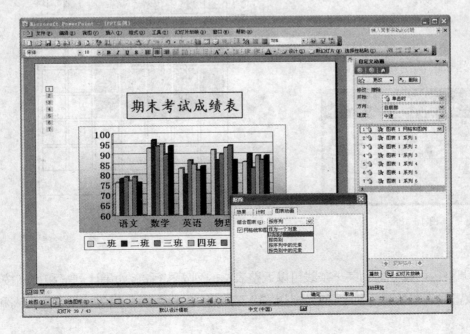

图 1－186

同时出现,五个学科需点击五次才能出现完毕。如果选择"按序列中的元素"或"按类别中的元素",则需点击三十一次才出现完毕。如图1-187所示。

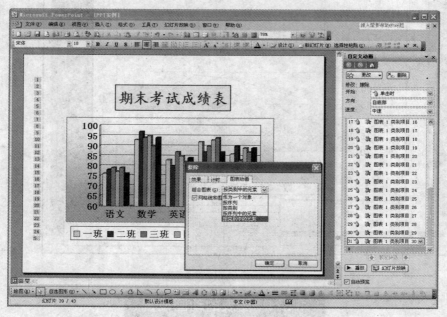

图 1-187

1.5.5 使用表格

（1）插入表格

点击"插入"→"表格",可以得到"插入表格"对话框,如图1-188所示。输入行数和列数,点击"确定"。或者点击上面"工具栏"的"插入表格",如图1-189所示。用鼠标左键拉动出行数和列数。

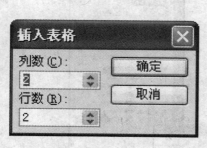

图 1-188

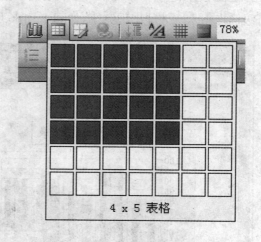

图 1-189

（2）表格大小的设置

列宽和行高的调整。用鼠标拖动某一条线可以调整表格的列宽和行高,如果让列宽和行高按比例调整,则只需将鼠标放置在表格的某一角上,使光标变成斜双向箭头,再拉动,即可等比例调整行高和列宽。

（3）边框和底纹的设置

若对整个表格设置，则选中边框，若只对某些单元格设置，则只选中单元格，然后点击"格式"→"设置表格格式"，（或右击边框点击"边框和填充"）得到"设置表格格式"对话框。如图 1–190 所示。点击"边框"选项卡，设置好"样式"、"颜色"和"宽度"，在右边分别点击四周和内部的线条。四周和内部可以设置成不同的"样式"、"颜色"和"宽度"，要分别点击各边。

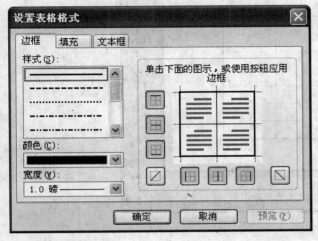

图 1–190

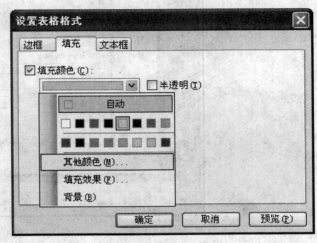

图 1–191

可以点击"填充"选项卡，选中"填充颜色"，然后选择一种颜色。如图 1–191 所示。

（4）在"文本框"选项卡中，可以设置文字在文本框中的对齐方式，可以设置文字与周围的距离。如图 1–192 所示。

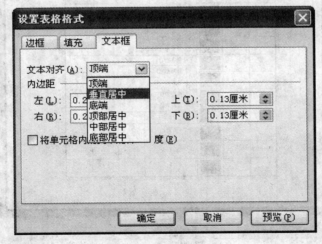

图 1–192

1.5.6　表格中插入行和列

（1）插入行。将光标置于某一单元格中，右击鼠标，点击"插入行"，如图 1–193 所示，则可以在该单元格中的上面插入一行。

（2）插入列。光标置于某一列的上面点击一下，可以选中该列，然后点击鼠标右键。点击"插入行"，如图 1–194 所示，可以在该列的左边插入新的一列。也可以"删除列"或"合并单元格"。

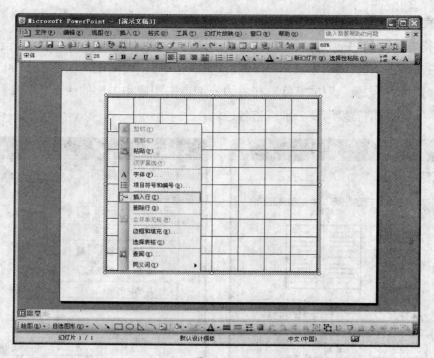

图 1 - 193

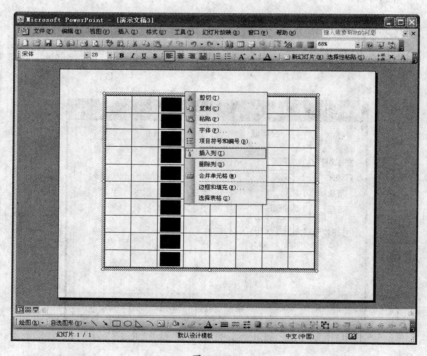

图 1 - 194

1.5.7 表格中文字动画的设置

在幻灯片放映时,有时表格中的内容不想一下子全部出现,常需要一个一个地分别独立出现,操作方法如下:

(1)插入一个文本框,调节文本框的大小,略小于单元格的大小。默认的文本框大小是按照设置好的文字大小确定的。改变文本框的大小方法：双击文本框，在得到的"设置文本框格式"对话框的"文本框"选项卡中，去掉"调整自选图形尺寸以适应文字"前面的"√"，并在"文本锁定点"中选择"中部居中"，如图 1-195 所示。然后再自由地调整文本框的大小。

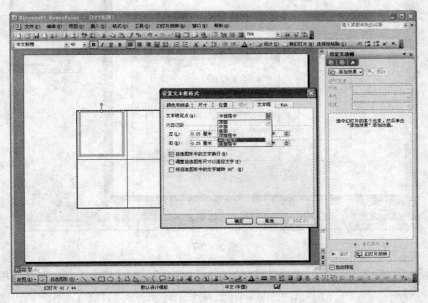

图 1-195

（2）右击文本框，点击"编辑文本"，在文本框中输入文字，并设置文字的格式和大小。选中文本框中的文字，点击"添加效果"→"进入"→"渐变式缩放"。还可以设置"退出"的动画。再次选中文字，点击"添加效果"→"退出"→"渐变式缩放"。如图 1-196 所示。

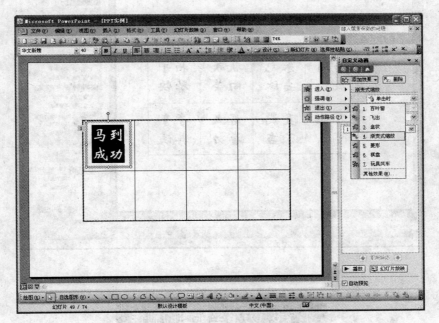

图 1-196

（3）同时选中"自定义动画"下面表示"进入"和"退出"的动画，点击"马到成功"右边的小三角，点击"效果选项"，在得到的"效果选项"对话框的"计时"选项卡中，点击"触发器"→"单击下列对象时启动效果"→"形状 18：马到成功"，如图 1-197 所示。点击"确定"。

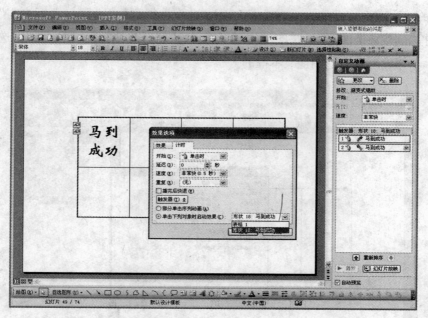

图 1－197

（4）选中已经设置好格式和动画效果的文本框"马到成功"，复制若干个，改变文本框中的文字，得到图 1－198 所示的文档。放映时，鼠标在单元格上时，光标由箭头变成小手，点击小手，则文字出现，再点击时，则文字消失。可以让文字反复出现和消失。（参见光盘 1.5.7 表格中文字动画的设置）

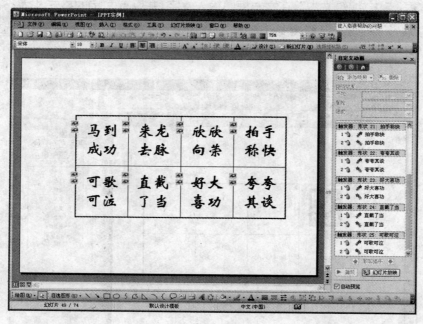

图 1－198

1.5.8　方格坐标图的制作

在 PowerPoint 中制作有表格刻度的坐标时，可以采用插入表格的方法。这种方法常常要根据需要来调整表格的列宽和行高，不过列宽可以调得很小，但是行高常常不能调得太小，这时可以通过改变表格中的字体，然后再调行高。有以下两种操作方法：

（1）改变表格中的字号

1）插入表格。点击"插入"→"表格"，在"插入表格"对话框中，输入"列数"和"行数"，也可以直接点击工具栏中的"插入表格"按钮，如图1-199所示。

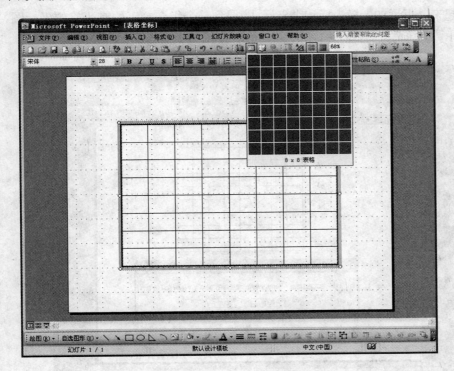

图1-199

2）调整表格的大小。选中表格，改变字号，如字号改为"1"，这样可以利用鼠标拉动表格的右下角任意改变表格的列宽和行高；再选中表格，点击"格式"→"设置表格格式"，或双击表格边框，在得到的"设置表格格式"对话框的"边框"选项卡中，点击对话框右边表格四周的线条，并设置四周各边及表格中线条的颜色及宽度。如图1-200所示。还可以点击"填充"选项卡，设置表格的填充颜色。

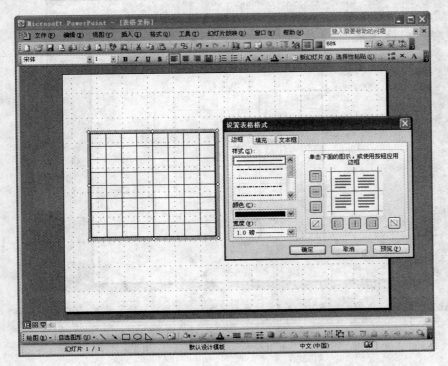

图1-200

3）表格和坐标轴的组合。表格与自选图形不能够直接组合，但是可以先把表格拆散后再组合。选中表格，点击"绘图"→"取消组合"，在得到的"选定范围包括一个或多个表格，是否将它们转换为 PowerPoint 形状？"标签中，点击"是"，如图 1-201 所示。将该表格拆散，接着再点击"绘图"→"组合"，将拆散的表格再组合起来。再添加上横坐标和纵坐标，即得到一个组合起来的有表格的坐标图，并可以任意调整大小。如图 1-202 所示。

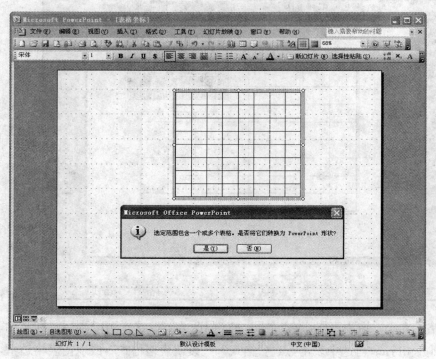

图 1-201

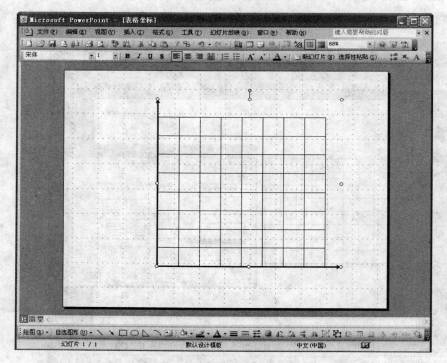

图 1-202

（2）改变表格的格式

1）插入表格后，选中表格，点击"格式"→"设置表格格式"，在"设置表格格式"对话框中，分别在"边框"和"填充"选项卡中，设置线条的格式和填充颜色。如图1-203所示。

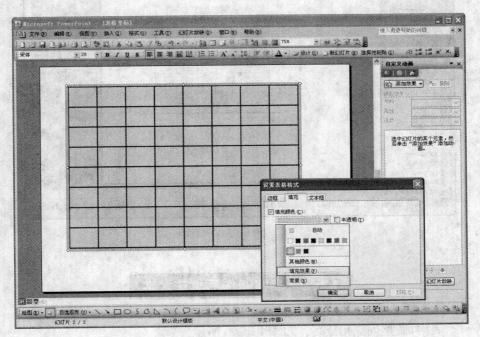

图1-203

2）点击"剪切"，然后点击"编辑"→"选择性粘贴"，选中"图片（Windows元文件）"，或"图片（增强型图元文件）"。点击"确定"。如图1-204所示。

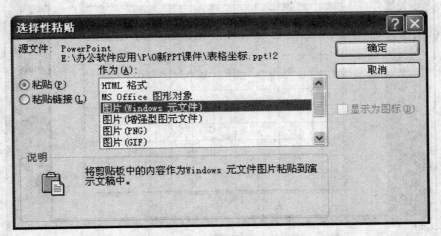

图1-204

3）原来的表格已经变成了图片格式，表格的周围有八个小空心圆圈，这时再画出水平和竖直的两个箭头表示坐标轴，全部选中，组合即可。如图1-205所示。（参见光盘1.5.8方格坐标图的制作）

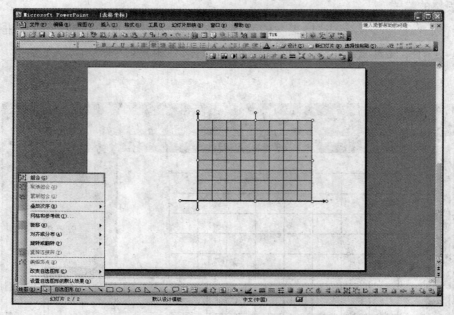

图 1 - 205

1.5.9 表格制作另类艺术字

（1）插入一个表格，调整列宽和行高。如图 1 - 206 所示。

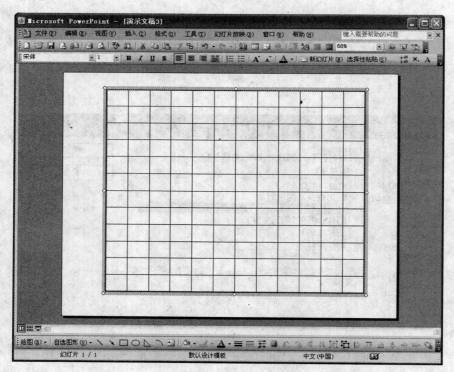

图 1 - 206

（2）设置单元格填充效果。双击单元格边框，在得到的"设置表格格式"对话框的"边框"选项卡中，点击对话框右边表格中各线条，即去掉单元格的各边框；在"填充"选项卡中，选中"填充颜色"，点击右边的下拉列表,点击"填充颜色";在得到的"填充效果"对话框的"渐变"选项卡中,选择一种渐变颜色。如图1-207所示。点击"确定"后,得到了每个单元格都被填充但都没有边框的表格。如图1-208所示。

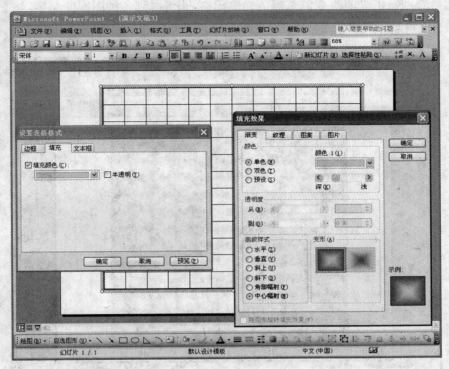

图 1-207

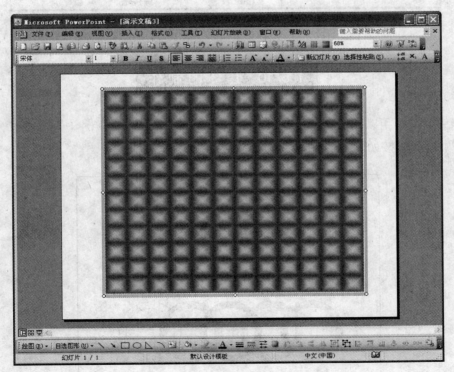

图 1-208

　(3) 重新组合单元格。选中该表格,点击"绘图"→"取消组合",在得到的"选定范围包括一个或多个表格,是否将它们转换为 PowerPoint 形状?"标签中,点击"是",将该表格拆散,接着再点击"绘图"→"组合"，将拆散的表格再组合起来。

（4）在表格中绘图或写字。选中某一单元格，重新设置该单元格的填充颜色，再次选中该单元格，双击"格式刷"，然后分别点击需要改变填充颜色的单元格，即可得到各种图案或文字，如图 1－209 所示。（参见光盘 1.5.9 表格制作另类艺术字）

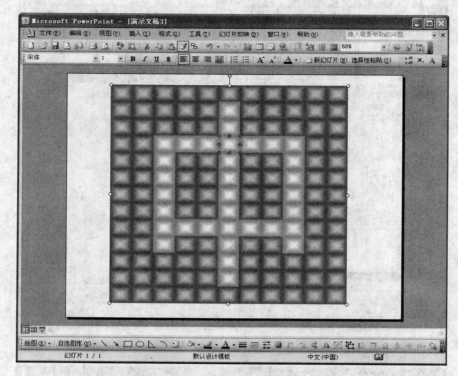

图 1－209

1.5.10　套环的制作

利用图片转换格式，可以制作套环。

（1）制作两组套环，按如图 1－210 所示方式放置。

图 1－210

（2）将下面的组合图片选中，点击"剪切"，再点击"编辑"→"选择性粘贴"，选取"图片（增强性图元文件）"，点击"确定"。如图 1 – 211 所示。

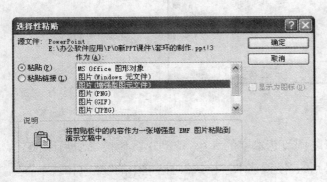

图 1 – 211

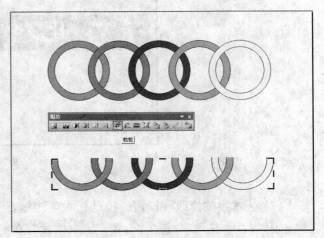

图 1 – 212

（3）利用图片工具，对粘贴后的图片进行裁剪，截取上半部分，留下下半部分。如图 1 – 212 所示。

（4）将裁剪后的下半部分图片，放在上面图片的下面，再将图片组合在一起，得到了表面上看，环环相扣的图片。如图 1 – 213 所示。

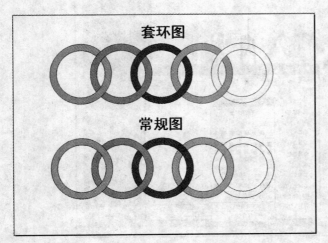

图 1 – 213

图 1 – 214

（5）利用上述方法可以制作五环图。如图 1 – 214 所示。（参见光盘 1.5.10 套环的制作）

1.6 插入的应用

1.6.1 艺术字的插入

（1）艺术字插入。点击"插入"→"图片"→"艺术字"，得到艺术字式样库。点击"确定"即得到艺术字文字编辑工具，如图 1 – 215 所示。在此可以输入艺术字，可以改变"字体"、"字号"、"加粗"等内容。

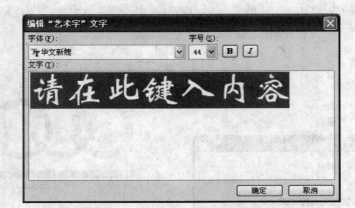

图 1-215

　　（2）艺术字的修改和设置。拉动艺术字边框，可以调节艺术字的大小，拉动小黄色棱形块可以使艺术字倾斜；右击艺术字，点击"设置艺术字格式"，在得到的"设置艺术字格式"对话框中的"颜色和线条"选项卡中，可以重新设置艺术字的填充色和线条颜色。如图 1-216 所示。

图 1-216

　　（3）还可以通过"艺术字"工具栏编辑艺术字。左边的"A"是"插入艺术字"，点击后出现"艺术字式样"，可以添加新的艺术字。点击"编辑文字"可以对已有的文字内容进行编辑修改。如图 1-217 所示。第三个按钮"艺术字库"，可以对已有的艺术字改变式样。如图 1-218 所示。

图 1-217

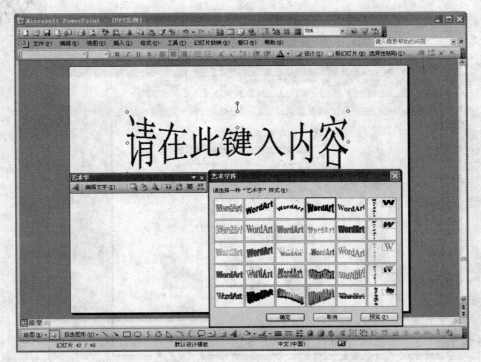

图 1-218

1.6.2 制作阴影立体艺术字

利用绘图工具栏中的"阴影样式"和"三维效果样式"的组合,可以设置具有阴影立体效果的艺术字。操作方法如下:

(1) 在文档中插入艺术字,选中艺术字后,点击下面工具栏中的"阴影样式",并点击"阴影样式 11",如图 1-219 所示。

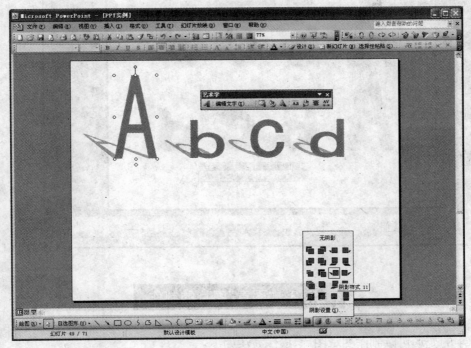

图 1-219

（2）将所有文字复制后再次选中，点击下面工具栏中的"三维样式1"，并在"三维设置"工具栏中设置"三维颜色"、"深度"、"方向"等内容。如图1-220所示。

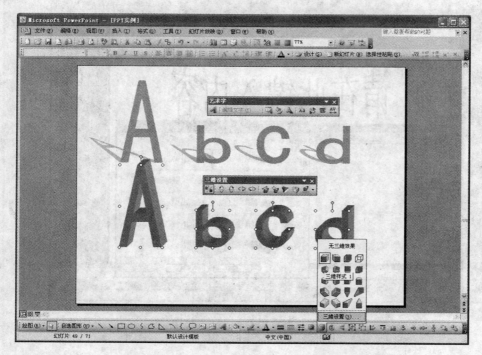

图 1 - 220

（3）将三维图形放在阴影图形上，得到既有立体效果又有阴影效果的艺术字。如图1-221所示。（参见光盘1.6.2制作阴影立体艺术字）

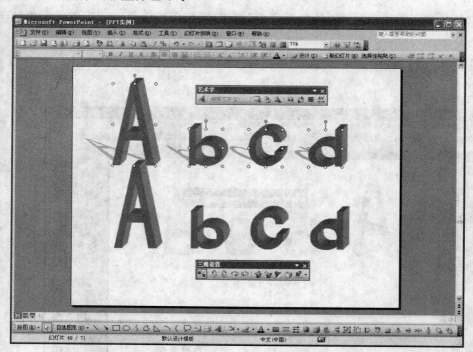

图 1 - 221

1.6.3。"图章"图片的制作

利用艺术字的变形可以制作图章图片，操作方法如下：

（1）利用"自选图形"画出一个直径约 7 磅的圆，双击该圆，在得到的"设置自选图形格式"对话框的"颜色和线条格式"选项卡中，"线条"的"颜色"设置为"红色"，"样式"选择上细下粗，"粗细"选择"8 磅"。如图 1－222 所示。

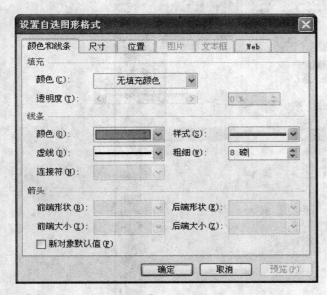

图 1－222

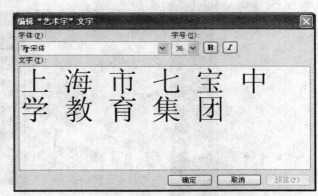

图 1－223

（2）点击"插入"→"图片"→"艺术字"，选择第一种样式，打开"编辑'艺术字'文字"对话框，输入文字，可以设置"宋体""36 磅"。根据文字的多少，文字间可以有一定的间距。如图 1－223 所示。

（3）点击艺术字，在艺术字工具栏中，点击"艺术字样式"，选中"粗上弯弧"，如图 1－224 所示。

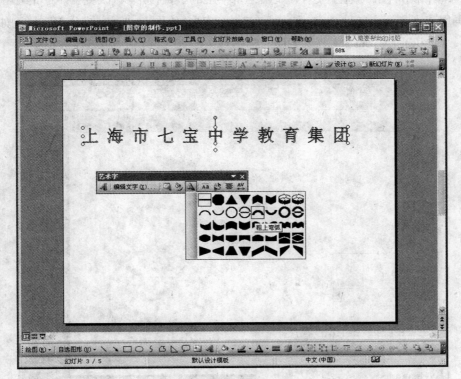

图 1－224

（4）重新选中变形了的艺术字，在艺术字工具栏中，点击"设置艺术字格式"工具按钮，在得到的"设置艺术字格式"对话框中,在"颜色和线条"选项卡中,"填充颜色"和"线条"都设置为"红色",在"尺寸"选项卡中,高度和宽度都设置为"6.5 厘米",如图 1 - 225 所示。

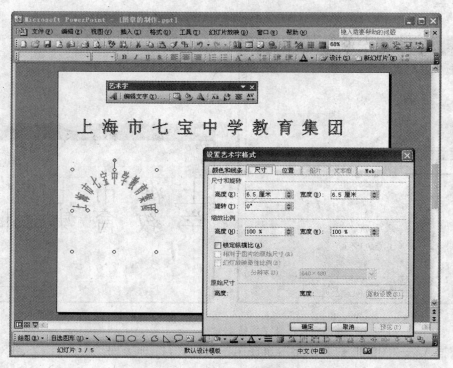

图 1 - 225

(5)把艺术字和圆形图片放在一起,并调整艺术字上的小黄棱形块,改变艺术字的形状,再画一个红五角星,下面再用艺术字插入其他文字,选中所有对象,点击"绘图"→"对齐或分布",得到如图 1 - 226 所示的图章图片。(参见光盘 1.6.3"图章"图片的制作)

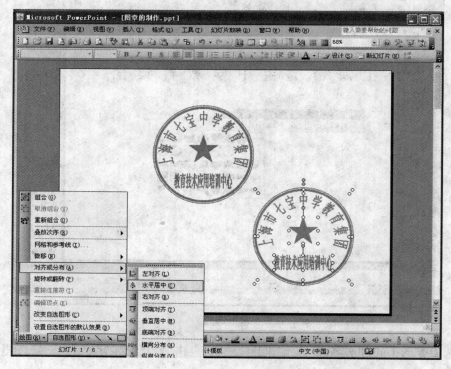

图 1 - 226

（1）插入"图示"。点击"插入"→"图示"，可以得到"图示"库。在"图示库"中选择一种图示类型，如"射线型"，点击"确定"，在文档中插入了一个周围三个圆，中间一个圆的图示，如图 1－227 所示。

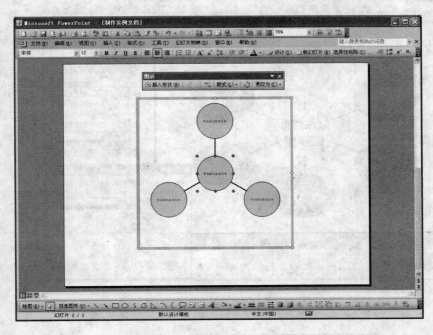

图 1－227

（2）图示的编辑。利用图示工具栏，点击"插入形状"，可以插入多个图示形状；选中整个图示，可以编辑图示中的文字格式；拉动整个图示框，可以将圆变为椭圆；利用工具栏中的"自动套用格式"，可以选择一种已经设置好的套用格式。如图 1－228 所示。选择"原色"；也可以选中某一个圆形图片，对该圆的填充颜色线条等单独设置，或点击"绘图"→"改变自选图形"→"基本形状"，选择某一个图形，可以将圆形改变为其他形状。

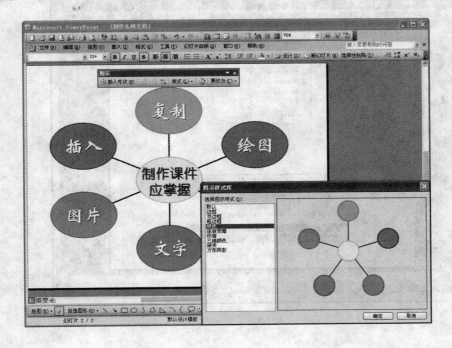

图 1－228

（3）图示的动画设置。点击"添加效果"→"进入"→"渐变式缩放"（或其他），双击"自定义动画"下面的图示的设置，得到"渐变式缩放"对话框，在"图示动画"选项卡中，选择一项，如"顺时针向外"。如图1－229所示。点击"确定"即可。（参见光盘1.6.4"图示"的插入与设置）。

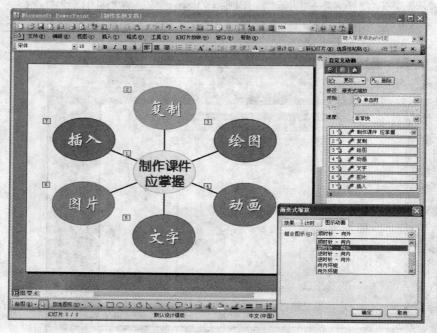

图1－229

1.6.5　组织结构图的插入及设置

（1）组织结构图的插入。点击"插入"→"图片"→"组织结构图"，在文档中插入了默认形式的组织结构图。如图1－230所示。

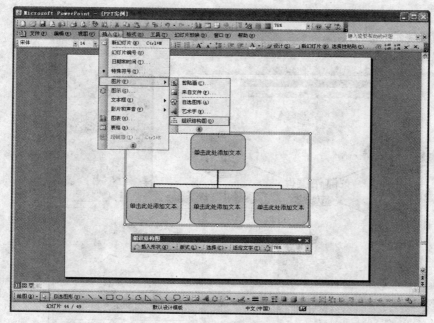

图1－230

（2）组织结构图的编辑。选中某一个方框，对该方框进行编辑。选中整个方框，则可以对整个组织结构图进行编辑。可以编辑文字，也可以设置边框及填充颜色。

（3）利用工具栏对组织结构图进行设置。利用"组织结构图"工具栏的"插入形状"，可以分别插入"下属"、"同事"和"助手"。如图 1－231 所示。工具栏中的"版式"下面的"自动版式"处于非激活状态时，可以编辑某个文本框的形状。如图 1－232 所示。还可以利用"左悬挂"和"右悬挂"，改变助手和下属的位置。

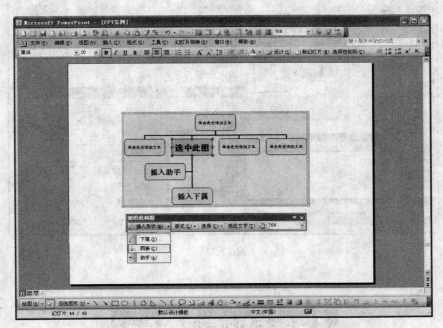

图 1－231

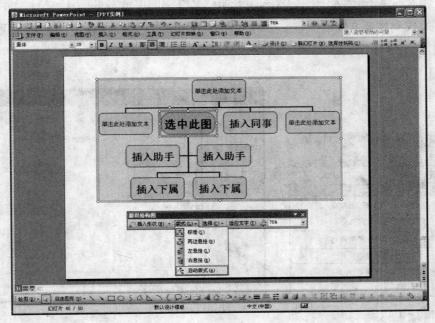

图 1－232

（4）利用工具栏中的"自动套用格式"，可以选择一种已经设置好的套用格式。如图 1 - 233 所示。（参见光盘 1.6.5 组织结构图的插入与设置）。

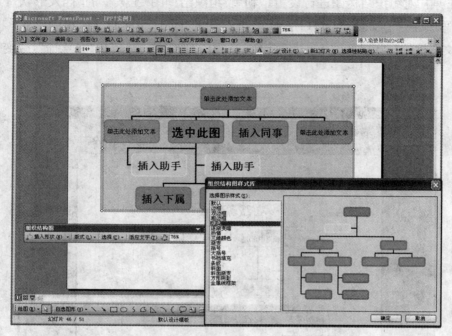

图 1 - 233

1.6.6　在幻灯片中插入声音

（1）声音的插入。点击"插入"→"影片和声音"→"文件中的声音"，如图 1 - 234 所示。在打开的"插入声音"对话框中，找到声音文件的位置。声音文件的不同格式，如："mp3"、"WAV"、"WMA"等格式都可以插入。如图 1 - 235 所示。

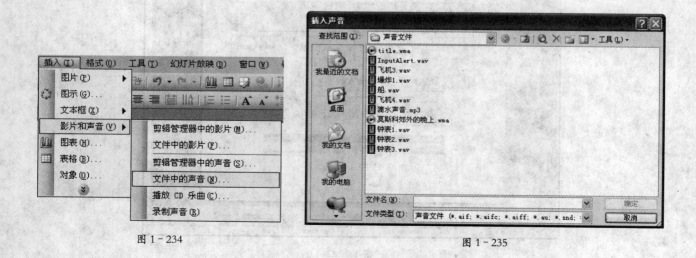

图 1 - 234　　　　　　　　　　　　　　　　　　　　　图 1 - 235

（2）点击"确定"后，在幻灯片上出现一个小喇叭图标，同时得到图 1 - 236 所示的对话框，如果选择

"自动",则放映幻灯片时声音自动播放,选择"在单击时",则单击小喇叭图标时声音才开始播放。即选择"在单击时",则自动插入了以小喇叭为触发器的触发功能。

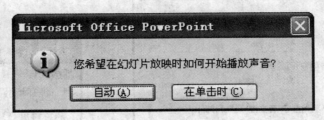

图 1-236

（3）声音播放的设置

1）声音的连续播放。双击"自定义动画"下面的表示飞机声音的设置" 1 ▷ 飞机3.wav ",得到"播放声音"对话框,在"效果"选项卡中的"停止播放"下面,选中"在（F）",输入最大数值如"999",在幻灯片放映时,声音可以不间断地连续播放。如图 1-237 所示。如果插入的声音文件播放时间比较短,可以切换到"计时"选项卡,在"重复"后面的下拉列表框中选中"直到幻灯片末尾"项,这样就可以避免因为声音文件太短,导致演示到后来没有背景音乐的情况发生。

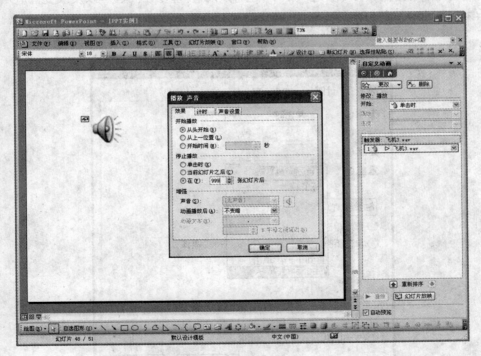

图 1-237

2）幻灯片放映时若不想看到喇叭图标,点击"播放声音"对话框的"声音设置"选项卡,在"显示选项"下面选中"幻灯片放映时隐藏声音图标"。如图 1-238 所示。"信息"下面显示的有播放时间,一般当插入的文件不是"wav"格式时,下面会显示声音文件的路径。否则,显示为"包含在演示文稿中"。在"小喇叭"图标上右击鼠标,点击"编辑声音对象",出现"声音选项"命令框,也可以在其中选择是否循环播放,是否隐藏声音图标,如果插入的是"wav"文件,则也会显示该文件"包含在演示文稿中"。如图 1-239 所示。

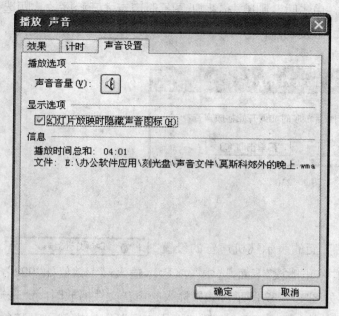

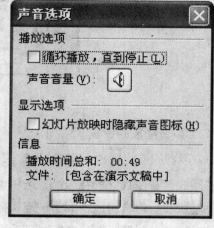

图 1－238

图 1－239

3）在"播放声音"对话框的"计时"选项卡中，还可以设置"重复"的次数，以及改变播放声音的触发器对象，即点击不同的对象都可以让声音播放。如图 1－240 所示。

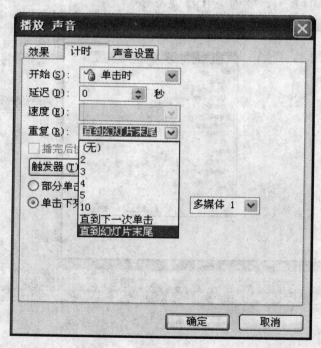

图 1－240

（4）声音播放的个性化设置

声音插入后，可以设置声音的"暂停"、"结束"及"开始"按钮。设置方法如下：

1）选中声音图标，点击"自定义动画"的"添加效果"（此时子菜单的内容由原来的四个变为五个）→"声音操作"→"暂停"，再点击"添加效果"→"声音操作"→"停止"，如图 1－241 所示。

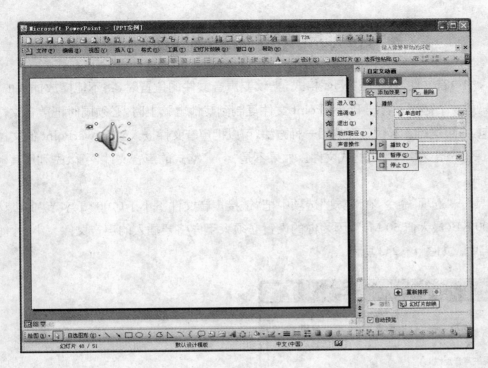

图 1－241

2）利用"绘图"工具的"自选图形"，画出一个棱台，调整大小，设置填充颜色和线条颜色，并输入文字"开始"，再复制出另外两个，并改变文字为"暂停"和"结束"。双击"自定义动画"下面的"多媒体 1"改变其触发按钮，在得到的"播放声音"对话框中的"计时"选项卡中，在"触发器"下面的"单击下列对象时启动效果"，选择"棱台 2：开始"。如图 1－242 所示。再双击" 多媒体 1"设置"暂停"的触发功能，双击"多媒体1"设置"结束"的触发功能，设置方法与"开始"的触发功能设置方法类同。

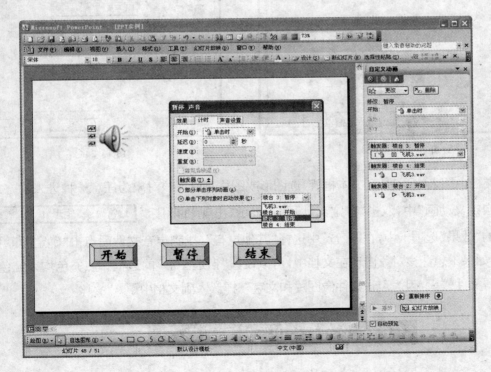

图 1－242

（5）也可以在图 1－234 中选择"播放 CD 乐曲"或"录制声音"等内容。

1.6.7 将声音文件嵌入到文档中

上述方法插入的声音文件，若不是"wav"格式，当改变声音文件的位置时，将不能播放插入的声音，因为前面的插入只是一个链接。若把 PowerPoint 文件复制到其他电脑上时，必须同时把声音文件一起复制过去或者打包，方可运行。利用下面的另一种方法，可以把声音文件嵌入到 PowerPoint 的文档中。

（1）首先，要保证声音为"wav"的格式文件。如果不是"wav"格式的声音文件，可以先利用其他软件将其转为"wav"格式。

（2）点击"工具"→"选项"命令，在"常规"选项中把"链接声音文件不小于(100)千字节"的默认设置改为"不小于 50000 KB(最大值 50 M)"，因为你的设置必须大于你将要插入的声音文件大小，才能保证音乐被嵌入到文档中。如图 1-243 所示。

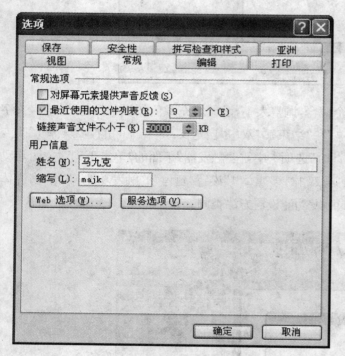

图 1-243

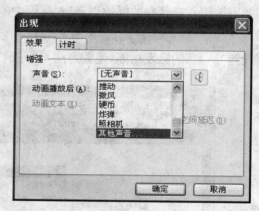

图 1-244

（3）然后在文档中插入一个对象（文本框、自选图形或图片），设置该对象为任意一种进入的方式，如选择"出现"，在"自定义动画"中，双击"自定义动画"下表示"出现"的图标" ⬚ 1 ✦ 矩形 1 ⬚ "。在"出现"对话框的"效果"选项卡中，在"声音"中选择"其他声音"，找到声音文件后点击"确定"即可。如图 1-244 所示。如果不想让该对象出现在文档中，可以设置"自选图形"的边框和填充色均为无色。不过这种方法会使得文件较大，因为声音文件像图片和文字一样嵌入到文档中了。

1.6.8 在幻灯片中插入视频（影片）

将视频文件或影片直接插入到幻灯片中，是最简单的一种方法，这种方法只提供简单的"暂停"和"继续播放"两种控制手段，设置方法如下：

（1）单击"插入"→"影片和声音"→"文件中的影片"，在打开的"插入影片"对话框中，找到视频文件的位置，如图 1－245 所示。

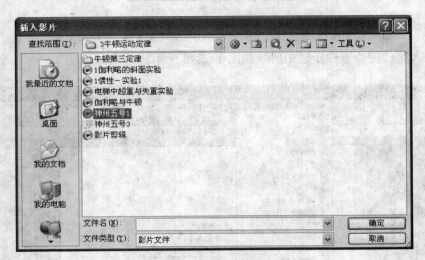

图 1－245

（2）点击"确定"。得到图 1－246 所示的对话框，如果选择"自动"，那么放映幻灯片时，就会自动播放影片，当点击该对象时，"暂停"播放，再点击则重新播放。设置"自定义动画"后的结果如图 1－247 所示。若选择"在单击时"，则单击幻灯片时影片才开始播放。

图 1－246

图 1－247

1.6.9 自动创建相册

利用插入功能可以快速地、自动地将图片插入到幻灯片中,操作方法如下:

(1) 点击"插入"→"图片"→"新建相册",如图 1-248 所示。

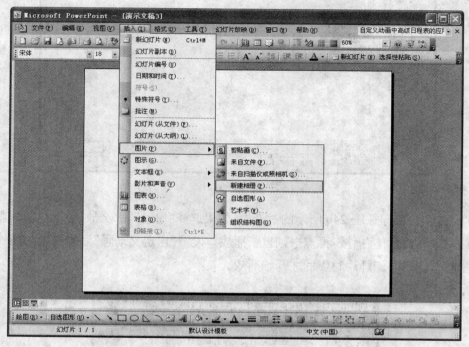

图 1-248

(2) 在得到的"相册"对话框中,可以在"插入图片来自"下面点击"文件、磁盘",如图 1-249 所示。然后找到需要制作相册的照片并且选中,再点击"插入"。如图 1-250 所示。

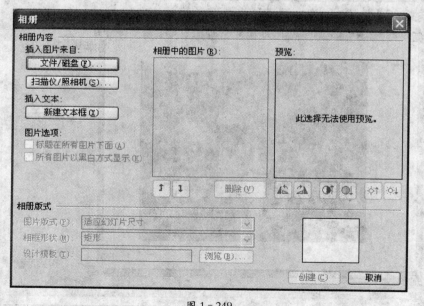

图 1-249

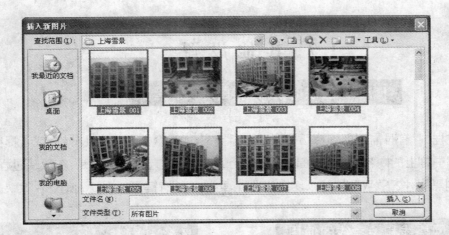

图 1-250

（3）重新返回到"相册"对话框中，可以在此旋转图片的方向，设置图片的"亮度"以及改变图片的顺序。在相册版式中可以选择相册的版式，如选择每版"四张图片"。如图 1-251 所示。

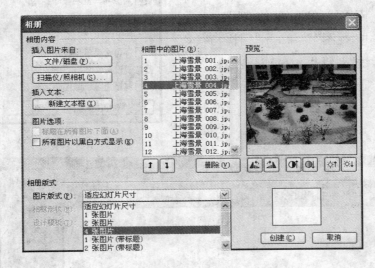

图 1-251

（4）点击"创建"后，在新的文档中得到每张幻灯片有四张照片的幻灯片文档，如图 1-252 所示。

图 1-252

1.7 其他设置

1.7.1 放映时切换到"白屏"或"黑屏"

幻灯片放映的过程中,有时需要把屏幕切换到无内容状态,如听众需要休息几分钟,或者提出某个问题时不想让听众看到屏幕上的内容,则需要临时把屏幕上的内容遮盖起来。方法是:在放映过程中,按下"B"键,则可以切换到黑屏,按下"W"键,可以切换到白屏,再按下任意键可以恢复到幻灯片放映的视图。

1.7.2 网格线和参考线的使用

为了使文档的编辑整齐美观,有时需要借助网格线和参考线来放置图片和文本。网格线和参考线的使用:

(1)点击"绘图"(或点击"视图"菜单)→"网格与参考线",则出现"网格线和参考线"对话框。在"网格线和参考线"对话框中,选中"屏幕上显示网格"和"屏幕上显示绘图参考线"。如图1-253所示。点击"确定",可得到图1-254显示的网格线。

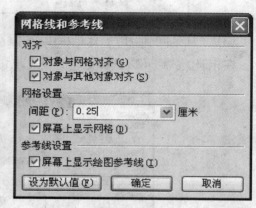

图 1-253

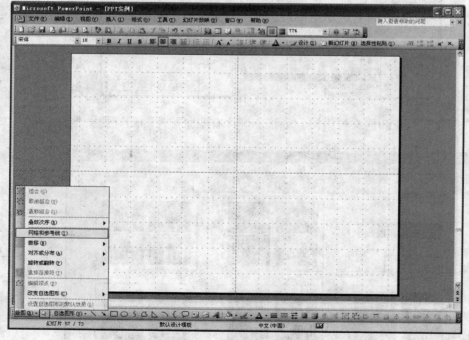

图 1-254

(2)在图1-253中,选中"对象与网格对齐",则移动对象时按设置的间距移动,如图中的"0.25"。如果该数值设置过大,则通过方向键移动对象时,跨步较大。如果不选"对象与网格对齐",则移动对象时,则跨步较小,便于对图象位置进行微调。不过对对象位置进行微调时,选中该对象,按下方向键的同时按下"Ctrl"也可以很方便地进行微调。

1.7.3 幻灯片间的"链接"

有时在放映幻灯片时，不是按照顺序放映的，放映时要根据需要切换到某一张幻灯片上，这就需要设置"链接"，设置的方法是：

（1）先设置一个"动作按钮"。点击"幻灯片放映"→"动作按钮"→"后退或前一项"按钮（也可选其他），如图 1－255 所示。

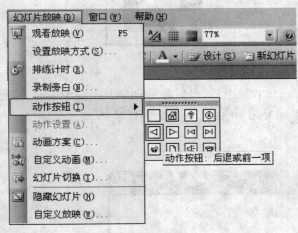

图 1－255

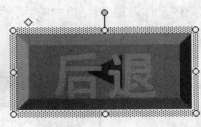

图 1－256

（2）鼠标变成"十字形"后，拖出一个按钮，此时会自动出现图 1－258 所示的"动作设置"对话框。也可先设置动作按钮，调节图片左上角的小黄棱形块，调整棱台按钮的形状，可以改变填充颜色，右击棱台，点击"添加文本"，在棱台上输入文字"后退"，如图 1－256 所示。

（3）在棱台边框上右击，然后点击"编辑超链接"，如图 1－257 所示。在"动作设置"对话框中，选中"单击鼠标"选项卡，"超链接到"→"幻灯片"（当然也可以链接到其他任意文件上去）。如图 1－258 所示。

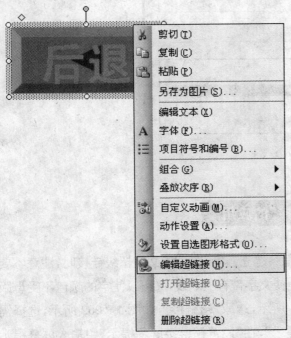

图 1－257

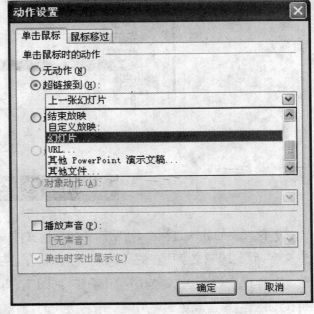

图 1－258

（4）选择一张需要链接的幻灯片，点击"确定"即可，如图 1 - 259 所示。

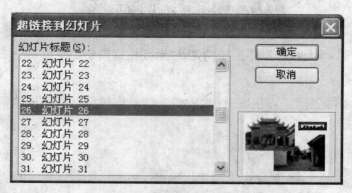

图 1 - 259

（5）其他动作设置。除了单击某个对象时有动作效果以外，当鼠标移动到某个对象时也可以设置动作效果。在"动作设置"对话框中的"鼠标移过"选项卡中，也可以进行超链接的设置，如鼠标移过时可以自动播放声音。如图 1 - 260 所示。

图 1 - 260

1.7.4 "超级链接"的应用

（1）在文档的放映过程中，常常需要与其他文件或程序建立链接，在设置文字超级链接时，注意不要选中文字，而要选中文字所在的文本框，这样既可以避免使文字带有下划线，又可以使字的颜色不受母版影响。具体操作是：选中文本框，单击右键，如图 1 - 261 所示，选取"超链接"，如图 1 - 262 所示，选择需要链接的内容，单击确定。还可以点击右上角的"屏幕提示"，在"设置超链接屏幕提示"中输入屏幕提示文字。如图 1－263 所示。在放映时,当鼠标移动到该文本框上时,自动显示输入的文字信息。

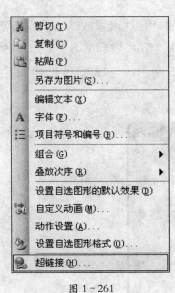

图 1－261

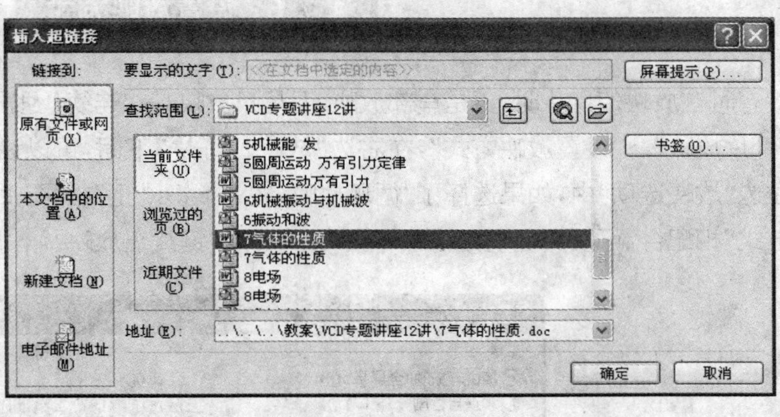

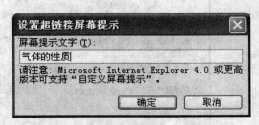

图 1－262

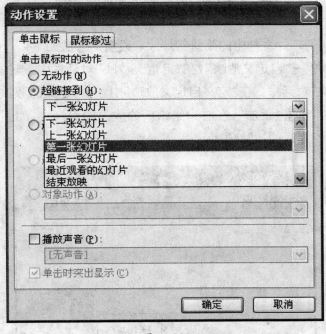

图 1－263

(2) 利用超链接设置目录

点击图 1－261 中的"动作设置",在出现"动作设置"对话框中,点击"单击鼠标",在"超链接到"中,选取需要链接的幻灯片,如图 1－264 所示。点击"确定"。利用此方法可以把每一张需要链接的幻灯片都链接到有总目录的第一张幻灯片上。

图 1－264

1.7.5　设置放映方式

　　有时在放映幻灯片时，不是全部放映，而是只放映某些连续几张幻灯片，可以"设置放映方式"。点击"幻灯片放映"→"设置放映方式"，在右边"放映幻灯片"下面，可以设置"从"第×张到第×张的幻灯片。在左边"放映选项"中，如果选择了"循环放映，按 Esc 键终止"，如图 1－265 所示。与"幻灯片切换"的"换片方式"相配合，可以实现全自动循环放映。按 Esc 键终止放映。

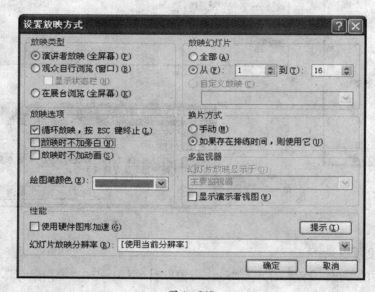

图 1－265

1.7.6　自定义放映的设置

　　有时根据需要只放映幻灯片文档中的某些幻灯片。设置的方法如下：

　　（1）点击"幻灯片放映"→"自定义放映"，在"自定义放映"对话框中，点击"新建"，如图 1－266 所示，得到"定义自定义放映"对话框。在"定义自定义放映"中，给自定义的放映命名，如"工作报告"，然后选中左边的某一幻灯片，点击"添加"，在右边组织新的放映的幻灯片，如图 1－267 所示。点击"确定"。在右边还可以改变幻灯片的放映顺序。

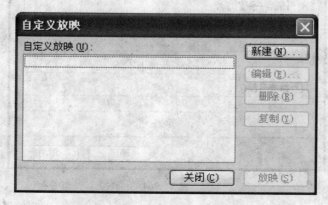

图 1－266

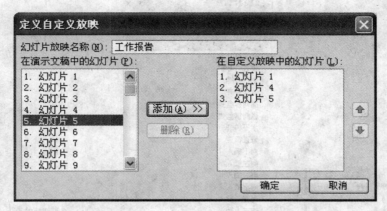

图 1－267

（2）在得到的"自定义放映"对话框中，可以点击"放映"，直接放映，可以点击"编辑"，重新修改，可以"新建"新的自定义放映。如图 1－268 所示。

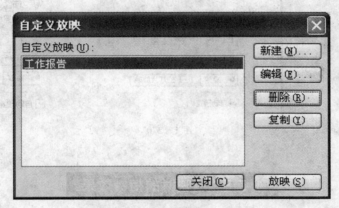

图 1－268

1.7.7　幻灯片的切换设置

切换就是演示文稿从一张幻灯片转换到下一张幻灯片上，幻灯片之间在进行过渡时，常常要设置不同的切换方式，设置方法如下：

（1）点击"幻灯片放映"→"幻灯片切换"，在右上角调出"幻灯片切换"的任务窗格，如图 1－269 所示。在图中可以选择不同的切换方式。切换方式又可分为自动切换和手动切换。

（2）自动切换常用于自动放映时使用。在"换片方式"中，选中"每隔"，设置后面自动切换的时间，如果同时选中"单击鼠标时"，则在自动切换时间内单击鼠标也可以进行切换。既可以使每张幻灯片有不同的时间，也可以使每张幻灯片有相同的时间，这时只要点击"应用于所有幻灯片"即可。否则只有本张幻灯片自动切换。如图 1－270 所示。

（3）设置"切换效果"。在"切换效果"中，可以设置切换的"速度"，在"声音"的设置中，可以使用"预设"的各种声音，也可以利用其他声音文件（应为 wav 格式的文件）自定义声音。如图1－271所示。

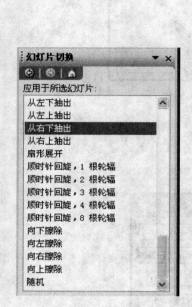

图 1－269

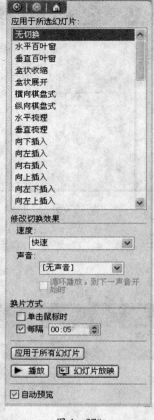

图 1－270

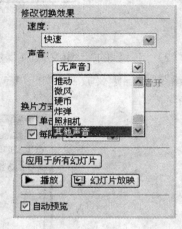

图 1－271

1.7.8 放映时的指针效果

在幻灯片放映的过程中，点击右键，可以有多种选项供使用。

（1）点击"定位至幻灯片"，可以直接转到某一张幻灯片，点击"指针选项"，在"圆珠笔"、"毡尖笔"、"荧光笔"中选择一种笔型，在"墨迹颜色"中选择一种颜色，利用鼠标就可以在屏幕上任意书写。如图1－272所示。

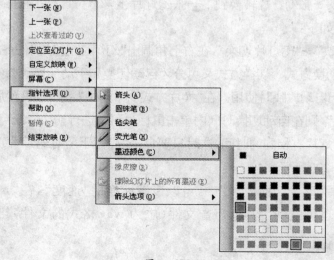

图 1－272

（2）点击上图中的"橡皮擦"，可以擦除书写的内容，点选"擦除幻灯片上所有墨迹"，可以擦除本张幻灯片上所有墨迹。在放映结束时，出现如图 1－273 所示的"是否保留墨迹注释"对话框，点击"保留"，书写的墨迹被保留下来，点击"放弃"，则不保留书写的墨迹。

图 1－273

1.7.9 改变幻灯片的窗口播放模式

通常 PowerPoint 文件的播放采用的是全屏模式，但是还可以采用窗口模式或小屏幕模式来播放。

（1）采用窗口模式播放

播放幻灯片时，按下"Alt"的同时，点击左下角的"幻灯片放映"按钮，或先按住 Alt 键不放，再依次按下 D、V 键激活幻灯片播放，这时我们所启动的幻灯片放映模式就是一个带标题栏和菜单栏的形式了，如图 1－274 所示。在这个播放模式下放映，通过下面的任务栏可以随时启动其他程序运行，并可方便地重新切换到播放模式继续放映。还可以在放映时随时关注任务栏上右下角的时间。

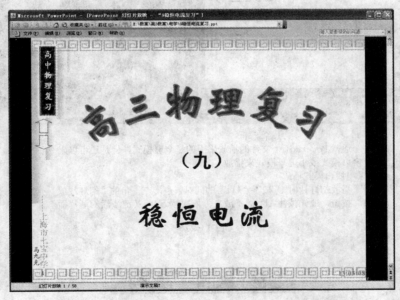

图 1－274

（2）采用小屏幕模式播放

按下"Ctrl"的同时，点击左下角的"幻灯片放映"按钮，得到如图 1－275 所示的小屏幕播放窗口。在这种模式下播放，还可以随时对幻灯片进行编辑，编辑放映两不误，切换很方便。

图 1-275

（3）小屏幕播放模式也可以与其他程序互相切换。

如讲课时，不便将 Word 制作成幻灯片，则可以使用 Word 中的文字，然后在幻灯片中进行"板书"。如图 1-276 所示。

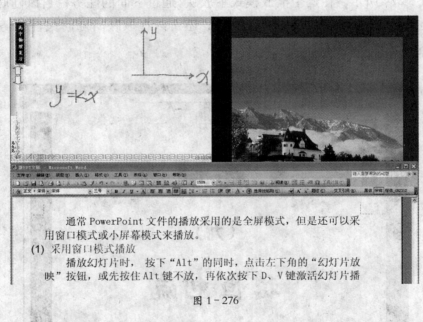

图 1-276

1.7.10　模板的应用

使用模板可以提高工作效率，下面是常见的模板使用方法。

（1）模板的使用

打开文档，然后点击"格式"→"幻灯片设计"，这时会在主窗口的右边出现"幻灯片设计"任务窗格，如图 1-277 所示。这里有"在此演示文稿中使用"的模板，是指现在正在使用的模板。"最近使用过的"模板是指曾经使用过的模板，"可供使用"的模板，是指这些模板可供使用。点击"浏览"可以查找其他模板。

图 1-277

（2）应用多个模板版式

为了不使版面单调，在一个演示文稿中可以使用多个模板；选中想要更改模板的幻灯片，将鼠标移到"幻灯片设计"任务窗格下面的某一模板上（不能单击模板），此时在模板右边会出现一个向下的箭头，单击此箭头，在弹出的下拉列表中点击"应用于选定幻灯片"。如图 1-278 所示。这样，这个幻灯片就具有了一个和其他幻灯片不同的模板了。

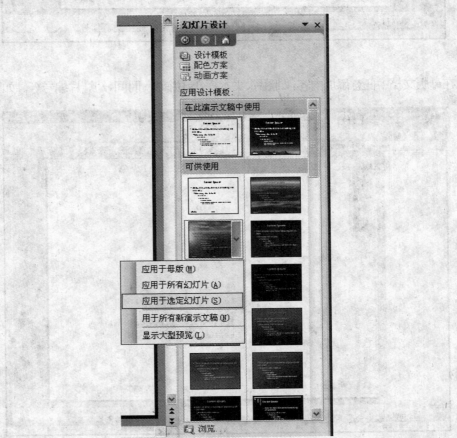

图 1-278

1.7.11 母版的应用

在编辑幻灯片时,常常要添加单位的徽标,或要在所有幻灯片上添加相同的内容。这时可以通过改变母版达到此目的。设置方法如下:

(1) 点击"视图"→"母版"→"幻灯片母版",得到"幻灯片母版视图"工具栏,如图1-279所示。

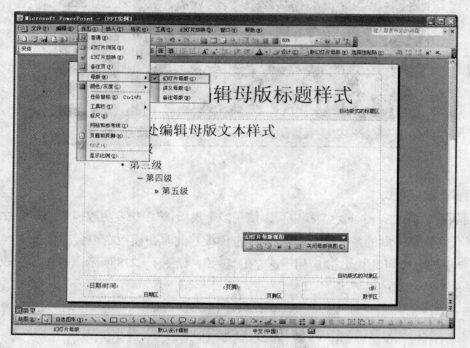

图 1-279

(2) 可以在母版文档中任意添加内容,如图片、文本框,单位徽标,时间,幻灯片编号等。如图1-280所示。

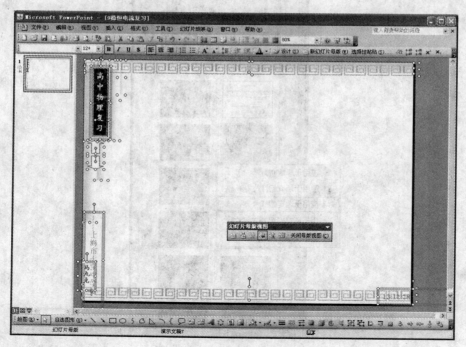

图 1-280

还可以点击"视图"→"页眉和页脚",得到"页眉和页脚"对话框,在此中可以进行更多的设置。如"幻灯片编号"、"日期和时间"及"页脚"等内容。在"日期和时间"的设置中,可以选择"自动更新",也可以选择"固定"时间,当选择"自动更新"时,每次打开文档时,都是最新的时间。如图 1-281 所示。

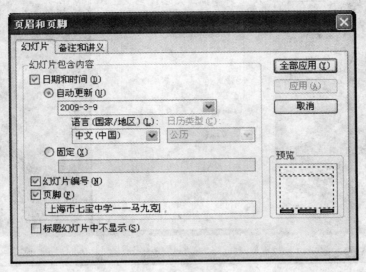

图 1-281

(3) 改变母版的背景颜色。点击"格式"→"背景"(或右击鼠标,再点击"背景"),点击右下的小三角,可以在此任意改变背景颜色。选中颜色后,点击"应用"。如图 1-282 所示。母版内容设置好后,点击"幻灯片母版视图"工具栏上的"关闭母版视图",则回到文档的编辑状态。在编辑文档时,某一张幻灯片不想用母版颜色,则可以在"背景"对话框中,选中"忽略母版的背景图形",自己再设置一种喜欢的颜色。

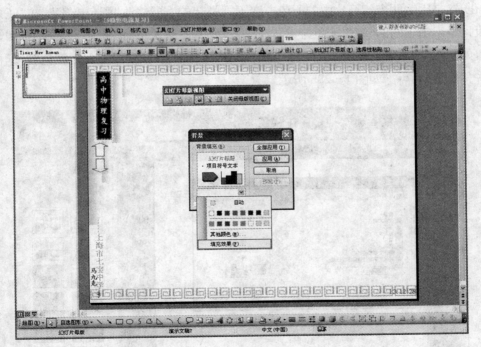

图 1-282

(4) 备注母版的设置。点击"视图"→"母版"→"备注母版",在"备注文本区"设置备注文本的文字格式。设置好后,"关闭母版视图"即可。如图 1-283 所示。

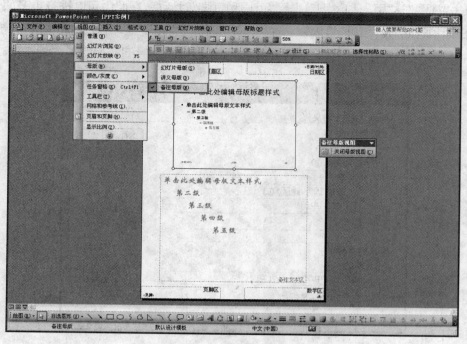

图 1－283

1.7.12　修改配色方案

把一张幻灯片从一个 PowerPoint 文件中复制到另一个 PowerPoint 文件中时字体和填充等颜色有时会发生变化,这是因为两个幻灯片中的配色方案不同引起的。要修改"配色方案",在"任务窗格"中选中"幻灯片设计",点击下面的"编辑配色方案",在"编辑配色方案"对话框"自定义"选项卡中,已经有默认的颜色设置,如图 1－284 所示。可以选中某一项,点击"更改颜色",在"标准文本颜色"对话框中,选择一种颜色。点击"确定"即可。如图 1－285 所示。

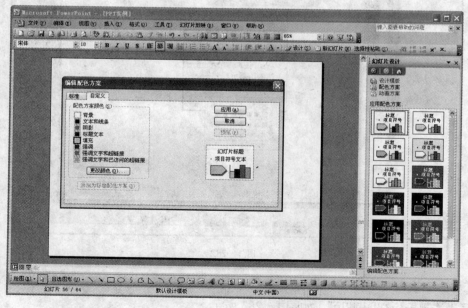

图 1－284

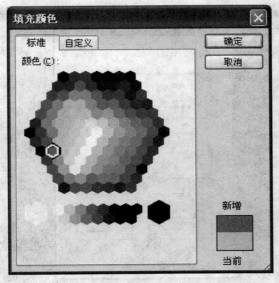

图 1-285

1.7.13 幻灯片的打印

(1) 点击"文件"→"打印(P)",得到"打印"对话框,如图 1-286 所示。在"打印范围"中可以选择是打印"全部"还是部分幻灯片,在下面的"打印内容"中,默认选项是幻灯片,可以选择"讲义",在"每页幻灯片数"中选择一个数值,还可以选择"水平"顺序还是"垂直"顺序。

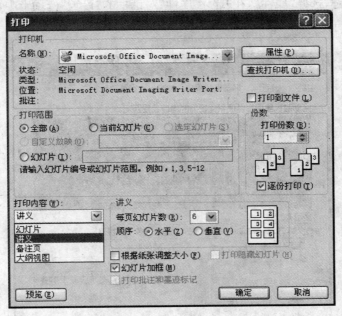

图 1-286

(2) 在"颜色/灰度"中,默认是"彩色",可以选择"纯黑白",选中"根据纸张调整大小"和"幻灯片加框"。

点击"预览",可以得到打印版面的预览图。如图 1-287 所示。点击"关闭",可回到"编辑"状态。点击左上角的"打印",回到"打印"对话框中,点击"确定"即开始打印。

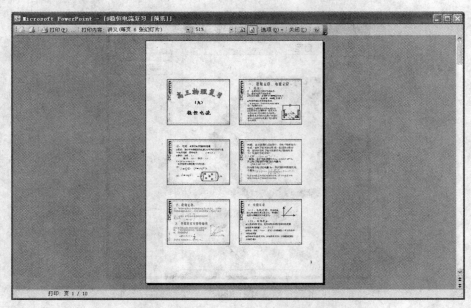

图 1 - 287

1.7.14　改变屏幕的分辨率

　　幻灯片放映时,由于分辨率不同,电脑显示屏上圆的图形,放映时则变成了椭圆,这时需要改变屏幕的分辨率,改变分辨率的一般方法是:

　　(1) 在桌面点击右键,选择"属性",在"显示 属性"对话框的"设置"选项卡中,拖动"屏幕分辨率"下面的滑块,如图 1 - 288 所示。

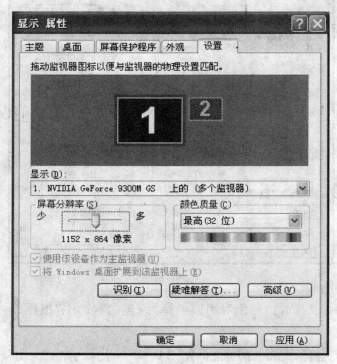

图 1 - 288

（2）也可以在打开 PowerPoint 文档时，点击"幻灯片放映"→"设置放映方式"，在"设置放映方式"对话框中，点击下面的"幻灯片放映分辨率"下拉列表，选择不同的分辨率。如图 1 - 289 所示。

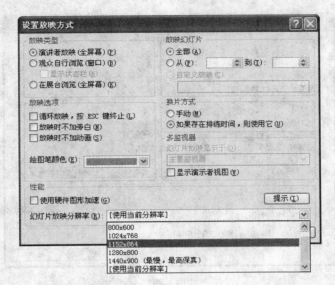

图 1 - 289

1.7.15　放映时屏幕和本机有不同的显示

在放映时可以让屏幕显示幻灯片内容，而让自己的本机显示有备注内容的幻灯片模式，操作方法如下：

（1）在桌面上右击鼠标，点击"属性"，在"显示 属性"对话框的"设置"选项卡中，点击"显示"下拉列表，选择"2. NVIDIA GeForce 9300M GS"。然后再选中下面的"将 Windows 桌面扩展到该监视器上"。如图 1 - 290 所示。

图 1 - 290

（2）在幻灯片编辑界面，点击"幻灯片放映"→"设置放映方式"，在"设置放映方式"对话框中，选中"显示演示者视图"，在"幻灯片放映显示于"选中"监视器 2 默认监视器"。如图 1－291 所示。

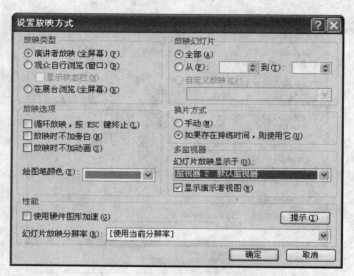

图 1－291

（3）这样在放映时，屏幕上显示一张完整的幻灯片，而本机上显示带有备注内容模式的画面，如图 1－292所示。此页面上不仅有备注内容，还有放映的时间显示。还可以点击不同的幻灯片进行放映。

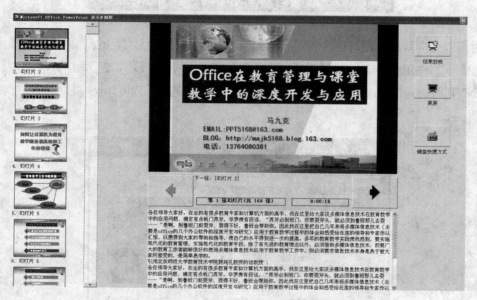

图 1－292

（4）若想去掉该设置，那么回到图 1－290，在"显示"中先选中"2. NVIDIA GeForce 9300M GS"，这样"将 Windows 桌面扩展到该监视器上"处于可操作状态。再去掉"将 Windows 桌面扩展到该监视器上"前面的"√"，则回到原状态。

1.7.16　将 PowerPoint 发送到 word 文档中

将 PowerPoint 做成报告的文档，如果在备注栏内有很多报告的详细内容，可以把 PowerPoint 的文

档做成含有 PowerPoint 图片和备注文字的 word 文档,便于做报告时使用,操作方法如下:

（1）在 PowerPoint 文档中,点击"文件"→"发送"→"Microsoft Office word",如图 1‒293 所示。

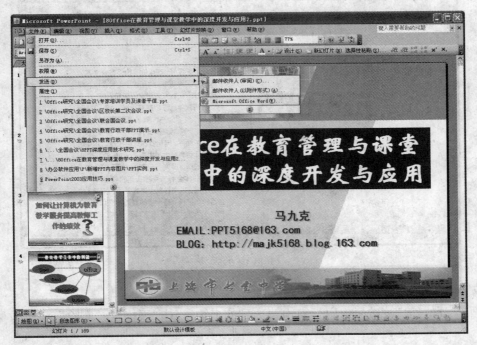

图 1‒293

（2）在得到的"发送到 Microsoft Office word"的命令框中,可以选择不同的选项,如图 1‒294 所示,选择"备注在幻灯片旁",点击"确定"。

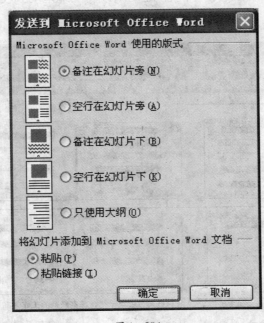

图 1‒294

（3）在 word 文档中得到一个表格,表格中有三列,第一列是幻灯片编号,第二列是幻灯片的图片,第三列是备注中的文字。如图 1‒295 所示。

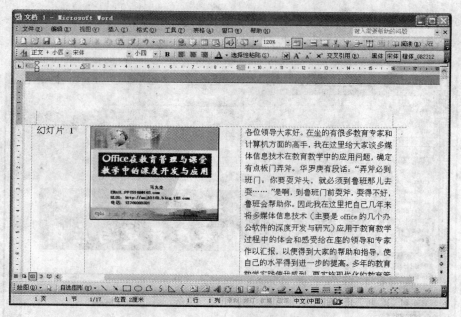

图 1-295

（4）修改 word 文档中的表格格式

1）去掉第一列的幻灯片编号。鼠标点击第一列的上边，点击"表格"→"删除"→"列"。删除第一列的内容。

2）调整第二列的列宽。鼠标点击第二列的上边，点击"表格"→"自动调整"→"根据内容调整表格"。

3）调整备注文字。鼠标点击第三列的上边，可以设置文字的大小、字号等其他格式。

4）调整行高。像表格操作一样，调整行的高度。

5）移动图片。有些单元格中没有备注内容，这时可以将图片拖动到没有备注内容的空格中，节省版面。如图 1-296 所示。

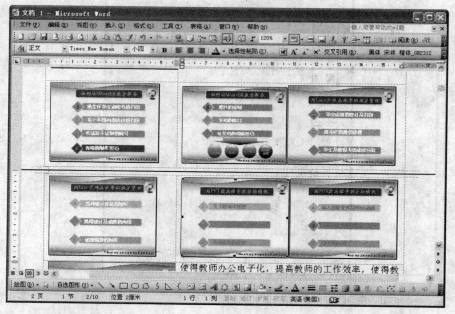

图 1-296

加上标题，还可以去掉表格线。得到如图 1-297 所示的文档。

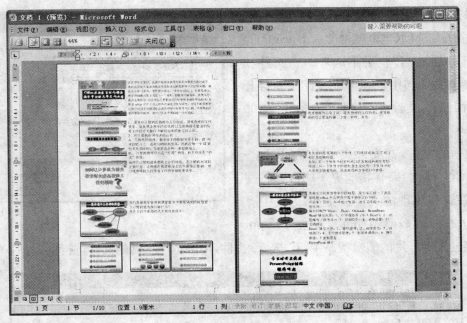

图 1 - 297

　　上述方法是将 PowerPoint 作为图片格式转化在 word 文档中的，若将 PowerPoint 文档中的文字提取出来，可以在网上下载一个转化软件进行转换。

1. 7. 17　将 PPT 文件打包

　　PowerPoint 文档制作完成后，常常要在其他计算机上放映，如果仅仅将制作好的课件复制到另一台计算机上，而该机又未安装 PowerPoint 应用程序，或者文档中使用的链接文件或 TrueType 字体在该机上不存在，则无法保证课件的正常播放。因此，一般在制作课件的计算机上将课件打包成安装文件，然后在播放幻灯片文档的计算机上另行安装即可。

　　（1）在 PowerPoint 中，打开准备打包的 PowerPoint 文档，然后单击"文件"→"打包"，出现"打包"命令框，如图 1 - 298 所示.

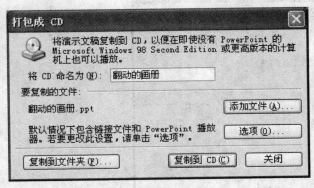

图 1 - 298

图 1 - 299

　　（2）更改文件名称，如果点击"复制到 CD"，则在驱动器中装入空的 CD 盘时，自动将文件打包到 CD 盘中，如果想保存在本地机上，则点击"复制到文件夹"，得到如图 1 - 299 所示的命令框。点击"浏览"，选择文件存放的位置。

（3）如果在图 1 - 298 中点击"选项"，在"选项"对话框中，选中所有选项（当电脑中装有 PowerPoint 时，"PowerPoint 播放器"也可不选），即将文件和字体都嵌入到该文件包中。还可以在此设置打开文件的密码和修改文件的密码。如图 1 - 300 所示。

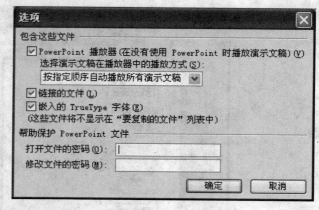

图 1 - 300

（4）打包后的文件，在文件夹中出现如图 1 - 301 所示的几个文件（如果有其他更多的音频和视频文件嵌入，在这里出现的文件会更多）。其中有两个可执行的文件是"exe"和"ppt"，双击打开 ppt 文件可以直接进入幻灯片的编辑状态中，双击 exe 文件，可以选择不同的文件进行播放。

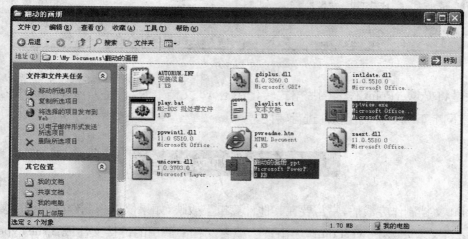

图 1 - 301

（5）在图 1 - 298 中点击"添加文件"，打开所需要的文件，点击"添加"，可以将多个文件一起打包成一个文件夹。如图 1 - 302 所示。这样生成的打包文件中有多个 ppt 文件，但是仍然只有一个 exe 文件。

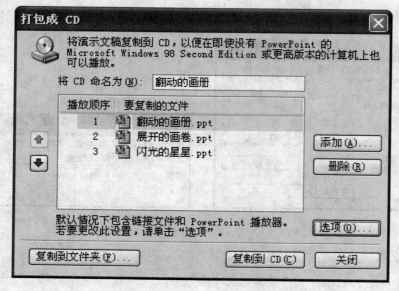

图 1 - 302

第2章　课件制作实例

2.1　正弦曲线的制作

实例说明：

利用"自选图形"中"线条"的"曲线"功能，可以画出正弦或任意初相位的三角函数曲线。

技术支持：

    A. 应用表格；

    B. "自选图形"中的"线条"；

    C. 图形的翻转；

    D. 图片的剪裁。

操作步骤：

（1）点击工具栏上的"插入表格"，画出一个两行六列的表格，如图 2－1 所示。也可以利用网格线作参考线进行绘图。

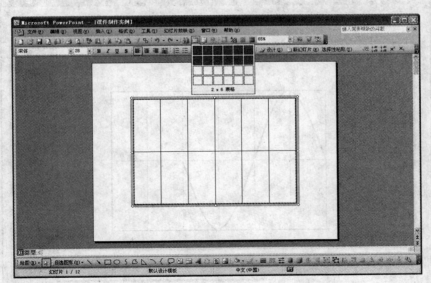

图 2－1

（2）点击"自选图形"→"线条"→"曲线"，在初位置点击一下，开始画线，到达最高点再点击一下，到末端双击退出画线状态。选中曲线，点击下面工具栏中的"线条颜色"，对图线的"颜色"进行设置，再点击下面工具栏中的"线型"，对线条的粗细进行设置。如图2-2所示。

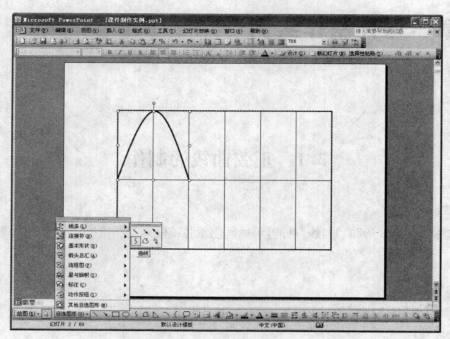

图2-2

（3）选中图线，点击"复制"→"粘贴"，得到另一个图线，选中该图线，点击"绘图"→"旋转或翻转"→"垂直翻转"，得到开口向上的曲线。调整图线的位置，如图2-3所示。

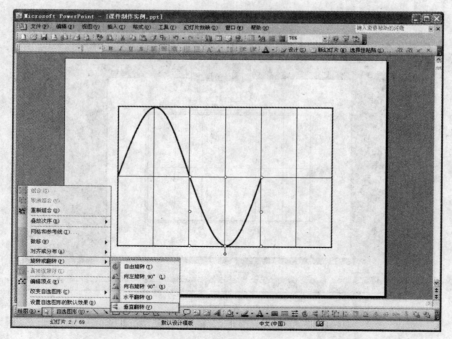

图2-3

（4）选中两个图片，将两个图片组合，并去掉表格，再进行复制，可以复制出多个正弦函数图象，如图 2‐4 所示。

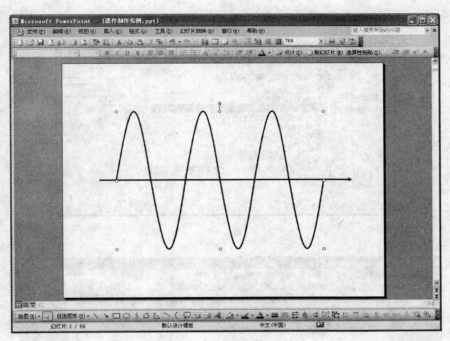

图 2‐4

（5）任意初相位三角函数图象的画法。

方法一：做两个填充颜色和线条均为白色的矩形线框，（为方便读者阅读，线框做成了灰色透明的），左右移动线框或三角函数图象的位置，可以得到任意相位的三角函数图象。如图 2‐5 所示。（参见光盘 2.1 正弦曲线的制作）

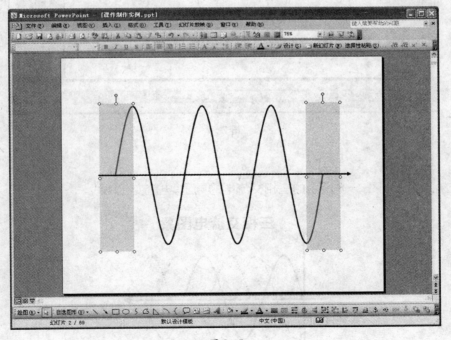

图 2‐5

方法二：利用图片工具将三角函数图象的两边剪裁，但要将图片改变格式，选中图 2‐4 中的组合图片,点击"剪切"后,点击菜单中"编辑"→"选择性粘贴",得到如图2-6所示的选项卡,默认格式是"MS office 图片对象",可以改换为其他图片格式,如"图片(Windows 元文件)"格式,点击"确定"。然后利用图片工具栏对图片进行剪裁如图2-7所示。

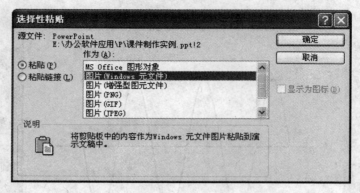

图 2-6

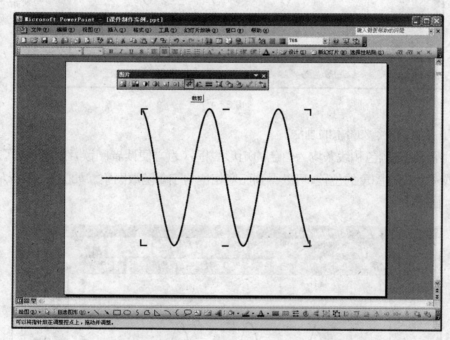

图 2-7

自主练习:

利用上述方法制作如图2-8所示的三相交流电的电压、电流变化图线。

三相交流电图象

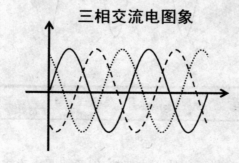

图 2-8

2.2　电路图的制作

实例说明：

　　在制作电路图时，图中的导线不是一条一条的画出来的，可以用矩形线框来代替，电路中的电阻、电源和开关等可以单独做成一个个小图片，采用遮盖的方法，用这些小图片遮盖住线条，最后利用文本框填写上文字。这样可以快速地画出电路图。

技术支持：

　　A. "自选图形"中的"矩形"；

　　B. 自选图形格式的设置；

　　C. "绘图"中的"叠放次序"；

　　D. "文本框"的应用；

　　E. 图片的组合。

操作步骤：

　　(1) 电源图片的制作。画两条短线，分别设置线宽和颜色，双击图形可以调出"设置自选图形格式"对话框。一条较长的线宽设置为 5 磅，较短的线宽为 8 磅，再画一个矩形线框，边框为无色，填充为白色（为方便阅读，填充色为灰色，且图片以较大的比例显示）。将矩形框放在中间，且置于底层，调整三个图片的位置，得到电源图片。如图 2-9 所示。

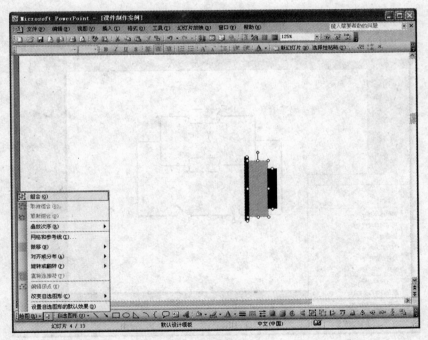

图 2-9

　　(2) 开关的制作。画一条线段，在"设置自选图形格式"对话框中，"粗细"可以设置为 3 磅，在"箭头"中"前端形状"点击"圆形箭头"，"前端大小"选择"左箭头"，并画一个白色矩形框置于底层。如图 2-10 所示。然后将二者组合起来。

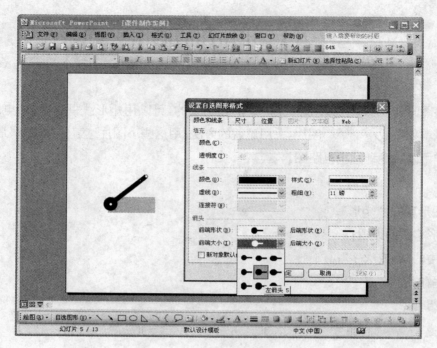

图 2 - 10

（3）制作导线。画出两个矩形线框作为导线，较小矩形的填充色为白色，大矩形的填充色可以为无色，大矩形置于最底端。再画一个小矩形作为电阻，填充色为白色，复制出若干个电阻。把电阻置于最顶层。再把电源和开关放在适当位置。全部选中后组合在一起。如图 2 - 11 所示。

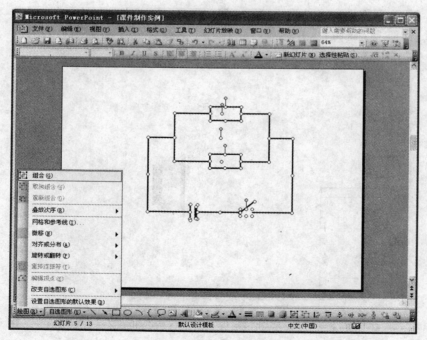

图 2 - 11

（4）添加文字。画出文本框，在文本框中输入文字，文字的下标，可以通过工具栏上的"下标"设置，也可以通过按下"Ctrl ＋ ＝"（Ctrl 健和"＝"同时按下）。如图 2 - 12 所示。文字添加后全部选中，点击"绘图"→"组合"，将所有图片组合在一起。（参见光盘 2.2 电路图的制作）

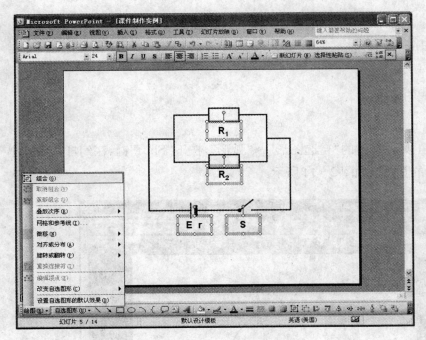

图 2 - 12

自主练习：

画出如图 2 - 13 所示的电路图。

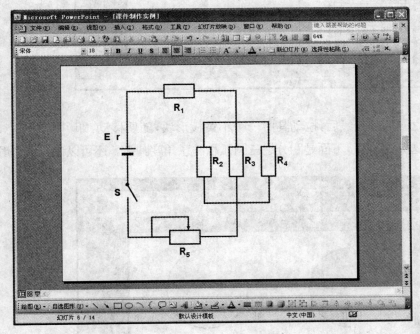

图 2 - 13

2.3　圆弧线的制作

实例说明：

利用"自选图形"中的"弧形"工具，制作任意角度的圆弧线和扇面。

技术支持：

　　A. "自选图形"中的"弧线"；

　　B. 自选图形的对齐和组合；

　　C. 自选图形格式的设置。

操作步骤：

　　（1）点击"绘图"工具栏右边的"自选图形"→"弧形"，按下"Shift"键，在幻灯片中画出一个圆弧线。即得到一个四分之一的圆弧。如图2－14所示。

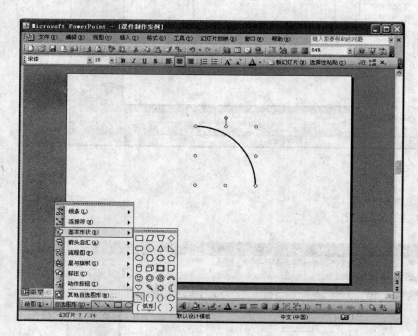

图2－14

　　（2）在得到四分之一的圆弧线后，拉动其中一个小黄棱形块，随便移动，即可得到任意的标准圆弧。如图2－15所示。左边是半圆弧，下面是四分之三圆弧和任意角度圆弧。还可以设置填充颜色。

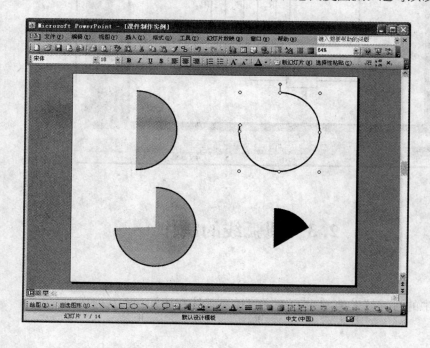

图2－15

（3）画特定角度的扇面。

1）画一条线段，长度等于圆弧半径，再复制出另一条，双击该图线，在得到的"设置自选图形格式"对话框的"尺寸"选项卡中，将"旋转"的角度设置为"60°"。如图2-16所示。

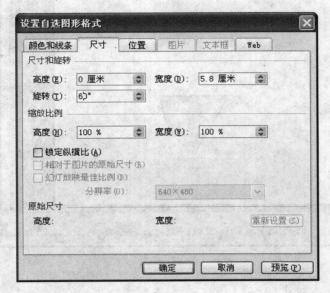

图2-16

2）选中两线段，点击"绘图"→"对齐或分布"→"顶端对齐"和"左对齐"，将两条线段左端点对齐在圆心处。如图2-17所示。

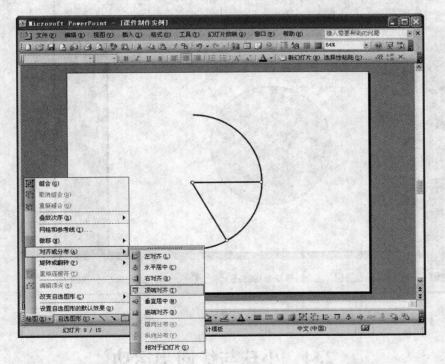

图2-17

3）拉动圆弧图上的两个小黄棱形方块，分别与两条线段对齐，即得到了角度为"60°"的扇面，可设置填充色和线条的格式。如图2-18所示。将三者组合后可以任意转动和移动。（参见光盘2.3圆弧线的制作）

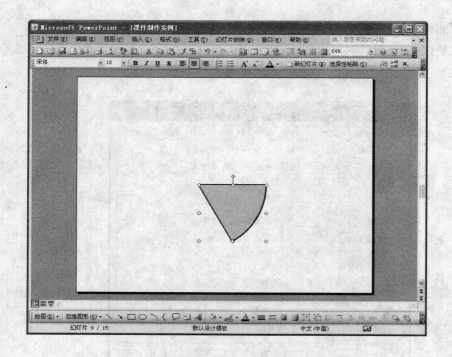

图 2-18

自主练习：

画出一个圆，左右两边有不同的填充色。如图 2-19 所示。

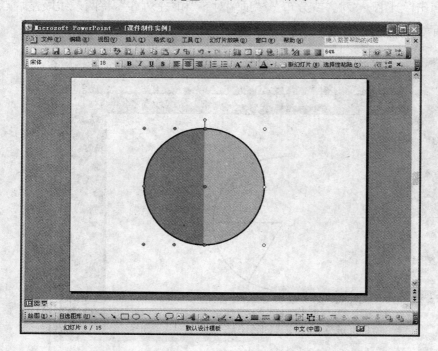

图 2-19

2.4 小球与线同步运动

实例说明：

让小球与折线同步出现，放映时观察到小球在运动过程中画出运动的轨迹线。

技术支持：

    A. 网格参考线的使用；   B. "自选图形"中的折线；

    C. "自定义动画"中的"擦除"及设置；   D. "自定义动画"中的"自定义路径"及设置。

操作步骤：

    （1）为了作图准确，可以在编辑文档时显示出网格线。画出一条折线：点击"自选图形"→"线条"→"任意多边形"。用鼠标画出折线。如图 2－20 所示。

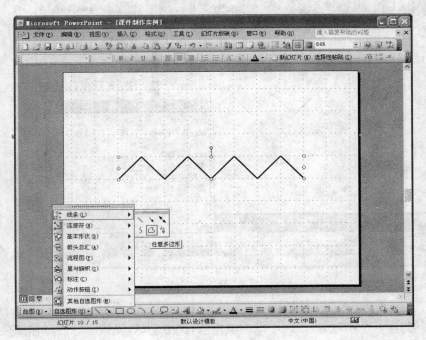

图 2－20

    （2）设置该折线的出现为"擦除"：选中该折线，点击"自定义动画"下面的"添加效果"→"进入"→"擦除"。如图 2－21 所示。

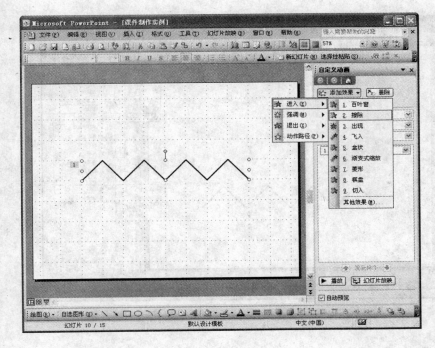

图 2－21

（3）双击"自定义动画"下面的表示擦除动画的"任意多边形"，得到"擦除"对话框，选中"计时"选项卡，在"速度"选项中，输入任意时间，如"10秒"，如图2-22所示。在"效果"选项卡中，"方向"选"自左侧"，点击"确定"。

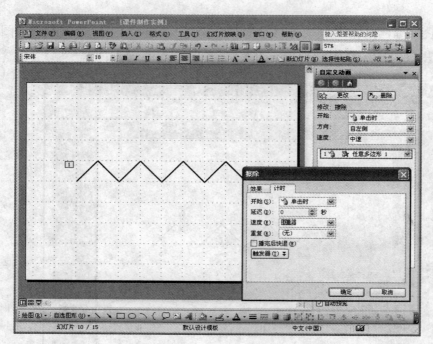

图2-22

（4）利用"自选图形"画一个小球，设置好小球的填充色，选中小球，设置小球的动作路径：点击"自定义动画"中的"添加效果"→"动作路径"→"绘制自定义动画"→"任意多边形"，此时鼠标变成"十字形"，从小球中心开始，按照网格线，画出折线运动路径，如图2-23所示。

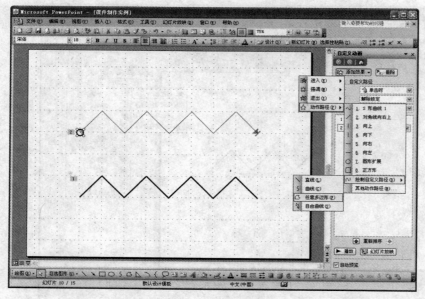

图2-23

（5）设置小球的动作路径：双击"自定义动画"下面的表示小球动作路径的" 2 🖰 ∿ 椭圆 2 ▼"，得到"自定义路径"对话框，在"效果"选项卡中，去掉"平稳开始"和"平稳结束"前面的"√"；在"计时"选项卡中，"速度"直接输入"10 秒"。如图 2 - 24 所示。

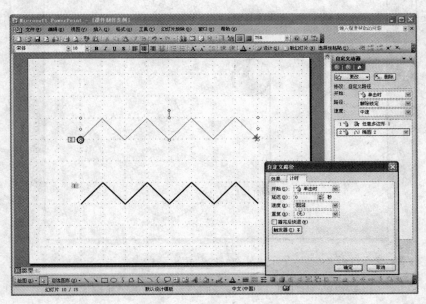

图 2 - 24

（6）选中小球，利用方向键将其移动到折线的初始位置，使运动路径的折线和用自选图形画出的折线相重合，把小球的动作开始时间设置为"之前"，如图 2 - 25 所示。在放映时小球随折线的逐渐出现而运动。（参见光盘 2.4 小球与线同步运动）

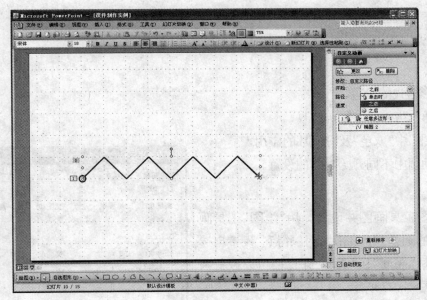

图 2 - 25

自主练习：

做出一个转动的滑轮，当滑轮转动时通过绳子拉动物体向上运动。如图 2 - 26 所示。

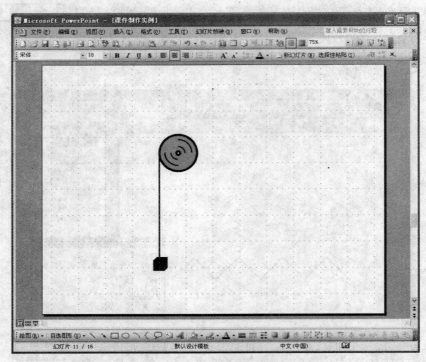

图 2 - 26

2.5 水池底的气泡上升时体积变大

实例说明：

水池底下的气泡在上升的过程中，由于压强的变小，则气泡的体积逐渐变大。制作一个很多气泡，在水底下上升的过程中体积逐渐变大，出水面后消失的动画。

技术支持：

A. 自选图形格式的设置；

B. 自定义动作路径的设置与修改；

C. "填充效果"中"双色"及"预设"的应用；

D. 自定义动画中不同开始时间的设置。

操作步骤：

（1）利用绘图工具画图并设置。用"绘图"工具画出一个直径合适的圆，右击该图片，可以得到"设置自选图形格式"对话框，"高度"和"宽度"即直径可以设置为"2.4厘米"。如图 2 - 27 所示。

（2）图片的填充。在"颜色和线条"的选项卡中，点击"填充"的"颜色"右边的下拉列表按钮，再点击"填充效果"。如图 2 - 28 所示。

图 2 - 27

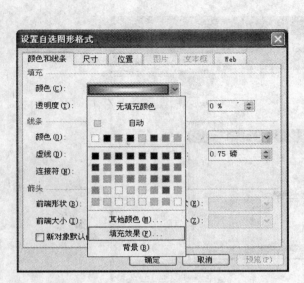

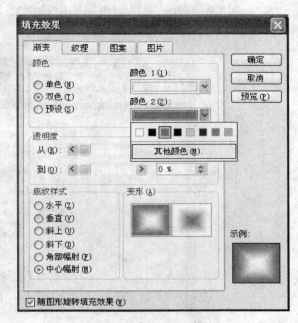

图 2-28   图 2-29

（3）填充渐变颜色。在"填充效果"对话框的"渐变"选项卡中，"颜色"选择"双色"，分别在"颜色 1"和"颜色 2"中选取两种不同的颜色，如"颜色 1"选取白色，"颜色 2"选取灰色，也可以点击"其他颜色"，选取你认为合适的颜色。在"底纹样式"中选取"中心辐射"。如图 2-29 所示。

（4）图片动画的设置。选中该图片，在"自定义动画"中，点击"添加效果"→"进入"→"缩放"。如图 2-30 所示。

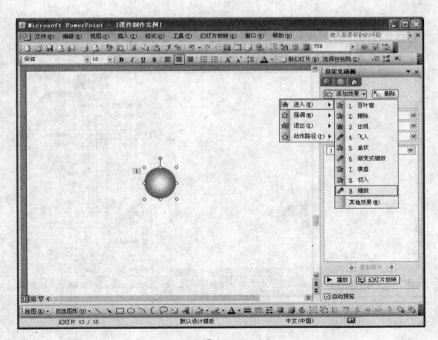

图 2-30

（5）双击"任务窗格"下面的"椭圆 1"，在"缩放"对话框中"计时"选项卡中，"开始"选择"之前"，"延迟"第一个图设置为"0"，"速度"设置为"非常慢（5 秒）"，"重复"设置为"直到幻灯片末尾"。如图 2-31 所示。在"效果"选项卡中,选择"内"。点击"确定"。

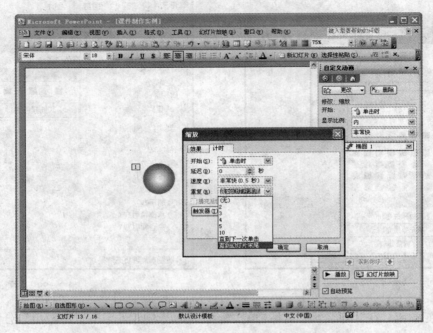

图 2-31

(6) 设置图形的运动路径。选中"图片",点击"添加效果"→"动作路径"→"绘制自定义路径"→"曲线"。如图 2-32 所示。从圆的中心出发,画出一个向上运动的曲线线条。

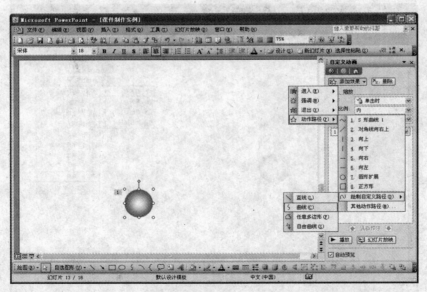

图 2-32

(7) 对图片的运动轨迹进行修改。右击该图片,点击"编辑顶点",修改图片的运动轨迹,修改后的运动轨迹如图 2-33 所示。

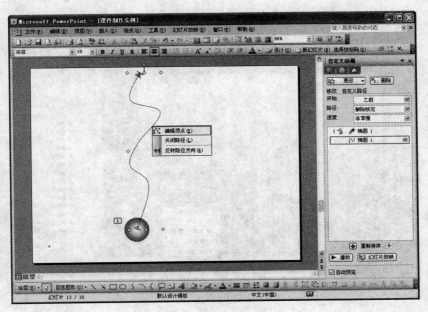

图 2-33

　　(8) 将图片复制若干个放置在适当的位置，不同的图片的运动轨迹稍作修改。对不同的图片"进入"的时间进行不同的设置，即不能让所有图片同时出现。设置方法是在图 2-31 中，在"计时"选项卡的"延时"中直接输入不同的时间，如"1.5 秒"、"2 秒"、"2.3 秒"、"3.2 秒"等等（或者利用高级日程表进行设置），得到如图 2-34 所示的设置。

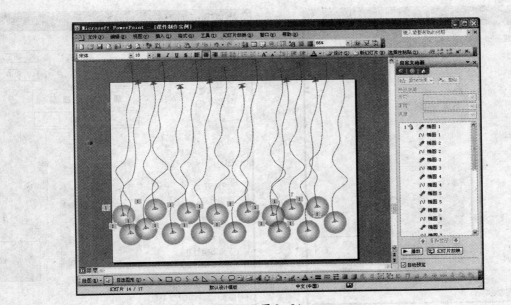

图 2-34

　　(9) 制作水池中的水。画出一个矩形，选中矩形，点击"填充效果"。"填充效果"设置后得到如图 2-35 所示的图片。

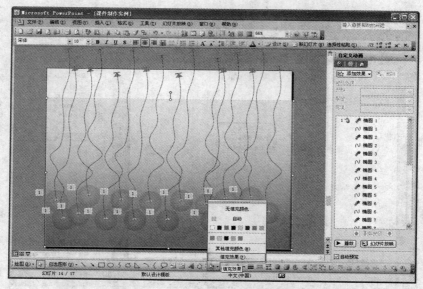

图 2-35

（10）"填充效果"的具体设置方法如下：

1）在"填充效果"对话框的"渐变"选项卡中，"颜色"选择"双色"，在"颜色 1"和"颜色 2"中分别选取两种不同的颜色，如"颜色 1"选取"浅绿色"，"颜色 2"选取"天蓝色"，"透明度"均可设置为"40％"，在"底纹样式"中选取"水平"。如图 2-36 所示。

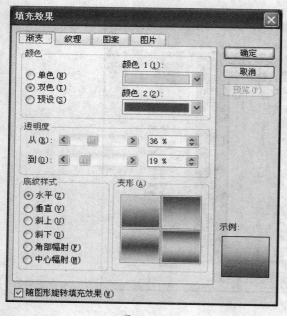

图 2-36

图 2-37

2）"颜色 1"和"颜色 2"的选取，点击"颜色 1"的右边下拉列表按钮，点击"其他颜色"，如图 2-37 所示。在"颜色"对话框中的"标准"选项卡中选取如图 2-38 中所示的一种颜色。在"颜色 2"中选取如图 2-39 中所示的一种颜色。

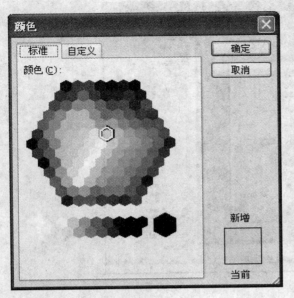

图 2-38

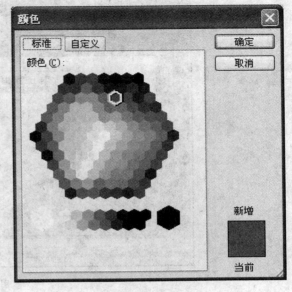

图 2-39

（11）设置标题文字。"文本框"中的文字距离边框太近,可以改变文本框的设置。文本框的设置如图 2-40 所示。在"填充效果"对话框中,在"渐变"选项卡中选取"预设",选取一种"预设颜色",如"漫漫黄沙"。并设置一定的"透明度"。"底纹样式"选择"水平"。如图 2-41 所示。

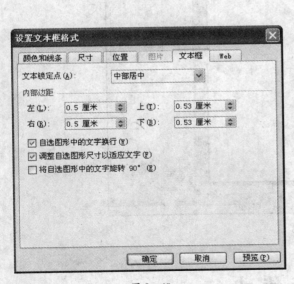

图 2-40

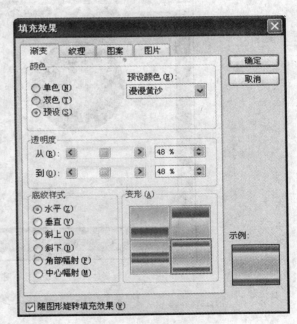

图 2-41

（12）增加了标题文字后的幻灯片如图 2-42 所示。放映时,气泡不停地向上冒出,然后消失。（参见光盘 2.5 水池底的气泡上升时体积变大）

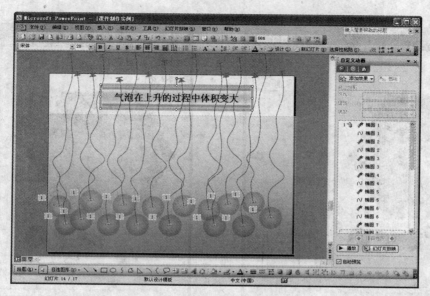

图 2-42

自主练习：

做一个点击后逐渐从远处飞过来的做曲线运动且变大的小球，然后再逐渐消失的球。如图 2-43
所示。

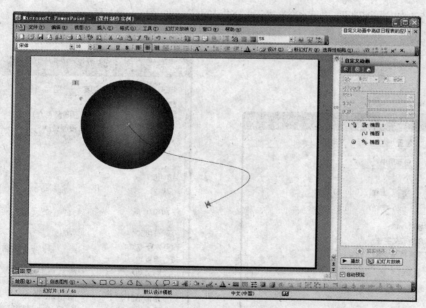

图 2-43

2.6 皮 带 传 动

实例说明：

靠皮带连接着的两个轮子同方向转动。

技术支持：

A. 利用"自选图形"画图；

B. 图片的组合以及填充颜色的设置；

C. "自定义动画"中的"陀螺旋"及设置。

操作步骤：

（1）画图并设置转动效果。利用"绘图"工具,画出两个圆,大圆的半径是小圆的两倍,分别设置"填充颜色"和"线条"颜色,图中箭头是为了能给演示者观察到轮子转动的效果。分别设置"自定义动画"→"添加效果"→"强调"→"陀螺旋",在"陀螺旋"对话框中的"计时"选项卡中,小圆的"速度"时间设置为大圆的一半,如小圆的"速度"设置为"非常慢(5 秒)",如图 2-44 所示,大圆的"速度"设置为"10 秒",这样大圆旋转一圈小圆转两圈。

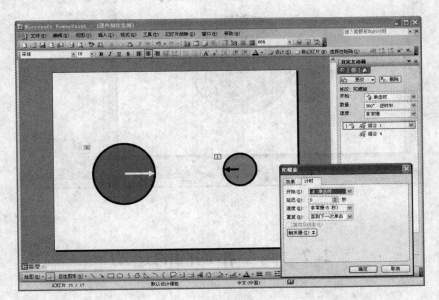

图 2-44

（2）进一步设置转动效果。在"效果"选项卡中的"数量"选择"360°顺时针",再画两条线作为"传送带"。如图 2-45 所示。（参见光盘 2.6 皮带传动）

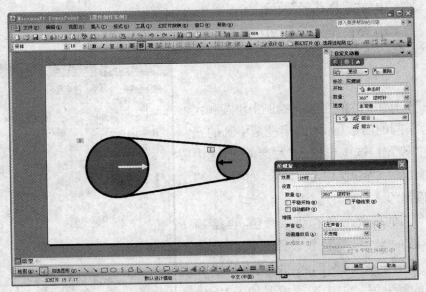

图 2-45

自主练习：

做一个大圆半径是小圆半径三倍，两个轮子转动方向相反，靠两个轮间的摩擦力连接着的转动体。

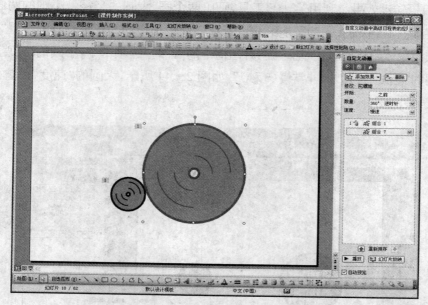

图 2-46

2.7 两个相切圆的运动

实例说明：

一个圆固定不动，另一个小圆在自转的同时绕大圆相切做圆周运动。

技术支持：

A. "自定义动画"中的"动作路径"及设置；

B. "陀螺旋"与"动作路径"的混合应用；

C. "触发器"功能的使用。

操作步骤：

（1）用"绘图"工具中的"椭圆"工具绘制出小圆和大圆，大圆的半径为小圆的倍数（如大圆半径是小圆的三倍），双击图片，在"设置自选图形格式"对话框中，选中"锁定纵横比"，"高度"和"宽度"均为6厘米，如图2-47所示。小圆半径设置为2厘米。

（2）设置两个圆的填充颜色和线条颜色，再绘制一根线段等于小圆的半径，并将线段跟小圆组合起来。用绘图工具绘制一个"棱台"，添加文字"开始"，此图形作为动画的触发器。三个图形放置如图2-48所示。

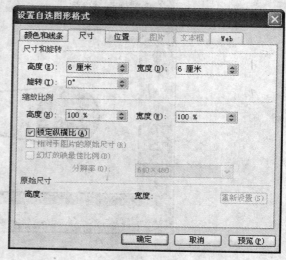

图 2-47

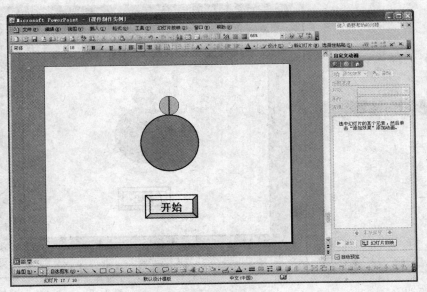

图 2-48

（3）设置小圆沿大圆运动。选定小圆，在"自定义动画"窗格中单击"添加效果"→"动作路径"→"圆形扩展"，得到小圆运动的轨迹线，调整圆形轨迹的大小，使其该圆轨迹的半径等于大球和小球半径之和。如图 2-49 所示。

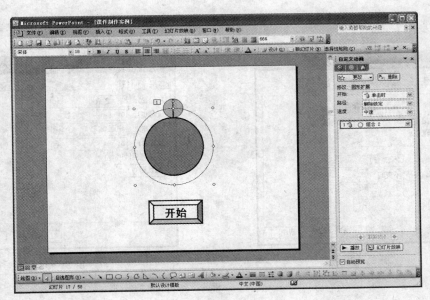

图 2-49

（4）双击"自定义动画"下面的" 1 ○ 组合 2 "，得到"圆形扩展"对话框，在"效果"选项卡中，"平稳开始"和"平稳结束"及"自动翻转"前面的钩去掉，在"计时"选项卡中设置"速度"为"6 秒"，"重复"为"2"。如图 2-50 所示。

（5）设置小圆的自转效果。选中小圆，在"自定义动画"的"添加效果"中，点击"强调"→"陀螺旋"，如图 2-51 所示。

图 2-50

图 2-51

（6）双击右边的"[2 组合 2 ▼]"，得到"陀螺旋"选项卡，在"效果"选项卡中，"平稳开始"和"平稳结束"及"自动翻转"前面的钩去掉，如图 2-52 所示。在"计时"选项卡中，"开始"选择"之前"，"速度"为"中速（2 秒）"，"重复"设置为"6"（直接输入 6）。如图 2-53 所示。（由于大圆的周长是小圆的 3 倍，公转 2 圈，则自转为 6 圈，公转一圈的时间应是小圆自转一圈所用时间的 3 倍）

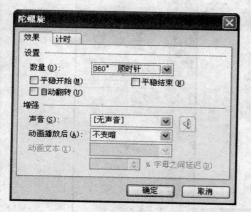

图 2-52

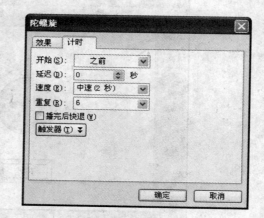

图 2-53

（7）利用"触发器"控制动画的动作。双击右边的表示"圆形扩展"动画的"[1 ○ 组合 2 ▼]"，在"圆形扩展"对话框"计时"选项卡中，点击"触发器"，选中"单击下列对象时启动效果"，选中"棱台 5：开始"，点击"确定"。如图 2-54 所示。然后再将表示"陀螺旋"效果的"[2 组合 2 ▼]"拖放在下面。并把它的"开始"选择为"之前"，如图 2-55 所示。（参见光盘 2.7 两个相切圆的运动）

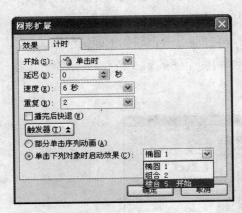

图 2-54

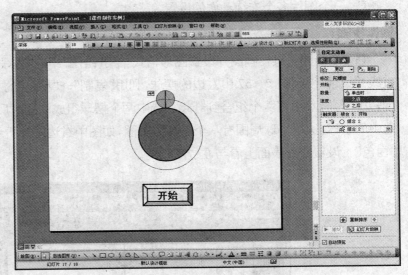

图 2-55

自主练习：

做出两个半径相同的圆，上边圆绕下边圆相切做圆周运动。如图 2-56 所示。

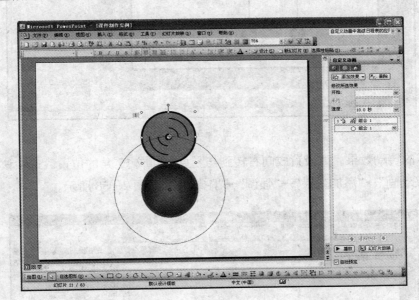

图 2-56

2.8 摆球的制作

实例说明：

摆线的上端固定，下面小球设置成任意角度摆动的单摆。

技术支持：

A. "陀螺旋"功能的拓展应用；

B. 组合图片中部分图片元素的修改；

C. 一个图片多个连续动作的设置。

操作步骤：

（1）用绘图工具栏画图并设置图形格式。用"绘图"中的"直线"工具和"椭圆"工具，画出一个小球和直线并组合，得到图 2 – 57 中左边的摆球，利用"复制"→"粘贴"的方法得到一个相同的摆球，并将其向上翻转 180°角，然后将两个组合到一起。选中两个摆球组成的图片后，再分别点击小球和上面的线条，二次选中的小球，这里小球周围有八个小黑色圆圈，如图中右边图形所示，将两个图的填充色和线条都设置为"白色"。设置好后表面上看与左边图相同。

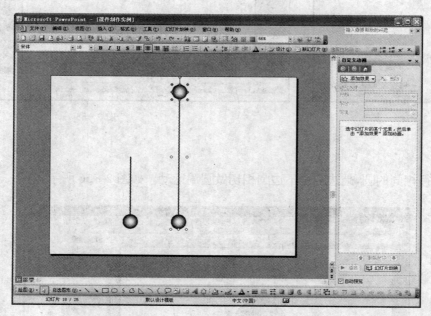

图 2 – 57

（2）设置摆球的转动效果。如设置成向右转到与竖直方向成 15°角的位置。选中该图片，点击"幻灯片放映"→"自定义动画"→"添加效果"→"强调"→"陀螺旋"，如图 2 – 58 所示。

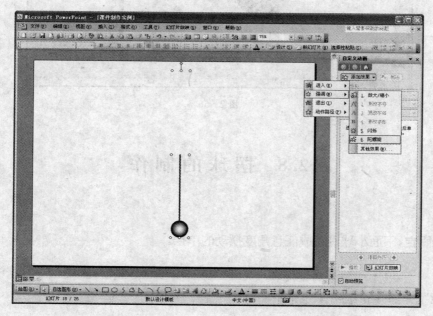

图 2 – 58

（3）在"陀螺旋"对话框中，"平稳开始"不选，在"数量"设置中，直接在"自定义"中输入 15°，"速度"设置为"快速（1 秒）"，如图 2-59 所示。要先打回车键，再点击"确定"。

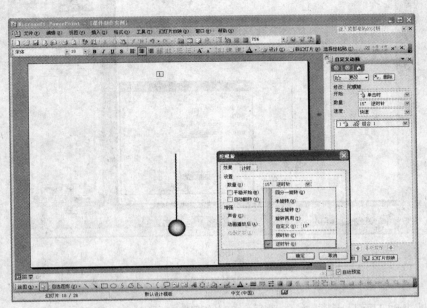

图 2-59

（4）再次选中对象。点击"幻灯片放映"→"自定义动画"→"添加效果"→"强调"→"陀螺旋"。打开"陀螺旋"对话框，在"效果"选项卡中，选中"平稳开始"、"平稳结束"和"自动翻转"，在设置"数量"中，选择"顺时针"，"自定义"中输入"30°"，打回车键。再点击"确定"。如图 2-60 所示。

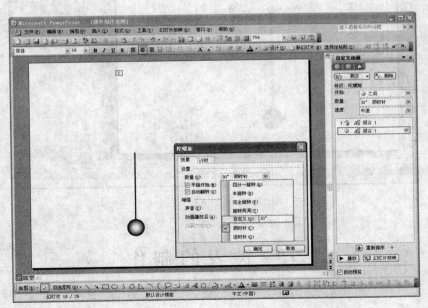

图 2-60

（5）在"计时"选项卡中，"开始"选择"之后"，"速度"可以选择"中速（2 秒）"，"重复"可选择"直到幻灯片末尾"。如图 2-61 所示。点击"确定"即可。（参见光盘 2.8 摆球的制作）

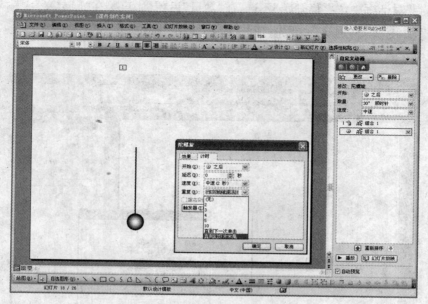

图 2-61

自主练习：

做一个上面是小球下面是大球，左右摆幅为 30°的摆。如图 2-62 所示。

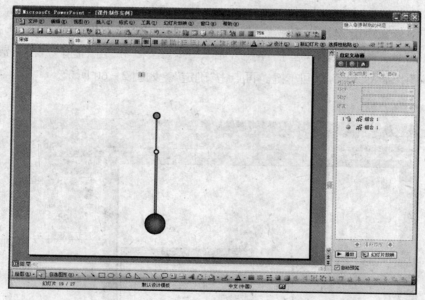

图 2-62

2.9　钟　表　的　制　作

实例说明：

制作有表盘刻度、"时"、"分"、"秒"三个表针按标准时间走动的钟表。

技术支持：

A."自选图形"的"复制"、"旋转"和"对齐"；

B. "自选图形"中"梯形"和"等腰三角形"的画法及变形；

C. 图片"叠放次序"的应用；

D. "陀螺旋"功能的拓展应用

操作步骤：

（1）表盘的制作

1）画出三条有特定角度的直线。画一条水平直线，然后复制两条，分别选中复制后的两条直线，右击后选中"设置自选图形格式"，得到"设置自选图形格式"对话框，在"尺寸"选项卡的"旋转"中设置角度分别为"60°"和"120°"。如图 2-63 所示。

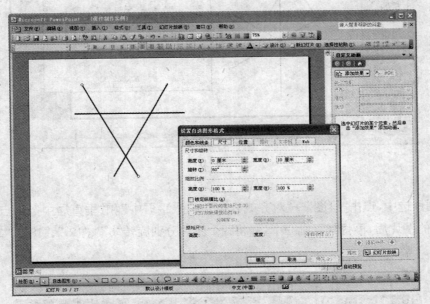

图 2-63

2）选中三条线，点击"绘图"→"对齐或分布"→"水平居中"和"垂直居中"，如图 2-64 所示。再点击"绘图"→"组合"，将三条线组合到一起。

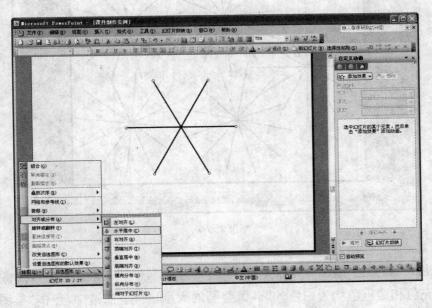

图 2-64

3）将组合后的图片复制一个，再将复制后的图片旋转"30°"，如图 2 - 65 所示。

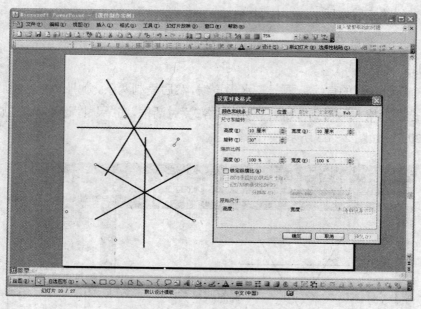

图 2 - 65

4）将两个图片选中，点击"绘图"→"对齐或分布"→"水平居中"和"垂直居中"，再点击"绘图"→"组合"，得到组合后的图片后，再将其复制四个，并将四个图片分别旋转"6°"、"12°"、"18°"、"24°"、如图 2 - 66 所示。

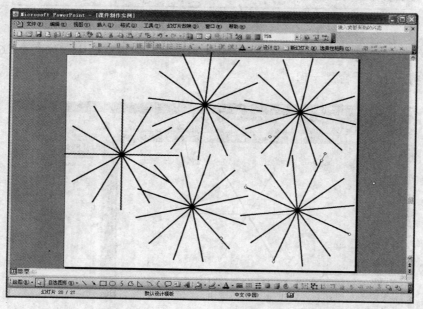

图 2 - 66

5）选中全部图片，再点击"绘图"→"对齐或分布"→"水平居中"和"垂直居中"，并将其组合在一起。然后再画一个填充色和边框色均为白色的圆，调整圆的大小。再全部选中，点击"绘图"→"对齐或分布"→"水平居中"和"垂直居中",得到组合后的表盘刻度如图 2－67 所示。

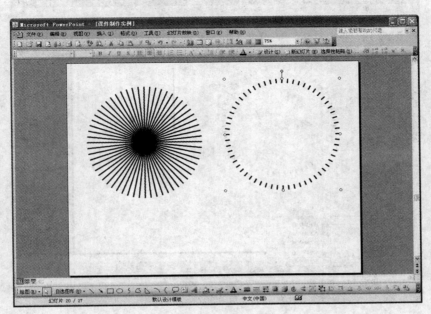

图 2－67

(2) 表针的制作

1) 点击"自选图形"→"基本形状"→"等腰三角形",调整画出的等腰三角形的形状,制作出一个指针,如图 2－68 所示。

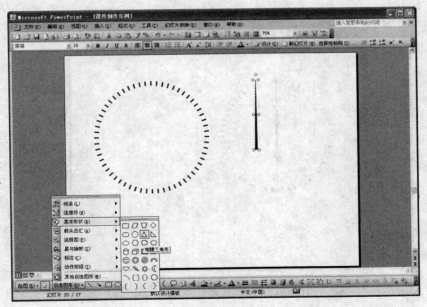

图 2－68

2) 再复制一个指针,选中该指针,点击"绘图"→"旋转或翻转",得到另一个形状相同的指针。如图 2－69所示。

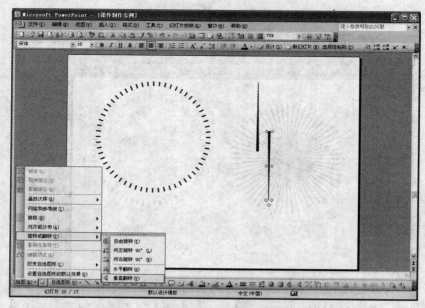

图 2-69

3）选中两个指针，并将下面的指针设置为"底层"，将两个表针移动到表盘中央，调整指针的上下高度，重合一部分后对齐，如图 2-70 所示。全部选中后组合在一起，并将下面的表针填充色和边框颜色均设置为"无"，而不是"白色"。利用同样的方法制作出"分针"和"时针"。如图2-71所示。

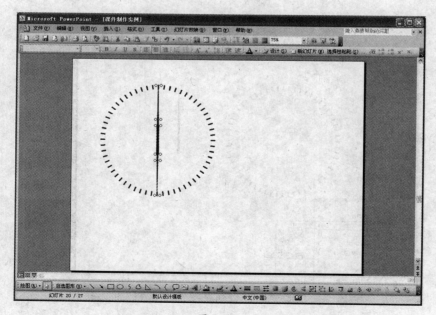

图 2-70

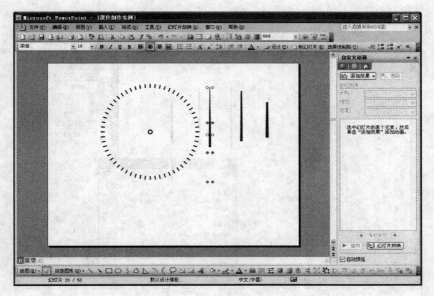

图 2-71

（3）表针转动的设置

1）同时选中三个指针，点击任务窗口中"自定义动画"下面的"添加效果"→"强调"→"陀螺旋"，如图 2-72 所示。一次性设置三个指针的动画。

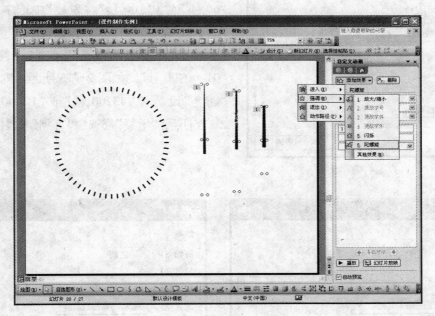

图 2-72

2）再分别双击"自定义动画"下面的表示三个指针"陀螺旋"转动动画的图标。在得到的"陀螺旋"对话框的"效果"选项卡中，将"平稳开始"、"平稳结束"、"自动翻转"前面的"√"去掉，如图 2-73所示。

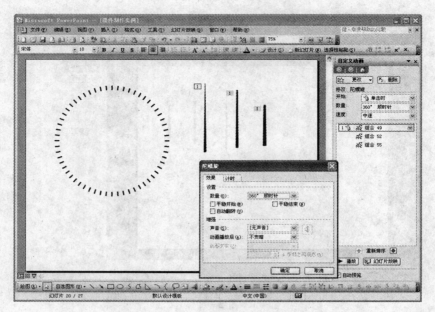

图 2-73

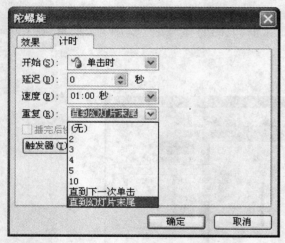

图 2-74

3）在"计时"选项卡中，秒针的"速度"直接输入"60 秒"或"01：00 秒"，"重复"中选中"直到幻灯片末尾"。如图 2-74 所示。点击"确定"即可。

4）对于分针的设置："速度"设置为"3600 秒"或"01：00：00 秒"。如图 2-75 所示。对于时针的设置："速度"设置为"43200 秒"或"12：00：00 秒"。如图 2-76所示。"重复"都选中"直到幻灯片末尾"。

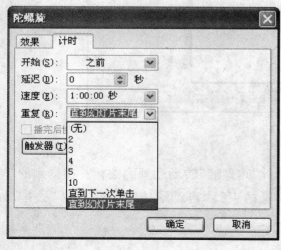

图 2-75

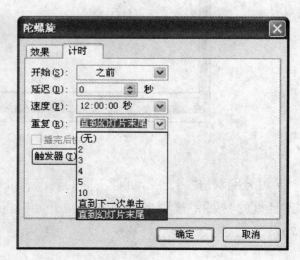

图 2-76

5）表针中间可以加一个作为转动轴的小圆图片，将三个表针及小圆图片全部选中，点击"绘图"→"对齐或分布"→"水平居中"和"垂直居中"，得到整齐排列的图片。如图2-77所示。

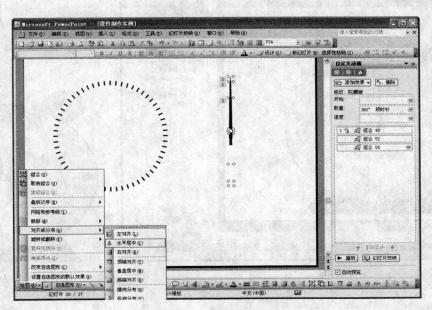

图 2-77

6）再与表盘刻度图片一起进行对齐排列。将所有图片全部选中，点击"绘图"→"对齐或分布"→"水平居中"和"垂直居中"，得到整齐排列的图片。如图2-78所示。

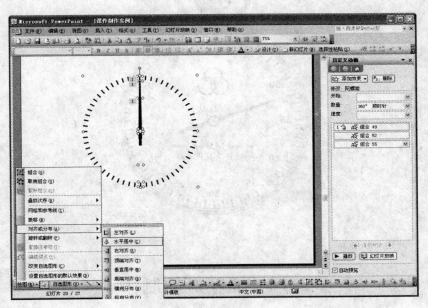

图 2-78

（4）调整位置，把表盘刻度的线条每隔一个设置成粗线型，再配置附件，得到一个完整的时钟。上面两端的小椭圆可以设置成有动画效果的。设置后的效果图如图2-79所示。放映时的效果图如图2-80所示。（参见光盘2.9钟表的制作）

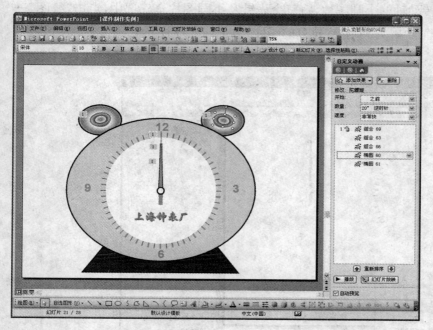

图 2-79

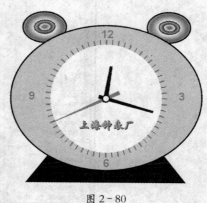

图 2-80

自主练习:

制作一个周期为 60 秒,一直转动下去的"秒表"。如图 2-81 所示。

图 2-81

2.10　酒精灯的制作

实例说明:

利用图片的组合和动画功能,制作出一个有火焰闪烁的酒精灯。

技术支持:

A. "自选图形"的绘制和组合;

    B. 填充颜色为白色的图片对其他图片的遮盖；

    C. "自选图形"中"曲线"的绘制和填充；

    D. "填充效果"中双色渐变；

    E. "自定义动画"中的"闪烁"应用设置。

操作步骤：

（1）灯体的制作。利用"绘图"工具的"矩形"、"圆角矩形"、"椭圆"，画出三个图片，"矩形"填充为黑色，"圆角矩形"填充为"白色"，"椭圆"可填充为"无色"，"线型"均设置为"3磅"，然后将三个图片适当组合，得到如图2-82所示的图片。

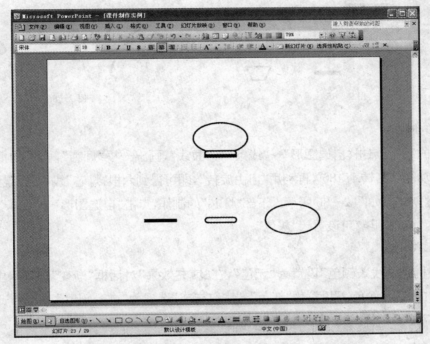

图2-82

（2）灯中"酒精"的制作。将"椭圆"复制，复制后的"椭圆"的"线条颜色"设置为"无色"，在"填充效果"对话框中的"图案"选项卡中，选择"浅色横线"，如图2-83所示。再用"绘图"工具画一个填充色和线条均为白色的"矩形"图片，将二者放在一起组合。得到如图2-84所示的图片。将组合后的图片放在上面的"酒精灯"中，且置于"底层"，作为灯中的"酒精"。

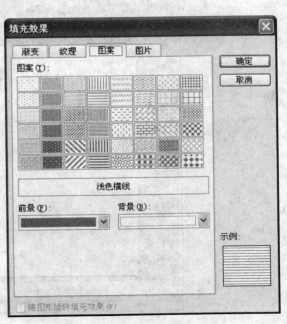

图2-83

图2-84

（3）"灯头"的制作。利用"绘图"工具中的"矩形"和"梯形"画出灯的上部图片，然后将其组合后放在灯的上面。如图2－85所示。

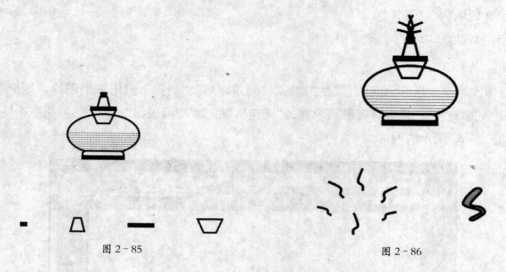

图2－85　　　　　　　　　　　　　　图2－86

（4）"灯芯"的制作。

上部"灯头"的制作，点击"自选图形"→"线条"→"曲线"，画出一根"灯芯"，再"复制"出若干个，并利用"旋转和翻转"功能将其转动180°，再利用"自由旋转"，即可得到六根"灯芯"线，再放置到适当位置组合后，即得到上部"灯芯"。如图2－86所示。下部"灯芯"的制作，点击"自选图形"→"线条"→"曲线"，画出封闭的"灯芯"图，"填充颜色"可设置为"灰色"。

（5）制作"灯芯火焰"。

1）画一个小椭圆，"线条颜色"设置为"无色"，在"填充效果"对话框"渐变"选项卡中，选择"双色"，"颜色1"设置为"白色"，"颜色2"设置为"红色"，"底纹样式"选择为"中心辐射"，"变形"选择左边的变形样式。如图2－87所示。

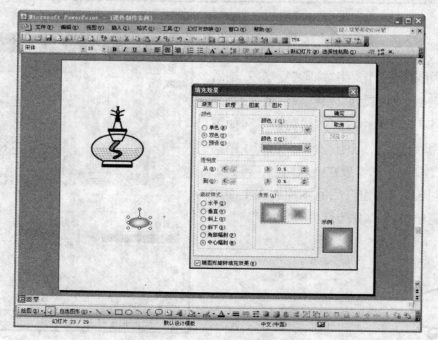

图2－87

2）画一个小椭圆，"线条颜色"设置为"无色"，在"填充效果"对话框"渐变"选项卡中，选择"双色"，"颜色1"设置为"红色"，"颜色2"设置为"浅蓝色"，"透明度"设置到"100％"，"底纹样式"选择为"中心辐射"，"变形"选择左边的变形样式。如图2－88所示。

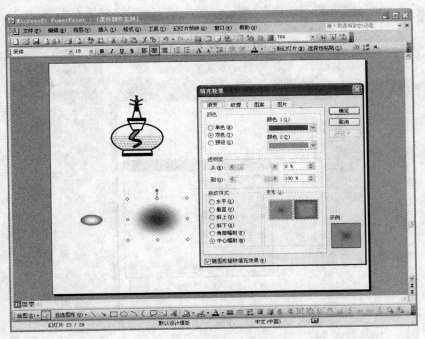

图2－88

3）再画一个小椭圆，"线条颜色"设置为"无色"，在"填充效果"对话框"渐变"选项卡中，选择"双色"，"颜色1"设置为"浅绿色"，"颜色2"设置为"浅蓝色"，"透明度"设置"从""100％""到""50％"，"底纹样式"选择为"中心辐射"，"变形"选择左边的一个。如图2－89所示。

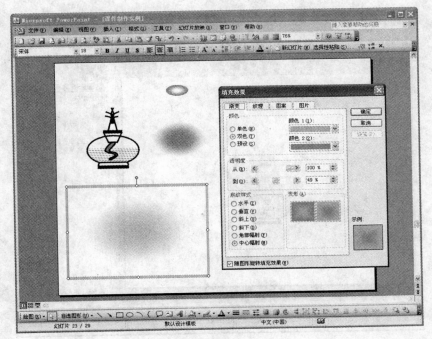

图2－89

4）将三个图片组合到一起，再设置动画效果。选中组合后的图片，在"自定义动画"中，点击"添加效果"→"进入"→"出现"，再次选中该组合图片，在"自定义动画"中，点击"强调"→"闪烁"，双击表示"闪烁"动画的图标" ⏱ ❀ 组合 24 ⌄ "，在"闪烁"对话框的"计时"选项卡中，"开始"选择"之后"，"速度"直接输入"0.2秒"，"重复"为"直到幻灯片末尾"。如图2-90所示。然后点击"确定"。

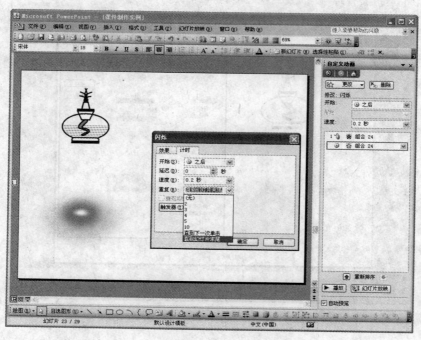

图 2-90

5）将"灯焰"放在"酒精灯"上，放映时点击鼠标可以看到不停闪动的火焰。如图2-91所示。（参见光盘2.10 酒精灯的制作）

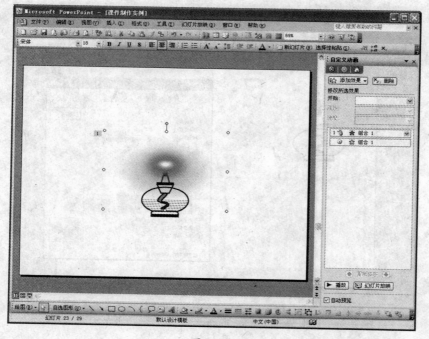

图 2-91

自主练习：

做出一个可以发光且灯光闪动的艺术灯泡。如图2-92所示。

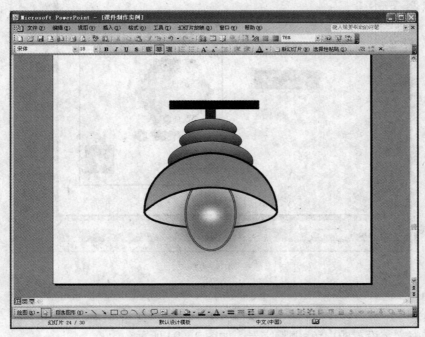

图2-92

2.11 蹄形磁铁的制作

实例说明：

制作一个有"N"、"S"极的文字，且两极颜色不同的立体的"蹄形磁铁"。蹄形磁铁由三部分组成，两个长方体，一个半圆柱。分别做出后组合在一起。

技术支持：

A. "自选图形"的"三维效果"设置；

B. 对"自选图形"添加文字；

C. 立体图中颜色的渐变。

操作步骤：

（1）先画出一个方框。点击"绘图"工具栏上的"矩形"，画出一个矩形，并调整其大小。设置"填充颜色"，选中该图片，在"绘图"工具栏中，点击"填充颜色"→"其他填充颜色"，在得到的"颜色"对话框的"标准"选项卡中，选择"蓝色"。如图2-93所示。

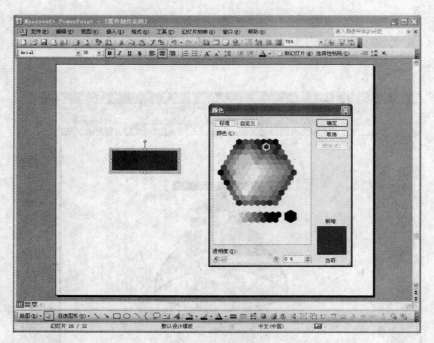

图 2 - 93

（2）图片上添加文字。右击图片，点击"编辑文字"，在图片中添加文字，为了使文字偏向一边，可以先打几个回车，并将文字设置成白色，调整字号。如图 2 - 94 所示。

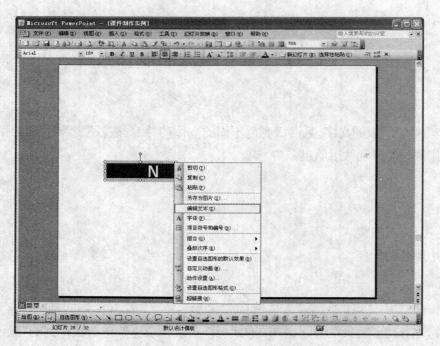

图 2 - 94

（3）设置立体效果。选中图片，点击"绘图"工具栏中的"三维效果样式"，在"三维设置"工具栏中，点击左边的"设置/取消三维效果"，再点击"深度"，选择"72 磅"，如图 2 - 95 所示。并点击右边的"三维颜色",设置图片的三维颜色。

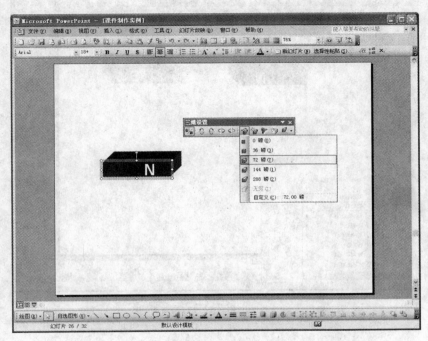

图 2-95

（4）复制该图片，改变填充颜色（如红色）和文字（N 改为 S）。如图 2-96 所示。

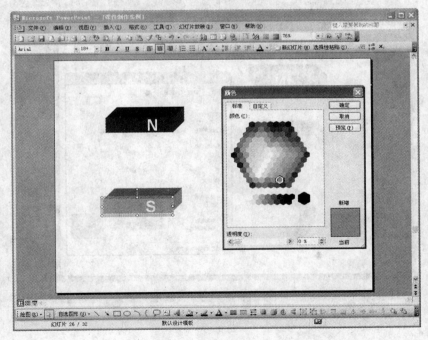

图 2-96

（5）做半圆柱体。点击"自选图形"→"基本形状"→"空心弧"，画出一个空心半圆弧。如图 2-97 所示。

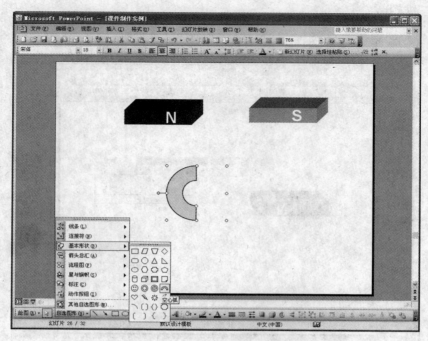

图 2-97

（6）设置图片的"填充颜色"。在"填充效果"对话框的"渐变"选项卡中，"颜色"选择"双色"，"颜色 1"选择与"N"相同的"蓝色"，"颜色 2"选择与"S"相同的"红色"。如图 2-98 所示。

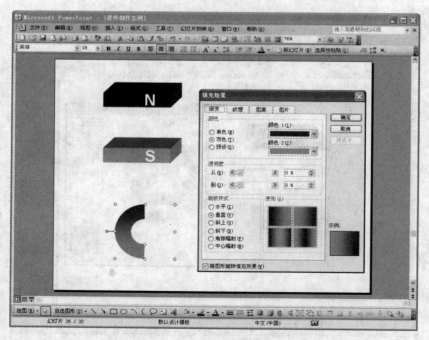

图 2-98

（7）设置圆弧部分的三维效果。选中图片，点击"绘图"工具栏右下角的"三维设置"，在得到的"三维设置"工具栏中，点击"深度"，可以对三维立体的"深度"进行设置，如图 2-99 所示，深

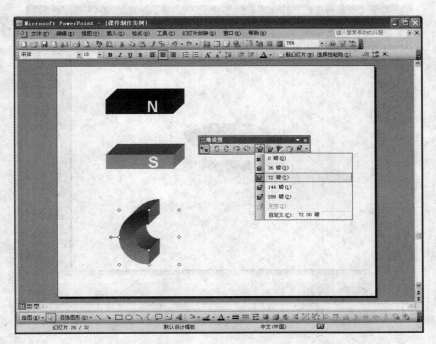

图 2 - 99

度为"72 磅"。

(8) 设置三维颜色。点击"三维设置"工具栏的右边"三维颜色",对图片的立体颜色进行设置,如图
2 - 100 所示,设置颜色为"灰色"。

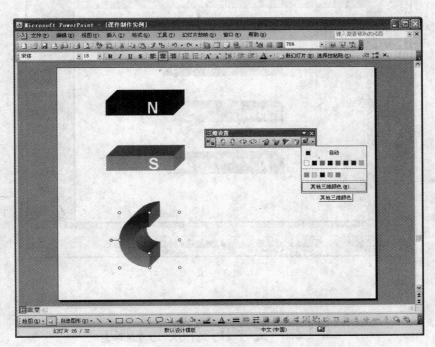

图 2 - 100

(9) 将三个图片放在一起,组合起来,就得到了蹄形磁铁的图片。如图 2 - 101 所示。(参见光盘
2.11 蹄形磁铁的制作)

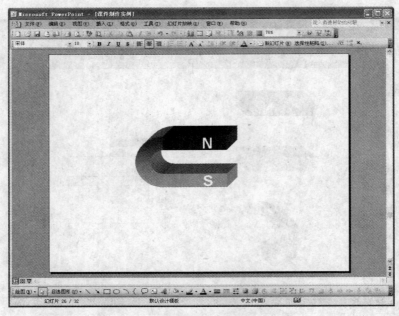

图 2 - 101

自主练习：

做出一个有文字，且两端颜色不同的条形磁铁。如图 2 - 102 所示。

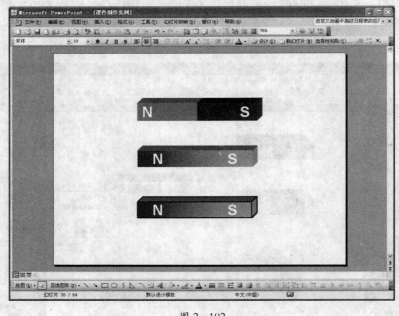

图 2 - 102

2. 12 文字的缩放与移动

实例说明：

有时为了腾出空间，把对象缩小后同时移动到另一位置。以一个电学题为例，电路的连接线的出现，可以利用"进入"的"擦除"功能让导线逐渐出现。

技术支持：

    A. "文本框"中文字的编辑；   B. "自定义动画"中的"动作路径"；

    C. "自定义动画"中的"缩放"；   E. "自定义动画"中的"擦除"；

    F. "自选图形"中"曲线"的编辑。

操作步骤：

（1）在文本框中输入文字内容，调整文字的"字体"、"颜色"及"字号"，选中"文本框"或文字，利用"增加段落间距"或"减少段落间距"调整文字间距。

（2）再选中文本框，在"自定义动画"中，点击"添加效果"→"强调"→"放大/缩小"。如图 2－103 所示。

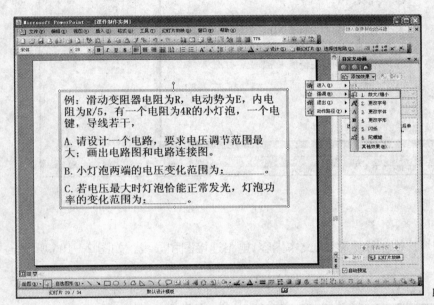

图 2－103

（3）在任务窗格中，点击"尺寸"右边的小三角，在"自定义"中，将 150％改为 50％，然后打回车键。如图 2－104 所示。

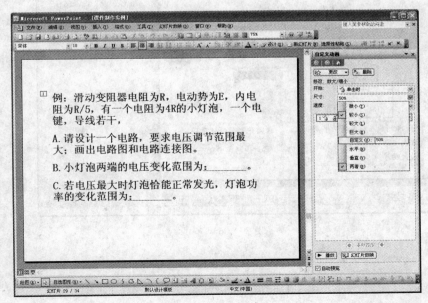

图 2－104

（4）再选中文本框，点击任务窗格中的"动作路径"→"向左"，如图 2－105 所示。并调整动作路径斜向左上，然后把运动路径的"出现"由"单击时"改为"之前"。即文本框在缩小的同时向左上方运动。

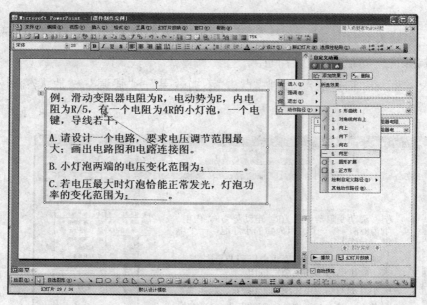

图 2－105

（5）在另一张幻灯片中制作电路图、文本内容、电路连接图和导线。如图 2－106 所示。

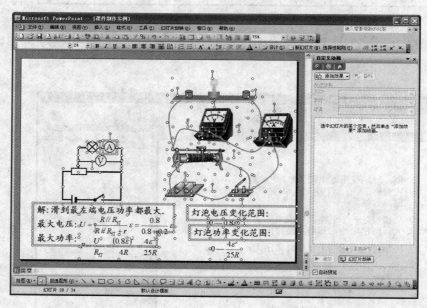

图 2－106

（6）设置每一个对象出现的方式和顺序，导线的"进入"选择"擦除"，让导线逐渐出现。如图2－107所示。

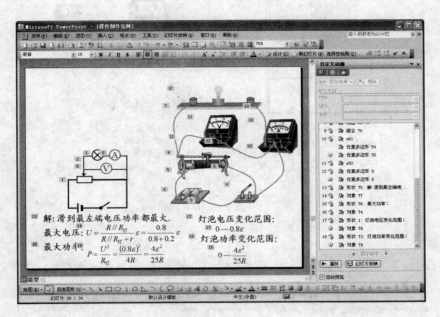

图2－107

（7）选中第二个幻灯片中的全部内容，复制到第一个幻灯片中即可。如图2－108所示。例题内容文字较多，当解答题的时候让其缩小，其他内容在适当位置出现。放映效果如图2－109所示。（参见光盘2.12文字的缩放与移动）

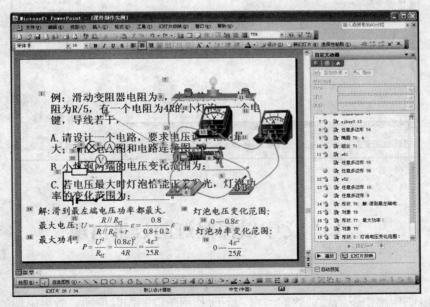

图2－108

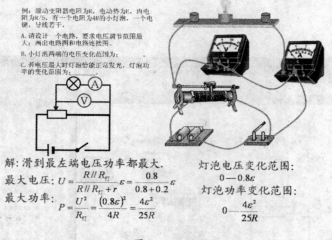

例：滑动变阻器电阻为R，电动势为E，内电阻为R/5，有一个电阻为4R的小灯泡，一个电键，导线若干。

A. 请设计一个电路，要求电压调节范围最大。画出电路图和电路连接图。

B. 小灯泡两端的电压变化范围为：

C. 若电压最大时灯泡恰能正常发光，灯泡功率的变化范围为：

解：滑到最左端电压功率都最大.

最大电压：$U = \dfrac{R/\!/R_{灯}}{R/\!/R_{灯} + r}\varepsilon = \dfrac{0.8}{0.8 + 0.2}\varepsilon$

最大功率：$P = \dfrac{U^2}{R_{灯}} = \dfrac{(0.8\varepsilon)^2}{4R} = \dfrac{4\varepsilon^2}{25R}$

灯泡电压变化范围：
$0 — 0.8\varepsilon$

灯泡功率变化范围：
$0 — \dfrac{4\varepsilon^2}{25R}$

图 2-109

自主练习：

下载一个地图，设置"渐变式缩放"进入，在地图上用"擦除"设置各种进军路线。如图 2-110 所示。

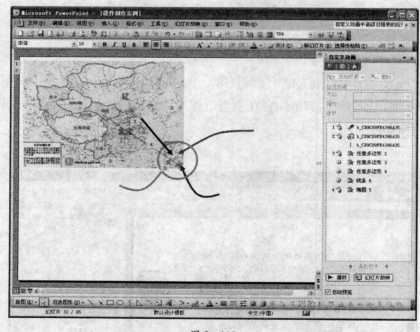

图 2-110

2.13　文字以探照灯的效果出现

实例说明：

运用图层可以制作出很多新颖别致的动画。下面利用图层制作以探照灯效果出现的文字，即让探照灯照在一串文字上来回"扫射"，光照到的地方文字出现。

技术支持：

A. "填充效果"的双色"渐变"；

B. "自定义动画"中的"路径设置"及路径的调整;

C. "绘图"中的"叠放次序"。

操作步骤:

(1) 在幻灯片中用文本框输入文字"光传播的规律",文本框去除边框,填充色设置为无。如图 2 - 111 所示。

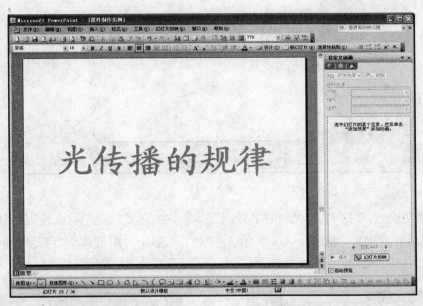

图 2 - 111

(2) 画一个圆,填充颜色为外红内白且中心辐射的双色渐变颜色,如图 2 - 112 所示。

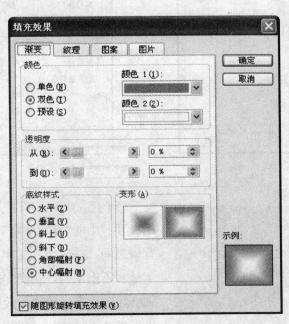

图 2 - 112

(3) 设置圆的动画效果。将该圆放置在文字的左边,且处在幻灯片的外边。选中该圆,点击"幻灯片放映"→"自定义动画"→"动作路径"→"向右"。然后选中表示圆形图形运动轨迹的虚直线右边的小红三角箭头,向右拉到幻灯片外边的适当位置,此线条为"探照灯"的运动路径。如图 2 - 113 所示。

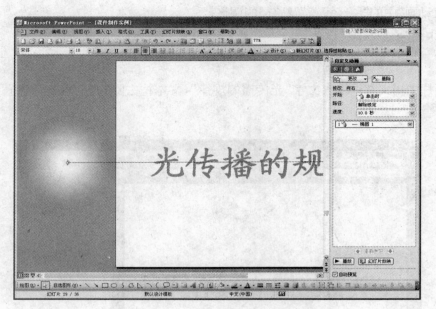

图 2 - 113

（4）双击运动轨迹线，在"向右"对话框的"计时"选项卡中，运动"速度"可以设置为"10 秒"，在"重复"中，可以任意设置重复的次数，如图 2 - 114 所示。在"效果"选项卡中，要选中"自动翻转"，"平稳开始"和"平稳结束"也可以选中。如图 2 - 115 所示。

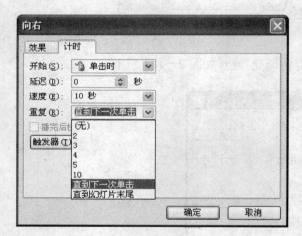

图 2 - 114

图 2 - 115

图 2 - 116

（5）把文字和幻灯片背景设置为相同的颜色，利用"绘图"中的"叠放次序"，让圆形图片放置于文字和背景之间，这样，由于文字与背景同颜色，所以通常文字是看不出来的，当圆形图片运动到文字底下时，文字则会显露出来。放映的效果图如图 2 - 116 所示。（参见光盘 2.13 文字以探照灯的效果出现）

自主练习：

在背景色为白色的幻灯片上，用文本框制作白色字体的文字，当一个椭圆形图片扫过去时文字再现。

放映效果如图 2 - 117 所示。

藏的文字擦除时再

图 2 - 117

2.14 弹 簧 振 子

实例说明：

弹簧上面放一个小球，当小球向下运动时，压缩弹簧一起上下振动。是物理学上的弹簧振子。

技术支持：

A. "自选图形"中"任意多边形"画折线；

B. 图片的复制和组合；

C. "自定义动画"中"放大/缩小"的应用和设置；

D. 两个对象同时动作的协调设置。

操作步骤：

（1）在文档中设置网格线，方便做图。点击"自定义动画"→"线条"→"任意多边形"，在幻灯片中画出折线。如图 2 - 118 所示。

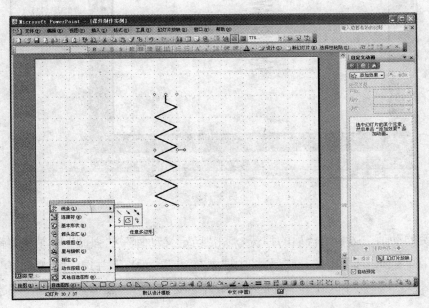

图 2 - 118

（2）将上述图片"压缩"后，再复制三个，组合成一个弹簧。得到如图 2 - 119 所示的弹簧。

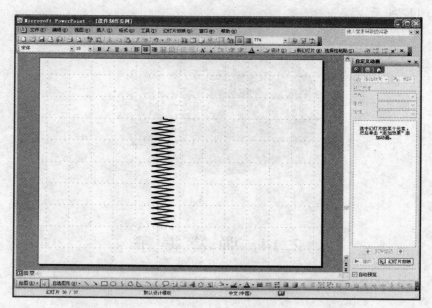

图 2 - 119

（3）将组合后的弹簧再复制一个，并将下面的弹簧设置为白色线条（为方便阅读，设置为灰色），将下面为白色线条的弹簧与上面的弹簧组合在一起，画出辅助线。如图 2 - 120 所示。

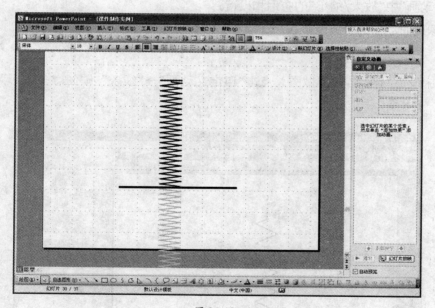

图 2 - 120

（4）设置弹簧的动画。选中组合后的弹簧，点击"自定义动画"→"强调"→"放大/缩小"，再打开"放大/缩小"对话框，在"效果"选项卡中，在"尺寸"中选中"较小"、"垂直"，并选中"平稳开始"、"平稳结束"和"自动翻转"。如图 2 - 121 所示。在"计时"选项卡中，"速度"选择"中速（2 秒）"，"重复"选择"直到幻灯片末尾"。

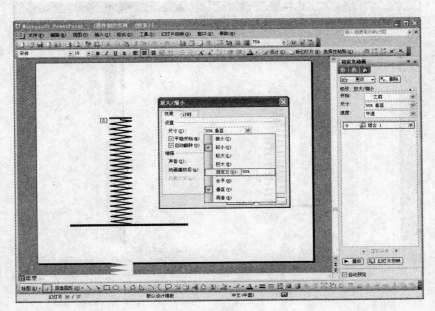

图 2－121

（5）画一个小球，设置动作路径。点击"自定义动画"→"动作路径"→"向下"，调整动作路径的长度是弹簧长度的二分之一（因为弹簧缩短 50％）。在向下的"计时"选项卡中"速度"也设置为"中速（2 秒）"，"重复"也是"直到幻灯片末尾"。如图 2－122 所示。在"效果"选项卡中，选中"平稳开始"、"平稳结束"和"自动翻转"。

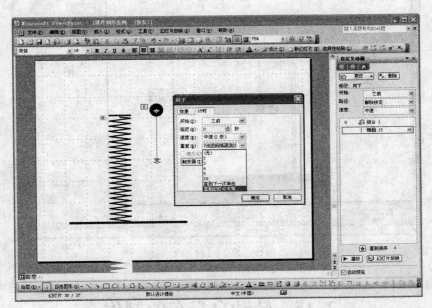

图 2－122

（6）调整小球和弹簧的位置，并设置小球和弹簧同时开始动作。设置好后的弹簧和小球如图 2－123 所示。（参见光盘 2.14 弹簧振子）

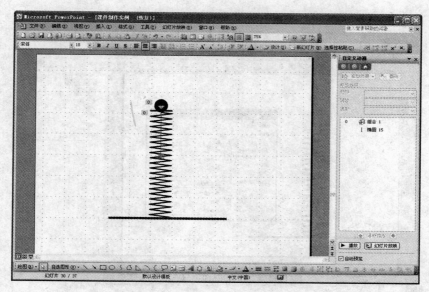

图 2 - 123

自主练习：

做一个在铁架台上悬挂着，下面连接着小球的弹簧振子。当点击"开始"时，小球上下运动时，弹簧随着一起振动。如图 2 - 124 所示。

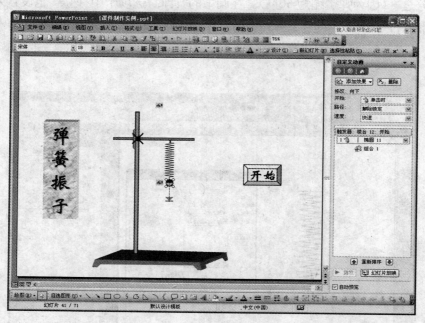

图 2 - 124

2.15 转动自行车的制作

实例说明：

利用复制和自定义动画功能做出一个前后轮子及中间的轮盘都可以转动的自行车。

技术支持：

    A. 图片的对齐、分布和旋转；

    B. 自定义动画中自定义动作路径的应用；

    C. 自定义动画中各种动作的组合应用；

    D. "自选图形"的"线条"中"任意多边形"作图。

操作步骤：

（1）利用"绘图"工具画出一个大圆，大圆"线条"设置为"6 磅"，小圆"线条"设置为"2.25 磅"（或其他）。小圆半径大约为大圆半径的四分之一。利用"绘图"→"对齐或分布"→"水平居中"和"垂直居中"调整好两个圆的位置。如图 2－125 所示。

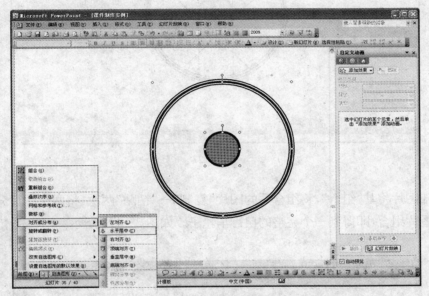

图 2－125

（2）画两条竖直线对齐并组合。如图 2－126 所示。

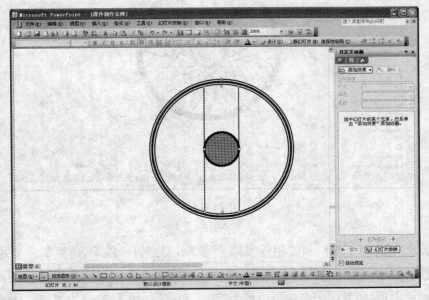

图 2－126

（3）将竖直线"复制"→"粘贴"，将"复制"后的三个图片，左右分别旋转 45°和 90°，利用图片的对齐功能得到图 2 - 127 的组合图片。

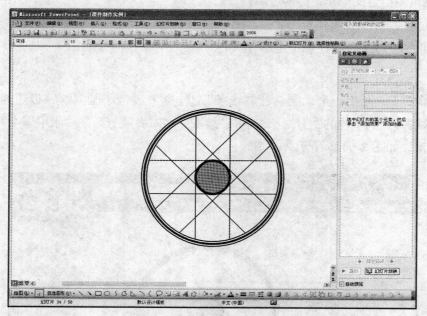

图 2 - 127

（4）选中全部图片将其"组合"，将组合后的图片"复制"→"粘贴"两次，将两个图片分别转动"30°"和"60°"，再将所有图片组合，即得到一个完整的自行车轮子。如图 2 - 128 所示。

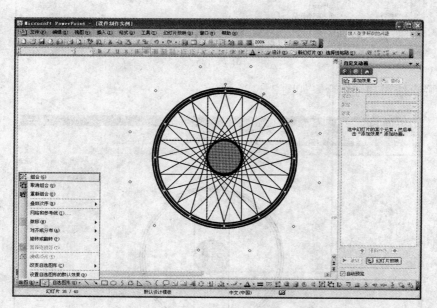

图 2 - 128

（5）另一轮子及"轮盘"的制作。将"自行车轮子"复制，得到另一轮子，再复制一个并将其缩小，得到两轮中间的"轮盘"。再画两条粗直线，利用"绘图"→"对齐或分布"→"纵向分布"和"水平居中"将其放置在"轮盘"的上下对称位置，将其中一条线条设置为"置于底层"。如图 2 - 129 所示。并将"轮盘"和两线

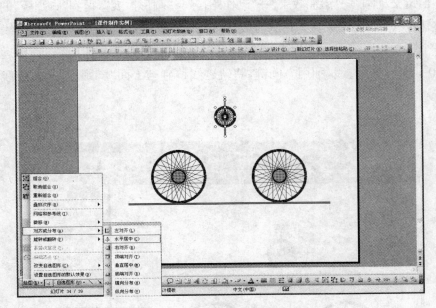

图 2 - 129

段组合。

（6）设置三个轮子的转动效果。选中左轮，点击"自定义动画"→"添加效果"→"强调"→"陀螺旋"，然后再双击右边"自定义动画"下面的"![1 组合 115]"，得到"陀螺旋"对话框，在"效果"选项卡中设置"逆时针"，在"计时"选项卡中速度设置"非常慢（5 秒）"，"重复"设置为"直到幻灯片末尾"。其他两个轮子均进行类同的设置。设置好后如图 2 - 130 所示。当然也可以先设置好第一个轮子的转动效果后再复制。

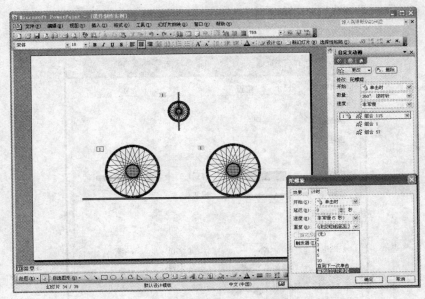

图 2 - 130

（7）制作两个"脚蹬版"，利用"自选图形"中的"基本形状"→"圆角矩形"，画出一个"脚蹬版"，选中

"脚蹬版",点击"自定义动画"→"添加效果"→"动作路径"→"圆形扩展",得到"脚蹬版"的圆运动轨迹线,选中轨迹线调整轨迹线的大小,并放置到适当位置,得到第一个"脚蹬版"的运动轨迹线。选中"圆角矩形",复制出了一个带有轨迹线的"脚蹬版",将复制后得到的"脚蹬版"移到下面。调整运动轨迹线,选中小绿点,转动180°,再选中轨迹线,利用方向键,将轨迹线移到与上面"脚蹬版"的轨迹线重合。如图2-131所示。

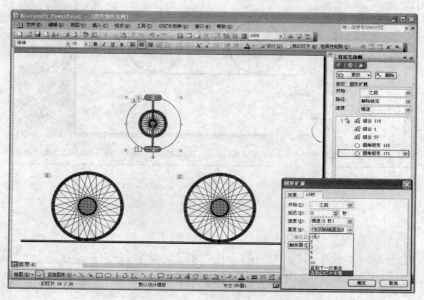

图 2 - 131

　　(8)利用"绘图"工具制作车架及其附件。点击"自选图形"→"直线",画出车架,设置该线段的格式,双击该线段,在"设置自选图形格式"对话框中,线条粗细设置为"6磅",若线段前后端需要设置成圆形,在"前端形状"和"前端大小"中选择适当的形状。如图2-132所示。

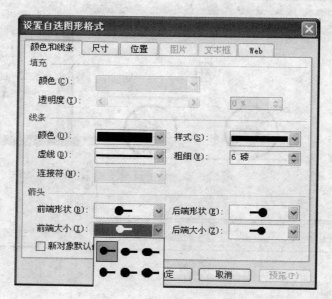

图 2 - 132

1）"车后衣架"的制作。点击"自选图形"→"线条"→"任意多边形"，用鼠标画出衣架，线条粗细设置为"2.25 磅"，对图形进行修改时，选中该图形右击，点击"编辑顶点"，如图 2 - 133 所示。图形周围出现一些小黑点，拉动小黑点，可以改变图线的形状。

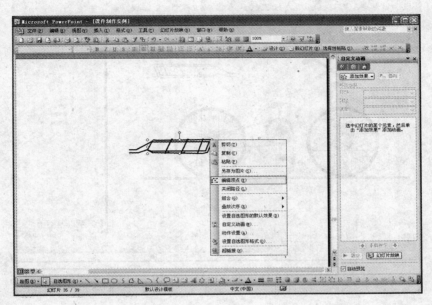

图 2 - 133

2）"车把手"的制作，点击"自选图形"→"线条"→"曲线"，画出一个"车把手"，右击该图，选中"设置自选图形格式"，在得到的"设置自选图形格式"对话框中，线条粗细设置为"6 磅"，两端可以设置为圆手柄，在"箭头"一项中，在"前端形状"和"前端大小"中选择适当项目。如图 2 - 134 所示。

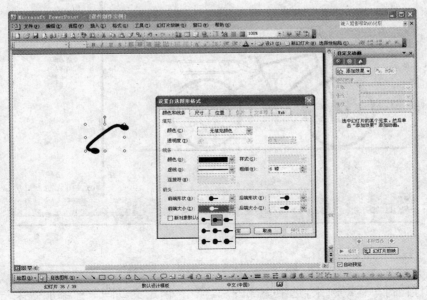

图 2 - 134

3）将车轮放在适当位置,画出"链条线"。"链条线"的设置,"样式"选"6 磅"的线型,在"粗细"中可改为"3 磅"的粗细。如图 2 - 135 所示。

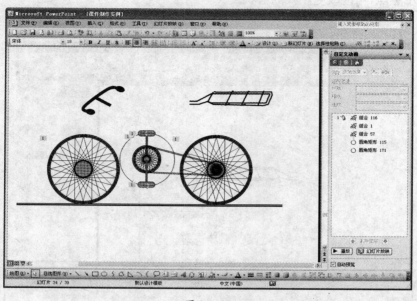

图 2 - 135

（9）画出若干个"配件"进行组合,得到一个完整的"自行车"。如图 2 - 136 所示。

图 2 - 136

（10）如果想让自行车运动起来,选中全部图片,点击"自定义动画"→"添加效果"→"动作路径"→"向左"。如图 2 - 137 所示。可以得到各轮转动着且向前运动的自行车。（参见光盘 2.15 转动自行车的制作）

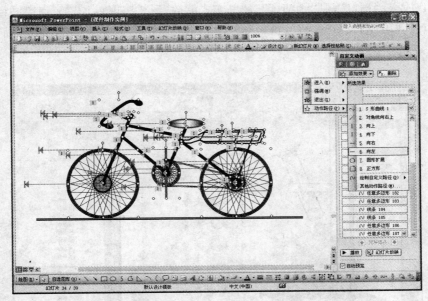

图 2-137

自主练习：

做一个前轮小后轮大变形的自行车。要求三个轮全部原地转动,路面向后运动。如图 2-138 所示。

图 2-138

2.16 化学实验的制作

实例说明：

常见的化学实验有铁架台、酒精灯、试管等仪器,本节制作一个试管中的液体在被酒精灯加热时,气泡向上冒出的实验。制作出的文档如图 2-139 所示,制作要求:在放映时,点击"1、拿来铁架台",则"铁架台"自左边切入;点击"2、安装夹子",则"夹子"从上面飞入;点击"3、夹上试管",则装有液体的"试管"夹在夹子上；点击"4、放上酒精灯"，则"酒精灯"以"渐变式缩放"形式出现；点击"5、点燃酒精灯"，表示"酒精灯火焰"的图片出现，"火焰"不停"闪烁"；再点击"6、气泡冒出"，则"气泡"由试管底部向上冒出。放映时的效果图如图2－140所示。

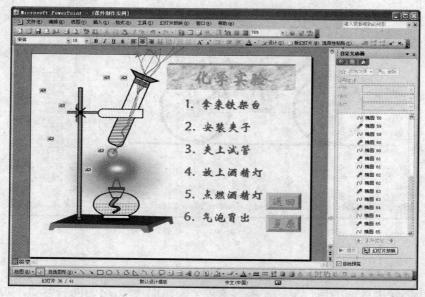

图 2－139

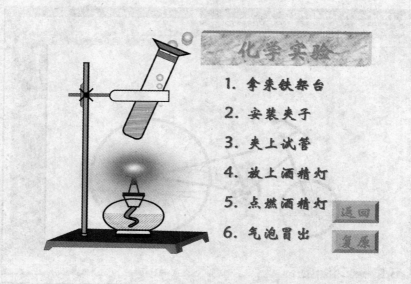

图 2－140

技术支持：

A. 各种"自选图形"组合及图形的三维设置；

B. "填充效果"的应用与设置；

C. "自定义动画"中"缩放"的应用；

D. 自定义动画中的动作路径；

E. 触发器的使用；

F. "动作按钮"的超链接设置；

G. 幻灯片的自动切换设置。

操作步骤：

（1）铁架台的制作：

1）"铁架台 a"是 b、c、h 图片所组成，图片 b 是个小椭圆，可以设置不同的填充色和线条颜色；图片 c 是个矩形线框，设置高度和宽度，高度设置"12 厘米"，宽度设置"0.3 厘米"，图片 h 是由 e、f、g 所组成（为方便读者阅读，图片 f、g 填充色设置成灰色，实际应设置成白色），图片 e 的制作：点击"自选图形"→"基本形状"→"梯形"，画出一个梯形图片，调节图片上的小黄棱形块，改变图形的形状，双击该图片，在得到的"设置自选图片格式"对话框中的"尺寸"选项卡中，"高度"设置为"0.6 磅"，宽度设置为"9.5 磅"。得到图片 d。如图 2－141 所示。

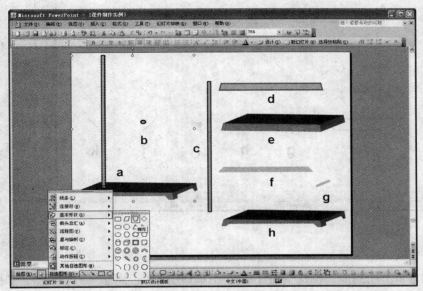

图 2－141

1）图片 d 变成图片 e 的过程：选中图片 d，点击"绘图"工具栏中的"三维效果样式"→"三维设置"，在得到的"三维设置"工具栏中，点击左边的"设置/取消三维效果"，设置阴影的深度为"144 磅"，调节"上翘"和"下俯"改变其形状。得到图片 e，如图 2－142 所示。将图片 f 和图片 g 放置在图片 e 中的适当位置，即得图片 h。

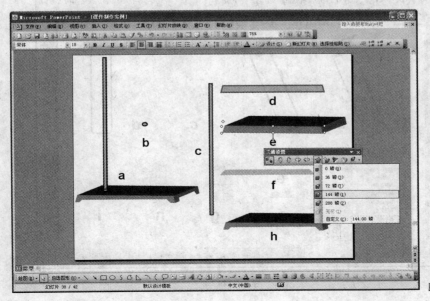

图 2－142

（2）夹子的制作：

图片夹子 a 是由图片 b、c、d、e 所组成，图片 b 是由图片 f、g、h 所组成，图片 h 的填充色应设置为白色，用以遮盖住图片 f 右边的部分，g 是一根线条，g 和 h 放置在 f 右边的适当位置，组合后得到图 b，图片 c 为矩形，图片 d 为梯形，可以设置不同的填充色和线条；图片 e 是由图片 i、j、k 所组成，把图片 b、c、d、e 放置在适当位置，即得到图片 a，如图 2－143 所示。

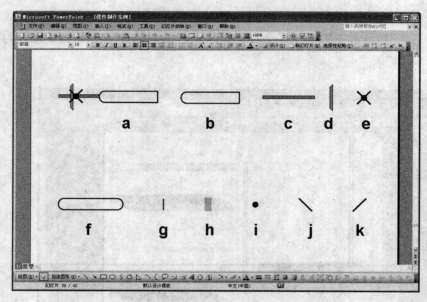

图 2－143

（3）倾斜试管的制作：

1）试管 a 是由图片 b、c 所组成。图片 b 是由图片 d、e、f 所组成。点击"自选图形"→"基本形状"→"圆角矩形"，如图 2－144 所示。调节小黄棱形块改变其形状，得到图片 d，图片 e 由"自选图形"中的"梯形"而得到，将 e 和 f 放置在图片 d 上并"置于顶层"，然后将三者组合，再双击组合后的图片，在得到的"设置自选图形格式"对话框"尺寸"选项卡中，设置"高度"、"宽度"和"旋转"的角度。如图 2－145 所示。

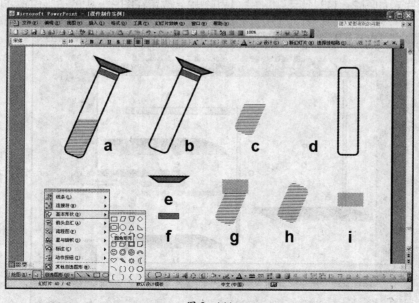

图 2－144

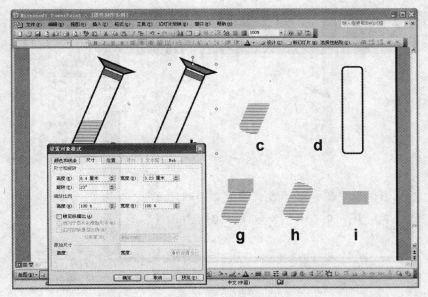

图 2-145

2）图片 c 即图片 g，是由图片 h 和图片 i 所组成（为了方便阅读，图片 h 的线条和图片 i 的填充色为灰色，实际应设置为白色）。将上图中的图片 d 复制后调节高度，点击下面的"填充颜色"→"填充效果"，在得到的"填充效果"对话框"图案"选项卡中，选择"浅色横线"，并将其旋转。如图 2-146 所示。图片 i 为矩形线框，将图片 i 放置在图片 h 上，得到图片 g，图片 i 的填充色和图片 h 的线条设置为白色后即得到图片 c，图片 c 和图片 b 组合后即得到图片 a。

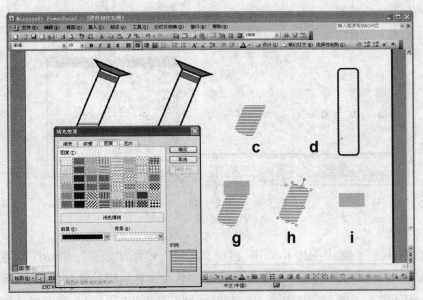

图 2-146

（4）"气泡"的制作：

在图 2-147 中，图片 a 是由图片 b、c、d、e、f、g、h、i 放在一起得到的。

1）先画一个小球 b 并选中，点击"添加效果"→"进入"→"缩放"。双击 b 图的动画设置" 椭圆 2 "，在得到的"缩放"对话框的"计时"选项卡中，"速度"设置为"中速"，"重复"设置为"直到幻灯片末尾"，在"自定义动画"下面的"显示比例"中选择"内"。如图 2-148 所示。

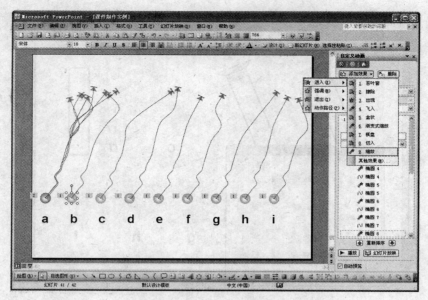

图 2-147

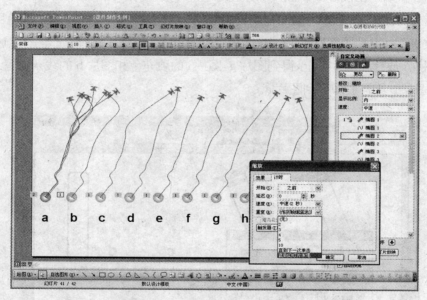

图 2-148

2) 图片 b 的动画设置。选中图片 b,点击"自定义动画"→"添加效果"→"动作路径"→"绘制自定义路径"→"曲线",从图 b 的中心开始画出一条运动路径的曲线。然后将其复制若干个,得到 c、d、e、f、g、h、i 等图片。对各个图片的运动路径略作调整,不同图片的"开始"均设置为"之前",但是每个图片的"延迟"时间是不同的,由于"中速"的时间是 2 秒,所以可以在 0-2 秒的时间内,设置不同的"延迟"时间,如"0.2"、"0.5"、"1.3"等时间,即气泡不同时出现。再选中图片 b、c、d、e、f、g、h、i,点击"绘图"→"对齐或分布"→"顶端对齐",再点击"左对齐",即得到图片 a,如图 2-149 所示。(可参阅 2.5 水池底的气泡上升时体积变大一节)

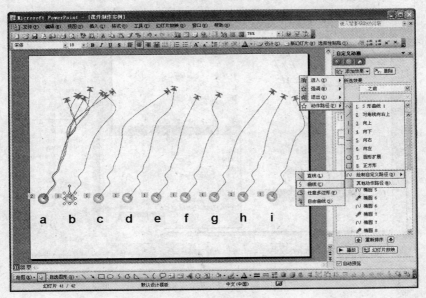

图 2－149

　　（5）将前面制作的"酒精灯"和"火焰"等图片复制过来，并将各个图片放置在适当位置。利用文本框输入文字，如图 2－150 所示。

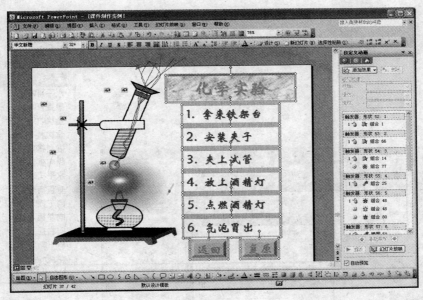

图 2－150

　　（6）"灯焰"的设置，在"自定义动画"中，先设置"出现"，再设置"闪烁"。点击"添加效果"→"强调"→"闪烁"，点击表示动画"闪烁"的"　　⊙　焱　组合 48　▼　"，在得到的"闪烁"对话框的"计时"选项卡中，"开始"设置为"之前"。利用"触发器"，每一个图片的出现都设置成独立的"触发"动画功能。如图 2－151所示。（参见光盘 2.16 化学实验的制作）

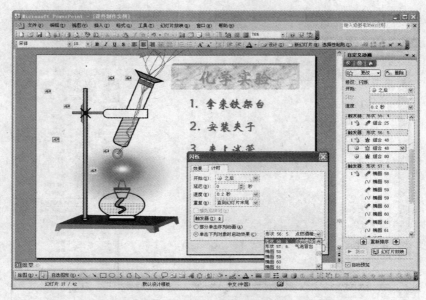

图 2－151

（7）"复原"的"超链接"设置。

选中"复原"图片右击，点击"编辑超链接"，在打开的"动作设置"对话框的"单击鼠标"选项卡中，选中"超链接到"→"上一张幻灯片"。如图 2－152 所示。并将上一张空白幻灯片的"幻灯片切换"的换片方式设置为"每隔 00∶00"，当这张幻灯片放映时，则自动跳到下一张，起到"复原"的作用。如图 2－153 所示。而"返回"的"超链接"设置应为上上一张幻灯片。

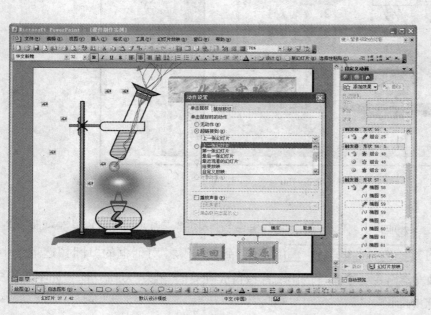

图 2－152

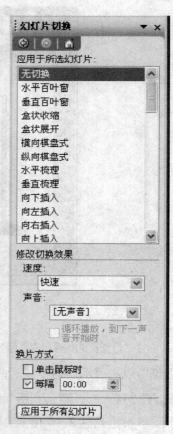

图 2－153

自主练习：

画出一个如图 2－154 所示的化学实验装置，并分别设置各部分进入的动画。

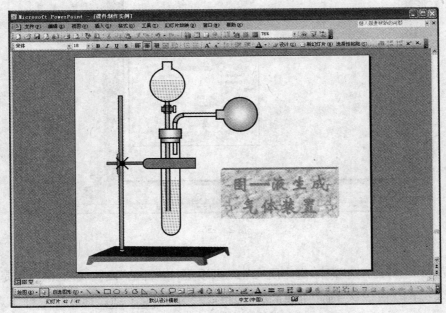

图 2－154

2.17　横波的形成过程

实例说明：

　　横波的形成是沿波的传播方向上，各点的振动发生依次相差一定的时间，利用自定义动画中的开始时间的"延迟"功能让质点的振动有一定的时间差。

技术支持：

　　A. "自定义动画"中的动作路径及设置；

　　B. "高级日程表"的应用；

　　C. 触发器的应用；

　　D. 动画开始的"延迟"功能的应用。

操作步骤：

　　(1) 画一个小球，在"自定义动画"中设置小球的"动作路径"为"向上"，双击表示动作路径的图标" 0 ｜椭圆 1 ▼ "，在得到的"向上"对话框的"效果"选项卡中，"平稳开始"、"平稳结束"和"自动翻转"全部选中，如图 2－155 所示。在"计时"选项卡中的"重复"项选择"直到幻灯片末尾"。

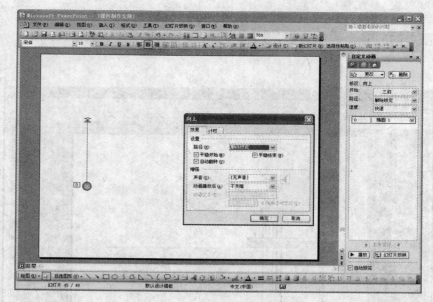

图 2-155

（2）将设置好的小球复制若干个，选中所有的动画设置，将"开始"设置成"之前"，但是小球的实际开始时间是不同的。右击"自定义动画"下面的表示动作路径的"[0 | 椭圆 1 ▼]"，点击"高级日程表"。如图 2-156 所示。

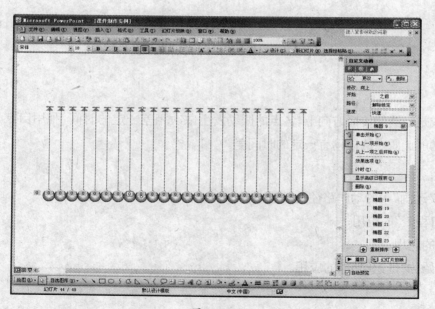

图 2-156

（3）设置每个小球的开始时间都落后"0.1 秒"，设置的方法是：分别拉动每一个动画设置下面出现的"▱▱▱"。将鼠标放在左边，当鼠标变为双向箭头时，慢慢地向右拉动，同时观察出现的文字，从第二个开始，开始时间都依次落后"0.1 秒"，如图 2-157 所示。第 10 个小球的开始时间为"0.9 s"，也可以双击每一个小球的"自定义动画"的设置标识，分别设置每一个小球的动画延迟

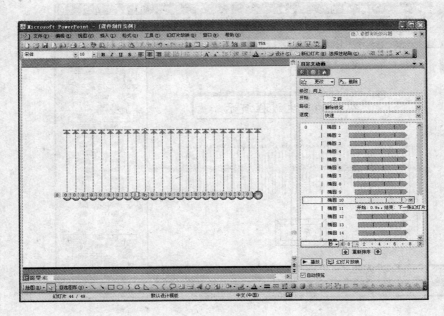

图 2 - 157

时间。

（4）利用自选图形画出两个"棱台"，输入文字，画出两个带箭头的线段表示坐标，设置波动开始和坐标出现的触发器效果，得到如图 2 - 158 所示的幻灯片。（参见光盘 2.18 横波的形成过程）

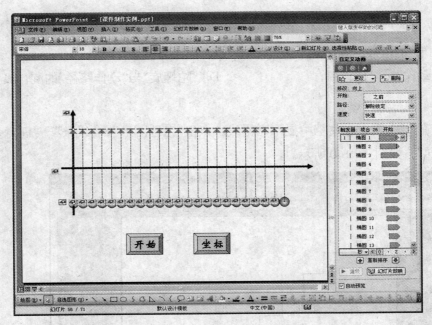

图 2 - 158

自主练习：

做一个纵波产生过程的动画。点击"开始"，可以演示纵波。如图 2 - 159 所示。

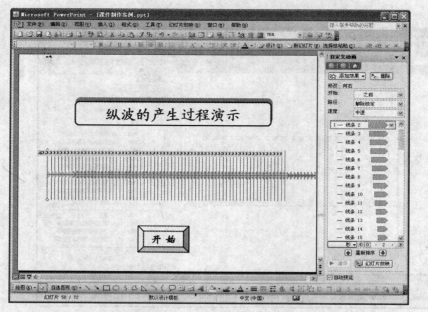

图 2-159

2.18 爬楼梯的小汽车

实例说明：

汽车向上爬楼梯，向上运动时汽车头向上。汽车沿楼梯向上运动的过程中，时而水平前进，时而向上运动，交替进行。

技术支持：

A．"自选图形"的折线的画法；　　　　　B．插入"剪贴画"；

C．"自定义动作路径"的设置；　　　　　D．"陀螺旋"与"动作路径"的混合设置。

操作步骤：

（1）为了准确作图，可以在文档中显示网格线。点击"自选图形"→"线条"→"任意多边形"，利用鼠标画出一个"楼梯"。如图 2-160 所示。

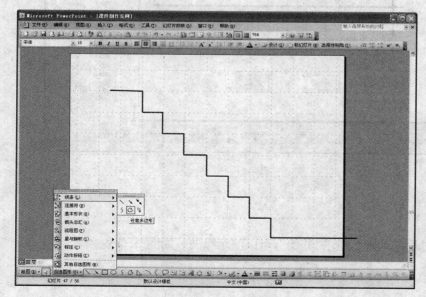

图 2-160

（2）在任务窗格中，选择"剪贴画"，在"搜索文字"中输入"汽车"，点击"搜索"，再点击出现的小汽车。则"小汽车"被插入文档中。如图 2－161 所示。

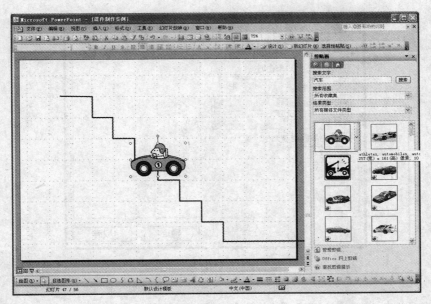

图 2－161

（3）设置汽车的动作路径。调整汽车的大小，选中汽车，点击"添加效果"→"动作路径"→"绘制自定义路径"→"任意多边形"，画出汽车运动的折线路径。如图 2－162 所示。

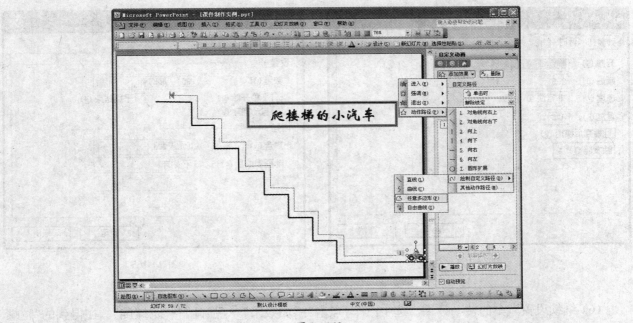

图 2－162

（4）设置"自定义路径"。双击"自定义动画"下面的表示动作路径的图标，得到"自定义路径"对话框，在"效果"选项卡中，"平稳开始"、"平稳结束"、"自动翻转"前面的"√"去掉，在"计时"选项卡中，"速度"设置为"17秒"，（把汽车的运动路径分为十七段，其中下面水平部分分成三段）。如图 2 - 163所示。

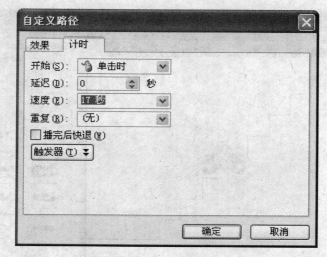

图 2 - 163

（5）设置汽车的"转动"效果。选中汽车，点击"添加效果"→"强调"→"陀螺旋"，再双击表示"强调"动画的图标，得到"陀螺旋"对话框，在"计时"选项卡中，"开始"选择"之前"，"延迟"选择"2.5秒"（即 2.5秒后开始动作），"速度"选择"非常快"。如图 2 - 164 所示。在"效果"选项卡中，"数量"选择"90°顺时针"，"平稳开始"、"平稳结束"、"自动翻转"前面的"√"去掉。如图 2 - 165 所示。

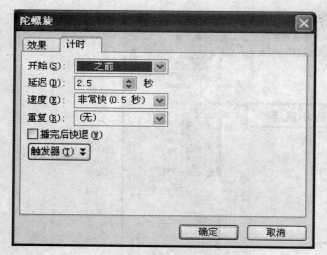

图 2 - 164

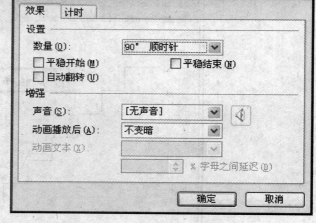

图 2 - 165

（6）继续设置汽车的转动效果。选中汽车，点击"添加效果"→"强调"→"陀螺旋"。在得到的"陀螺旋"对话框的"计时"选项卡中，"延迟"设置为"3.5秒"，在"效果"选项卡中，"数量"设置为"90°逆时针"，其他设置与前面的类同。"顺时针"和"逆时针"转动方向交替设置，时间间隔相差 1 秒，转动的速度设置成"非常快"。如图 2 - 166 所示。（参见光盘 2.19 爬楼梯的小汽车）

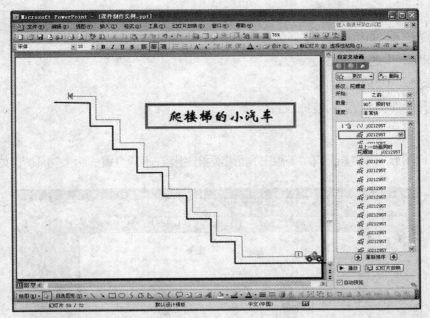

图 2 - 166

自主练习：

做一个对象匀速前进 4 秒，前进过程中，顺时针和逆时针两个方向交替转动，每个转动的时间为 0. 5 秒，设置效果如图 2 - 167 所示。

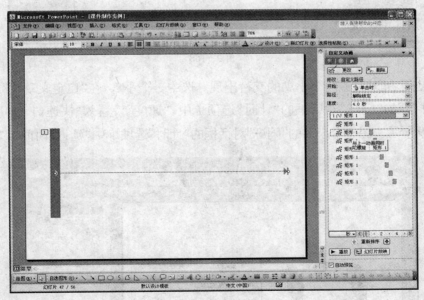

图 2 - 167

2. 19　飞翔的小鸟

实例说明：

小鸟沿着设置好的路径飞翔，小鸟的翅膀时而张开时而合上。最后小鸟落在棒上。

技术支持：

    A. 几个"自选图形"的组合；

    B. "自定义动画"中的动作路径设置；

    C. "自定义动画"中"闪烁"的设置；

    D. 各动画"开始"时"延迟"功能的设置。

操作步骤：

（1）利用"自选图形"中的"椭圆"和"等腰三角形"，画出翅膀在不同位置的两个"小鸟"。如图 2－168 所示。

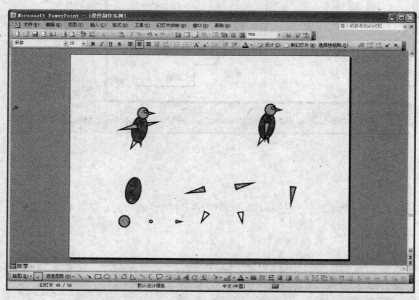

图 2－168

（2）利用"闪烁"功能，设置两个小鸟的交替出现。选中一个小鸟，在"自定义动画"中，点击"添加效果"→"闪烁"，在打开的"闪烁"对话框的"计时"选项卡中，"速度"设置为"快速（1 秒）"，"重复"设置为"8"。如图 2－169 所示。另一个小鸟的"闪烁"对话框的"计时"选项卡中"延迟"时间为"0.5 秒"（即闪烁

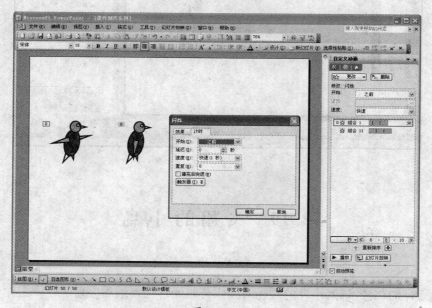

图 2－169

一次时间 1 秒的一半)。如图 2 - 170 所示。

图 2 - 170

　　(3) 将两个图片重合放置,设置两个图的运动路径。把两个图片全选中(不能组合),点击"自定义动画"中的"添加效果"→"动作路径"→"绘制自定义路径"→"曲线",从左下角画到右上角。对两个"自定义路径"进行设置,在"自定义路径"对话框的"计时"选项卡中,"速度"设置为"8 秒"。如图 2 - 171 所示。

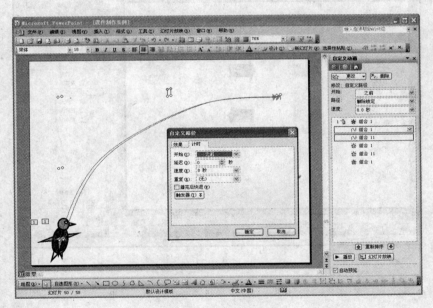

图 2 - 171

　　(4) 再画一个棒,使小鸟落在上面。棒的进入动画可以为"擦除"。在"擦除"对话框的"计时"选项卡中。"延迟"时间为"8 秒","速度"可以设置为"非常快(0.5 秒)"。所有动画的"开始"都设置成"之前",只是各动画的延迟时间不同。如图 2 - 172 所示。(参见光盘 2.20 飞翔的小鸟)

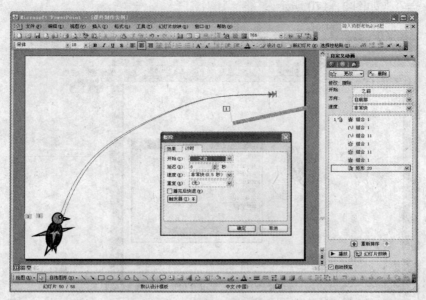

图 2 - 172

自主练习：

做两个箭头，设置好填充和边框，让两箭头交替出现。如图 2 - 173 所示。

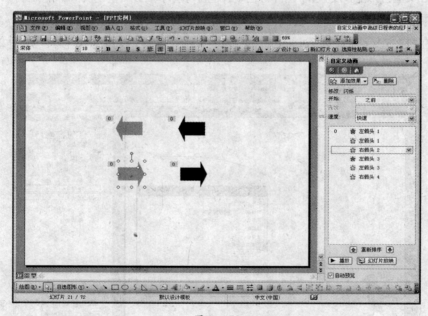

图 2 - 173

2.20　制作 MTV 的字幕

实例说明：

利用自定义动画的"彩色打字机"功能，可以让文字以任意颜色任意速度擦除式出现。

技术支持：

    A. "自定义动画""进入"的"彩色打字机"功能；

    B. "彩色打印机"效果的设置；

    C. 对象的"对齐与分布"功能的应用。

操作步骤：

    （1）用文本框输入一段文字，再将文本框复制一次，改变字体颜色（如红色），选中下面的文本框，点击"添加效果"→"进入"→"彩色打字机"，在"彩色打字机"对话框的"效果"选项卡中，"设置"的"首选颜色"选择一种（如蓝色），"辅助颜色"选择一种（如绿色），如图 2 - 174 所示。

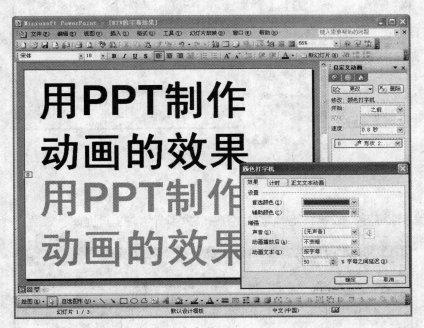

图 2 - 174

    （2）在"计时"选项卡中，"速度"可以直接输入"0.8 秒"，"重复"的设置为"直到幻灯片末尾"。如图 2 - 175所示。

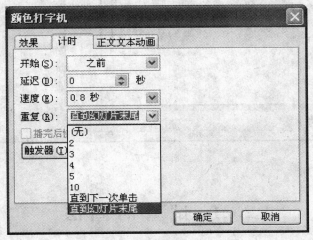

图 2 - 175

    （3）选中两个文本框，点击"绘图"→"对齐或分布"→"左对齐"和"顶端对齐"，将两个文本框完全对

齐,红字在上面,如图 2－176 所示。(参见光盘 2.20 制作 MTV 的字幕)

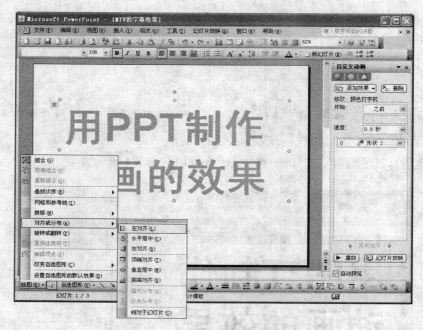

图 2－176

自主练习:

制作一个底色文字为蓝色,放映时彩色文字从左到右以"擦除"的方式出现的动画效果。如图 2－177 所示。

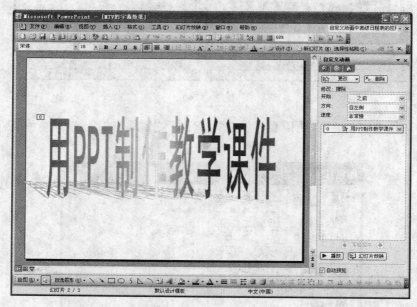

图 2－177

2.21 试管的画法

实例说明:

在理科教学中常常需要画试管图,而一般的画法常常是采用矩形线框填充不同的颜色,而采用粗线条代替矩形线框的方法可以快速地画出各种形状各异的试管。

技术支持：

    A. "自选图形"的"线条"中，"任意多边形"的用法；

    B. 直线和圆弧线等线条"颜色"、"样式"和"粗细"的设置；

    C. 图形"叠放次序"的应用。

操作步骤：

（1）利用自选图形，在按下"Shift"时画出弧形，再调节小黄棱形块使其变为半圆，如图 2 - 178 所示。

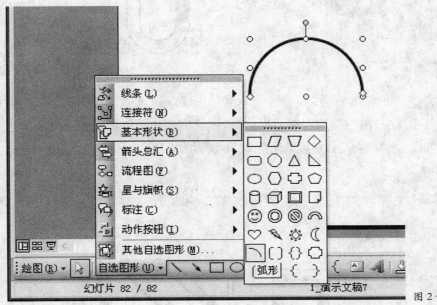

图 2 - 178

（2）复制出一个半圆弧，然后翻转，再画三条直线段，放置在适当位置，全部选中，点击"格式"→"自选图形"。在得到的"设置自选图形格式"对话框"颜色与线条"选项卡中，线型的粗细设置为"23 磅"，如图 2 - 179 所示。

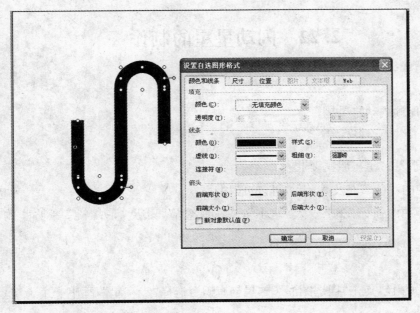

图 2 - 179

（3）再复制出若干条线段和圆弧，设置成白色或者其他颜色（为方便阅读，这里设置为灰色），并将线条粗细设置成"17磅"，如图2-180所示。然后放置在适当位置。

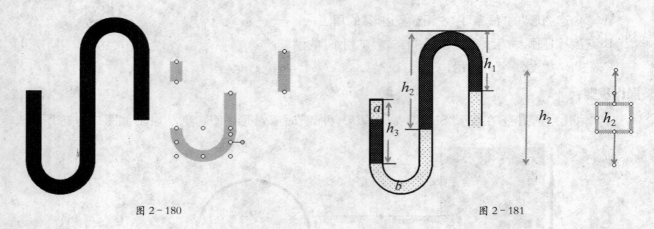

图2-180　　　　　　　　　　　　　　　　　　　　　图2-181

（4）箭头与说明文字的标度方法。先画一个双向箭头，再画一个文本框，输入文字，文本框的边框设置成"无色"，填充色设置成"白色"，放置在适当位置，试管内部也可以填充成不同的颜色。最后全部选中，组合在一起。如图2-181所示。（参见光盘2.21试管的画法）

自主练习：

用"自选图形"→"线条"中的"任意多边形"画线功能，快速做出如图2-182所示的试管。

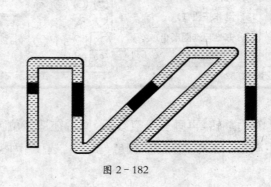

图2-182

2.22　闪动星星的制作

实例说明：

在黑色天空中有几颗闪动的星星。

技术支持：

A. 利用"自选图形"中"星与旗帜"画图；

B. "自选图形"中的双色填充及其转动功能的应用；

C. "自定义动画"中"强调"的"放大/缩小"、"忽明忽暗"以及"陀螺旋"等功能的综合应用及设置。

操作步骤：

（1）设置背景色为黑色，点击"自选图形"→"星与旗帜"，选择"十字星"，画出一个十字星的图形。如

图 2－183 所示。

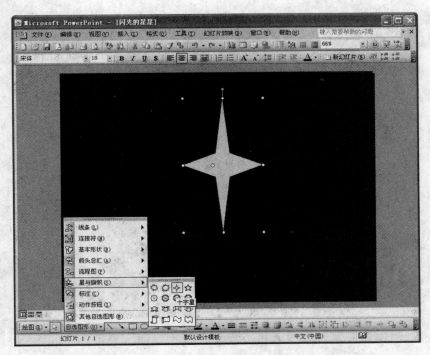

图 2－183

（2）选中该图片，点击"填充效果"，在得到的"填充效果"对话框"渐变"选项卡中，选取"双色"，两种颜色都选取"白色"。"透明度"从"0％"到"100％"，在"底纹样式"中选取"中心辐射"，"变形"中选取左边的变形式样，得到如图 2－184 所示的图片。

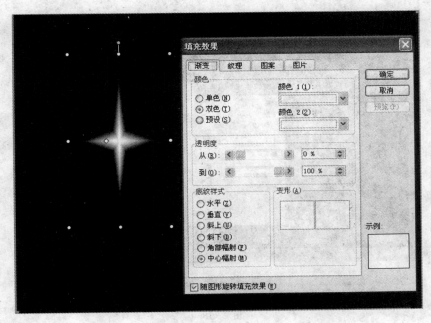

图 2－184

（3）复制这个图片，调整其大小，然后将图片转动"45°"，与原来的较大图片组合在一起，得到如图 2 -
185 所示的图片。

图 2 - 185

（4）设置组合图片的动画。点击"添加效果"→"强调"→"放大和缩小"，再双击"自定义动画"下面表示"放大和缩小"动画的标志"组合 1"，在得到的"放大和缩小"对话框"效果"选项卡中，"设置"的"尺寸"选择"较大"和"两者"。如图 2 - 186 所示。在"计时"选项卡中，"速度"选择"非常慢"，"重复"选择"直到幻灯片末尾"。然后点击"确定"。

图 2 - 186

（5）再次选中图片，点击"添加效果"→"强调"→"其他效果"，在"更改强调效果"对话框中选择"忽明忽暗"。如图 2 - 187 所示。

图 2 - 187

（6）再双击"自定义动画"下面的"忽明忽暗"动画的标志" $\boxed{0 \quad \text{组合 1} \quad \vee}$ "，在得到的"忽明忽暗"对话框的"计时"选项卡中，"开始"选择"之前"，"速度"选择"非常慢"，"重复"选择"直到幻灯片末尾"。然后点击"确定"。如图 2 - 188 所示。

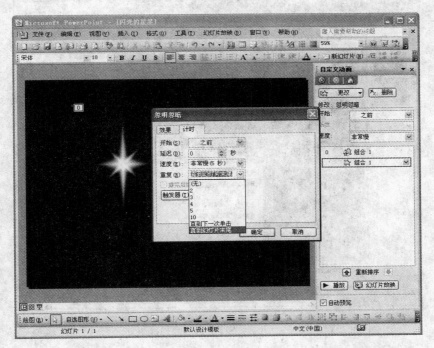

图 2 - 188

（7）再次选中图片，点击"添加效果"→"强调"→"陀螺旋"，在得到的"陀螺旋"对话框的"计时"选项卡中，"速度"选择"非常慢"，"重复"选择"直到幻灯片末尾"。然后点击"确定"。如图 2 - 189 所示。

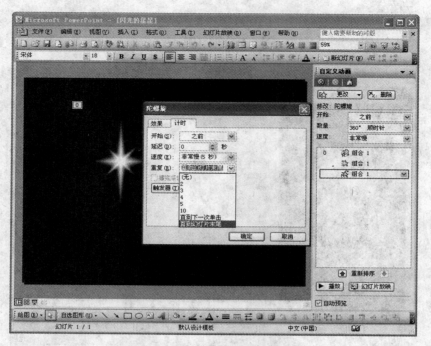

图 2 - 189

（8）再复制出若干个图形，调整大小，每个图片的动画都是同时开始。并适当调整每个图片三个动画的"延迟时间"，这样就得到了夜空中很多闪烁星光的图片动画。如图 2 - 190 所示。（参见光盘 2.22 闪动星星的制作）

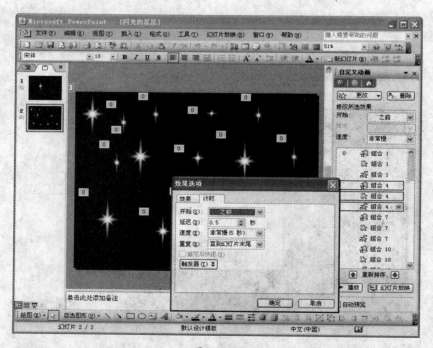

图 2 - 190

自主练习：

利用"自选图形"中的"星与旗帜"，画出一个爆炸形图片，并设置快速转动且闪动的效果。如图 2 - 191 所示。

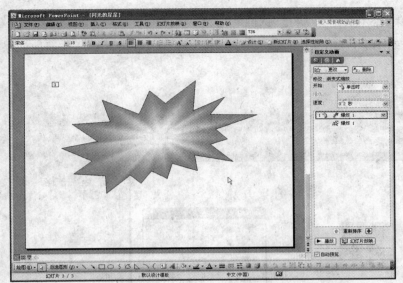

图 2-191

2.23 图片的翻动

实例说明：

利用陀螺旋的转动功能，适当放置两个对称图片，利用人们眼睛的视觉暂留效应，可以制作出图形翻动的动画效果。

技术支持：

A. 图片的组合；　　　　　　　　　　　　　　B. 图片在幻灯片中精确位置的定位；

C. "陀螺旋"功能的应用及动画效果的设置。

操作步骤：

(1) 画出一个边长是 4 厘米的正方形，复制一个后在正方形的对角放置，并将其设置为白色（为方便阅读暂设置为灰色），将两个图片组合，再选中组合后的图片，点击"自定义动画"→"添加效果"→"强调"→"陀螺旋"，再点击"自定义动画"下面表示"陀螺旋"动画的图标"　1 🐵 🔄 组合 1　　▼"，在得到的"陀螺旋"对话框的"效果"选项卡中，"设置"里的"数量"设置为"四分一旋转"和"顺时针"，如图 2-192 所示。

图 2-192

"平稳开始"和"平稳结束"都不选中。"速度"选择"中速"。

（2）再次选中组合的图形，点击"添加效果"→"退出"→"其他效果"→"添加退出效果"→"消失"，如图 2 - 193 所示。

图 2 - 193

（3）也可以再给组合图片添加一个"出现"的动画，然后添加"退出"的动画。点击"自定义动画"的"添加效果"→"退出"→"消失"。再右击鼠标，点击"设置对象格式"，在"设置对象格式"对话框的"位置"选项卡中，准确设置组合图片的位置，都以"左上角"为标准，"水平"设置为"3 厘米"，"垂直"设置为"5 厘米"。如图 2 - 194 所示。

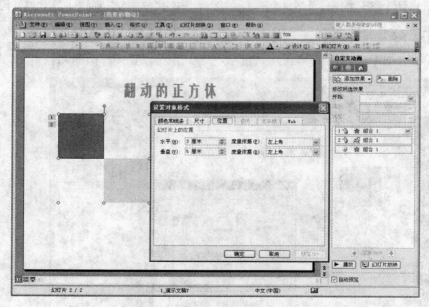

图 2 - 194

（4）复制组合图片，同时也将设置过的动画效果复制过来了，然后把第二个图片的"开始"设置为"之前"，即第一个组合图片消失的同时第二个图片出现。右击第二个组合图片，点击"设置对象格式"，在"设置对象格式"对话框的"位置"选项卡中，准确设置组合图片的位置，都以"左上角"为标准，"水平"设置为"7 厘米"，"垂直"设置为"5 厘米"。如图 2－195 所示。

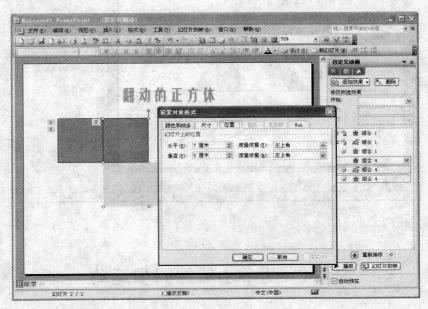

图 2－195

（5）再把第二个图片复制两个，在第三个和第四个的"设置对象格式"对话框的"位置"选项卡中，"水平"分别设置为"11 厘米"和"15 厘米"。删除第四个图片的"消失"动画，再画上水平线。如图 2－196 所示。（参见光盘 2.23 图片的翻动）

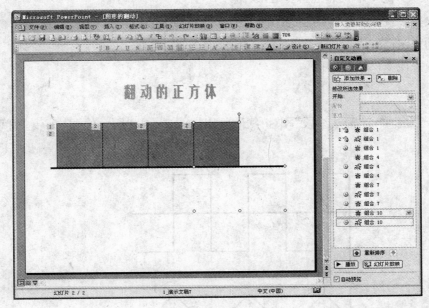

图 2－196

自主练习：

利用本节的方法做一个翻动的三角形图片。如图 2－197 所示。

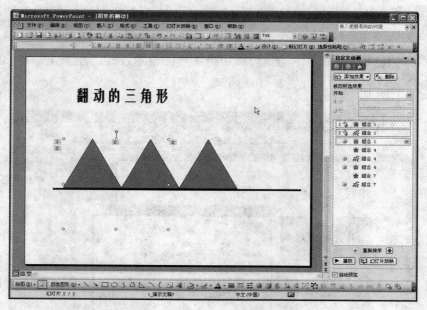

图 2 – 197

2.24 两个小球的同步运动

实例说明：

　　根据教学的需要，利用"自定义动画"功能，设置不同的"动作路径"，可以实现两个不同的球同步运行的动画。

技术支持：

　　A. "自选图形"中的"线条"、"任意多边形"画线；

　　B. 同一对象多个直线型动作路径的"开始"、"延迟"时间的设置；

　　C. 折线型动作路径的设置；

　　D. 两个对象动作路径的同步设置。

操作步骤：

　　(1) 利用自选图形中的"箭头线段"和"折线"，画出如图 2 – 198 所示的图片。t_1 时间是 t_1 到 t_2 时间的三分之二。

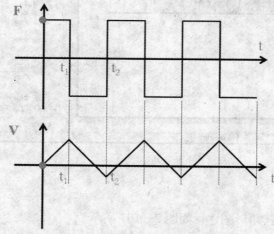

图 2 – 198

（2）设置上面小球的动画。点击"添加效果"→"动作路径"→"向右"，再调节动作路径的长度。得到如图 2 - 199 所示的动作路径。

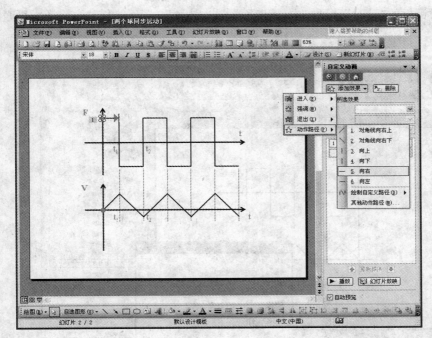

图 2 - 199

（3）再次选中小圆形图片，重复上一步，并调整第二个动作路径的位置，重复设置向右的动作路径，连续设置六个动作路径，但是每个动作路径虽然"开始"都是"之前"，但是各个"延迟"时间不同，第一个动作路径的设置："速度"设置为"中速"，即动作时间为"2 秒"；第二个动作路径的"延迟"时间应设置为"2 秒"，即第一个动作结束后第二个才开始动作，从第二个动作路径开始，速度都设置为"慢速"即"3 秒"；同理，第三个动作的"延迟"时间为"5 秒"；第四个的动作"延迟"时间为"8 秒"；第五个的动作"延迟"为时间"11 秒"；第六个的动作"延迟"时间为"14 秒"。如图 2 - 200 所示。

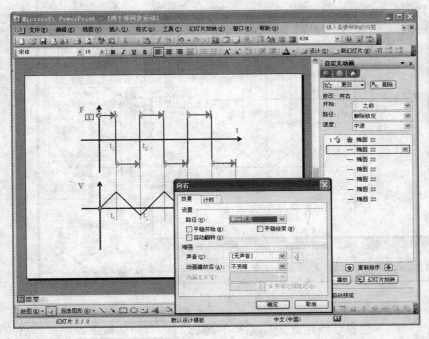

图 2 - 200

（4）设置三角折线的动画效果。选中该折线，点击"自定义动画"下面的"添加效果"→"进入"→"擦除"，再双击"自定义动画"下面表示"擦除"动画的图标"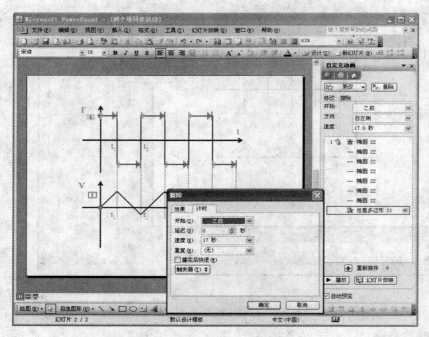任意多边形 21 ▽"（不一定是这个数字），在得到"擦除"对话框的"计时"选项卡中，速度设置为"17 秒"（上面六个动作路径所用时间的总和），如图 2 - 201 所示。

图 2 - 201

（5）设置下面小球的动作路径。选中小球，点击"添加效果"→"动作路径"→"绘制自定义路径"→"任意多边形"，沿着已经画好的折线，画出动作路径的折线图。如图 2 - 202 所示。

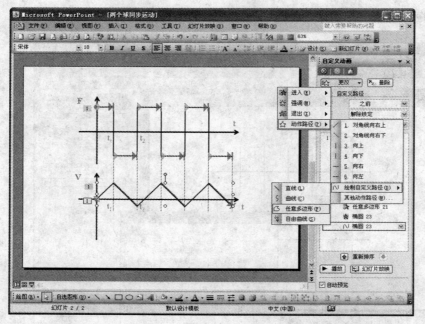

图 2 - 202

（6）双击"自定义动画"下面表示自定义动作路径的图标"⌒⌒ 椭圆 23 ▽"（不一定是这

个数字），在得到"自定义动作路径"对话框的"计时"选项卡中，速度也设置为"17秒"。这样小球的运动与折线的"擦除"出现是同步的。如图2-203所示。

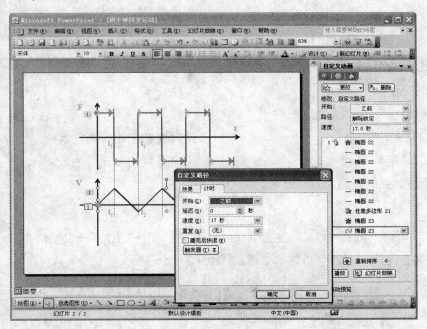

图2-203

上述上下两个图形动画的设置，要保证是同步的。即两个小球和下面折线的擦除都在17秒内完成，（参见光盘2.24两个小球的同步运动）

自主练习：

利用本节的方法，与上述类同方法制作一个小球，从 t_1 时间是 t_1 到 t_2 时间的二分之一时，小球开始运动的动画。如图2-204所示。

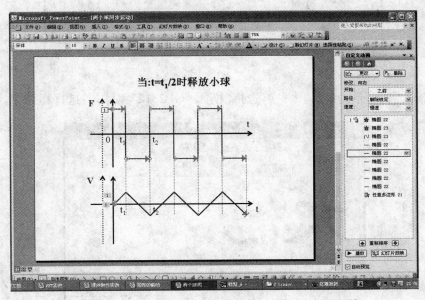

图2-204

2.25 汉字的分解与动画

实例说明：

在小学语文教学中，常常需要向学生演示生字书写笔顺，利用选择性粘贴功能，将图形改变格式，然后把图片拆开，再设置动画效果。

技术支持：

A. 艺术字的插入；

B. 选择性粘贴的应用；

C. 图片的"取消组合"；

D. 文字笔画的填充颜色设置；

E. 动画"擦除"效果的设置。

操作步骤：

（1）用艺术字制作需分解的文字。在菜单栏中点击"插入"→"图片"→"艺术字"命令，打开"艺术字库"对话框，选择第一种（左上角）空心艺术字样式，如图 2－205 所示。

图 2－205

（2）输入欲演示笔顺的汉字，如"大"字，选择"楷体－GB2312"字体，并选择粗体字。如图 2－206 所

图 2－206

示。单击"确定"按钮。

（3）拉动字的边框，调节字的大小，并复制一个。选择复制后的"大"字，点击"编辑"→"剪切"，再点击"编辑"→"选择性粘贴"，在"选择性粘贴"对话框中，选定"图片（Windows 元文件）"选项，如图 2 - 207 所示。点击"确定"。

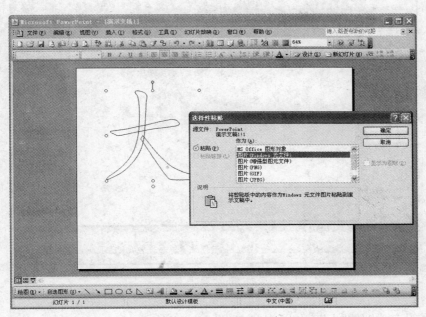

图 2 - 207

（4）选中粘贴后的"大"字，点击左下角的"绘图"→"取消组合"，在出现的"这是一张导入的图片，而不是组合，是否将其转换为 Microsoft Office 图形对象"命令框中，点击"是"。如图 2 - 208 所示。

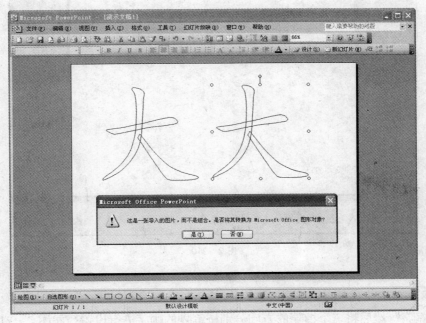

图 2 - 208

（5）再次点击"绘图"→"取消组合"，然后点击下面的填充颜色按钮，选择一种较浅的颜色。如图2－209所示。

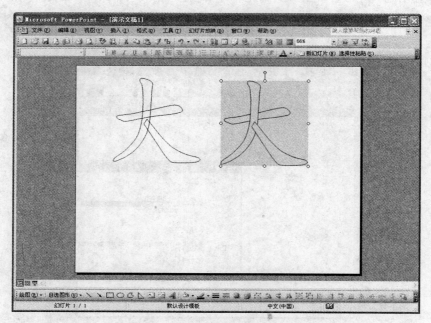

图 2－209

（6）把底色和没有分解的"大"字移开去掉，如图2－210所示。

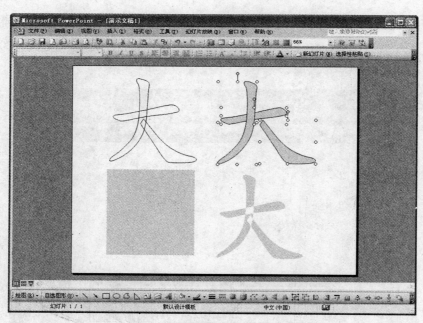

图 2－210

（7）然后将文字填充上任意需要的颜色，再选中全部字的所有笔划，点击"自定义动画"→"添加效果"→"进入"→"擦除"，然后将三个擦除的方向分别按笔划的顺序进行设置。如图2－211所示。将两个字重合放置，分别点击即可按笔划顺序出现一个汉字。（参见光盘2.25汉字的分解与动画）

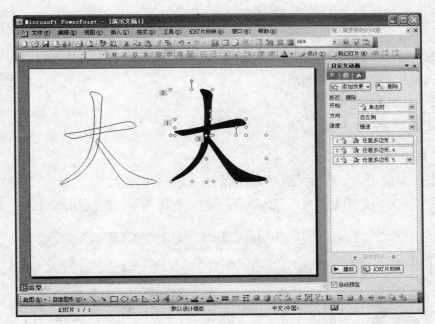

图 2 - 211

自主练习：

将"打"分解成两部分"扌"和"丁"，点击时两部分分别以擦除的方式从上到下中速出现。如图 2 - 212 所示。

图 2 - 212

2. 26 展 开 的 画 卷

实例说明：

利用绘图工具画出画轴，然后用动作路径设置画轴的运动，再用"擦除"的方法或"劈裂"的进入方式，几个功能组合应用后，可以制作出展开的画卷动画。

技术支持：

A. 自选图形中绘图工具的应用及图片的填充；

B. 自定义动画中"擦除"功能的应用；

C. 自定义动画中"劈裂"的应用及设置；

D. 自定义动画中"动作路径"的设置。

操作步骤：

（1）利用绘图工具画出一个画轴。利用绘图工具分别画出"椭圆"、"圆柱形"、"矩形"，然后设置填充色，在"圆柱形"和"矩形"内的填充色采用双色，再组合在一起即为左边的画轴。如图 2 - 213 所示。

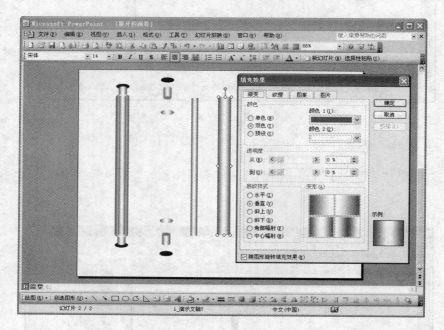

图 2 - 213

（2）插入一幅画，再复制出另一个画轴，制作两个画的边框。如图 2 - 214 所示。

图 2 - 214

（3）做两个白色的矩形框，并设置动画。两个白色矩形框分别设置向两边"擦除"的"消失"动画。点击"添加效果"→"退出"→"擦除"，并选择两个不同的擦除方向。两个轴分别向两边运动。设置方法是，点击"添加效果"→"动作路径"→"向左"，再设置另一个轴向右运动。两个运动的路径长度与矩形框的宽度相等，四个动画同时动作，并设置相同的时间，均为"非常慢"。如图 2 - 215 所示。放映时，两个画轴左右运动的同时，两个白色矩形框向两边以"擦除"的方式"消失"，动画效果如图 2 - 216 所示。

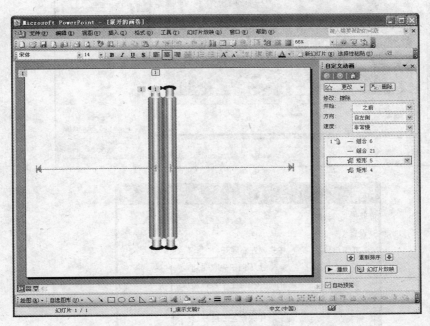

图 2 - 215

图 2 - 216

（4）制作方法二。重复步骤（1）和（2）后，画轴仍然按步骤（3）中的设置。不需要插入两个白色矩形框，直接对组合后的画面设置动画，选中画面，点击"添加效果"→"进入"→"劈裂"（若没有"劈裂"，可以点击在"其他效果"中找）。如图 2 - 217 所示。在"劈裂"对话框的"效果"选项卡中，设置"方向"为"中央向左右展开"。如图 2 - 218 所示。（参见光盘 2. 26 展开的画卷）

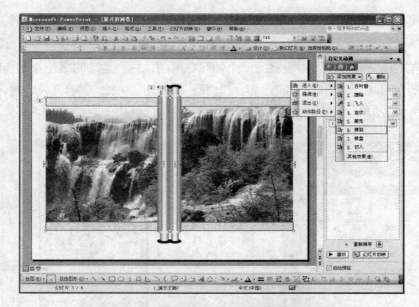

图 2－217

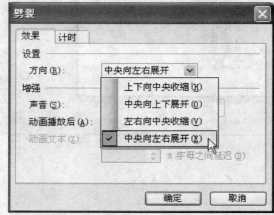

图 2－218

自主练习：

　　利用动作路径设置画轴的动画，画面的出现采用"擦除"的动画，制作一个从左到右展开的画卷。如图 2－219 所示。

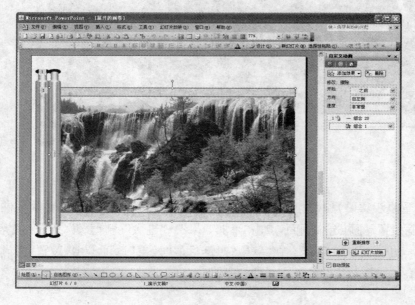

图 2－219

2.27 翻动的画册

实例说明：

　　利用"自定义动画"中"进入"的"伸展"和"退出"的"层叠"功能，制作出一个左右翻动的动画。在右边点击一下，右边的画面消失，左边的画面打开，在左边点击一下，左边的画面消失，右边的画面打开。为了读者方便，这里不用填充画面，以数字表示。

技术支持：

　　A. 动画功能"消失"中"层叠"的应用及设置；

　　B. 动画功能"进入"中"伸展"的应用及设置；

　　C. 绘图中"叠放次序"的应用；

　　D. 绘图中"对齐或分布"的应用。

操作步骤：

　　（1）设置线框的"消失"动画和"进入"动画。画出一个矩形线框，选中该线框，点击"添加效果"→"退出"→"层叠"，方向选择"到左侧"，速度"非常快"，再点击矩形线框，点击"添加效果"→"进入"→"伸展"，方向选择"自左侧"，速度"非常快"，如图 2-220 所示。

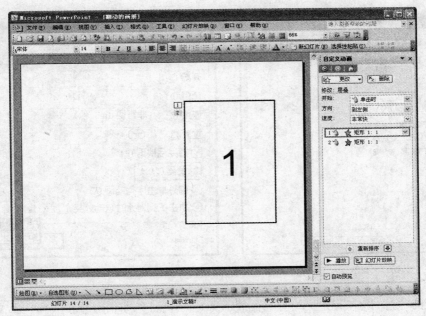

图 2-220

　　（2）复制一个线框 2，修改动画设置。选中"自定义动画"下面表示第二个线框"退出"功能的图标" 3 ★ 矩形 2：2 "，方向设置"到右侧"，速度"非常快"。再选中表示第二个线框"进入"功能的图标" 4 ★ 矩形 2：2 "，方向设置"自右侧"，速度"非常快"。如图 2-221 所示。

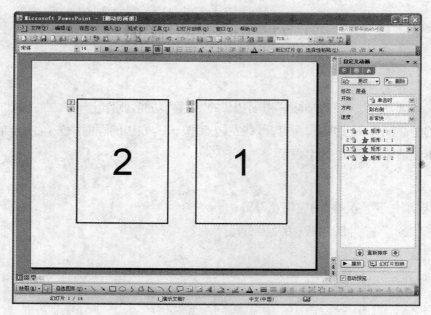

图 2 - 221

（3）为了方便，字体设置在上边。选中两个矩形，右击鼠标，选中"设置自选图形格式"，在得到的"设置自选图形格式"对话框的"文本框"选项卡中，在"文本锁定点"右边的下拉列表中选择"顶部"，如图2 - 222所示。

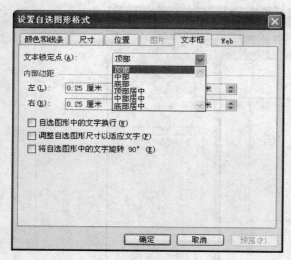

图 2 - 222

图 2 - 223

（4）设置触发器功能。选中"自定义动画"下面表示第 1 个矩形 1 的"退出"图标" 1 ☆ 矩形 1：1 "和第二个矩形 2 的"出现"图标" 4 ☆ 矩形 2：2 "，点击右边的下拉列表，选中"计时"项，在得到的"效果选项"对话框的"计时"选项卡中，在"触发器"下面选中"单击下列对象时启动效果"，在下拉列表中选择"矩形 1：1"。如图 2 - 223 所示。

（5）与上述类同，选中"自定义动画"下面表示第 2 个矩形 2"退出"的图标" 3 ☆ 矩形 2：2 "和表示第 1 个矩形 1"出现"的图标" 2 ☆ 矩形 1：1 "，点击右边的下拉列表，选中"计时"项，在得到的"效果选项"对话框的"计时"选项卡中，在"触发器"下面选中"单击下列对象时启动效果"，在下拉列表中选择"矩形2：2"。"进入"的动画都是在"退出"的动画之后才开始的。设置后的效果如图2-224所示。图中设置的意思是，点击图形1，第一个图形以"层叠"的方式"到左侧"消失，接着第2个图形以"伸展"的方式"自右侧"出现。再点击图形2，第二个图形以"层叠"的方式"到右侧"消失，接着第1个图形以"伸展"的方式"自左侧"出现。

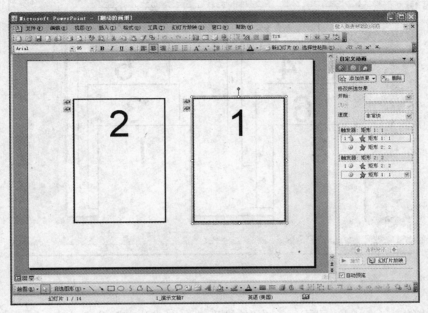

图2-224

（6）将第一张幻灯片复制若干张，并改变表示幻灯片顺序的数字。如图2-225所示。

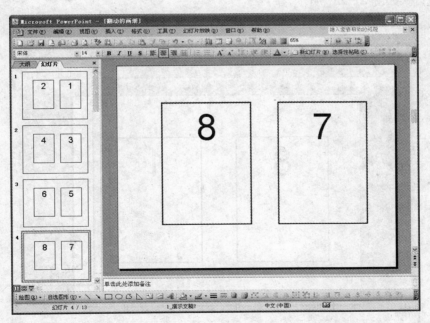

图2-225

（7）设置各幻灯片的出现顺序。选中第三张幻灯片中的矩形6和矩形5，复制到第四张幻灯片中，并利用"绘图"中的"叠放次序"将图形6"置于底层"，然后选中第二张幻灯片中的矩形4和矩形3，复制到第四张幻灯片中，再将图形4"置于底层"，同理，选中第一张幻灯片中的矩形2和矩形1，复制到第四张幻灯片中,再将图形 2"置于底层",叠放后的顺序如图 2 - 226 所示。

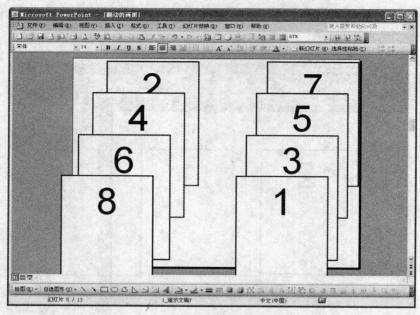

图 2 - 226

(8) 选中左边的 2、4、6、8 四个图片,点击"绘图"→"对齐或分布",分别选中"左对齐"和"顶端对齐";再选中右边的 1、3、5、7 四个图片,点击"绘图"→"对齐或分布",分别选中"左对齐"和"顶端对齐",再将整体移动到适当位置。如图 2 - 227 所示。

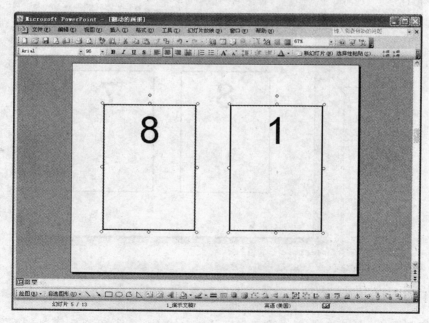

图 2 - 227

(9) 如果把每一张都用图片填充,即选中矩形框,点击下面"填充颜色"的下拉列表,图 2 - 228

图 2－228

所示。

（10）每个矩形框都填充不同的图片，按照上述方式进行放置，并设置边框，加上有关的附件，得到如图 2－229 所示的画册。

图 2－229

（11）在放映时显示右边一半，点击右边图片以后，自动翻页。如图 2－230 所示。（参见光盘 2.27 翻动的画册）

图 2 - 230

自主练习:

做一个画册,从左向右翻动。填充不同的图片。如图 2 - 231 所示。

图 2 - 231

2.28 比赛计时器的制作

实例说明:

在"自定义动画"中,通过设置对话框的属性,制作 30 秒的比赛倒计时器。

技术支持：

    A. 文本框中文字的格式设置及填充色的应用；

    B. "自定义动画""效果"选项卡中，"增强"项目内"声音"和"动画播放后"选项的设置；

    C. "绘图"中"对齐或分布"的应用。

操作步骤：

    （1）设置文本框的属性。利用复制的方法，制作三个文本框，两个输入"30"，一个输入"29"。左边第一个文本框中设置为"消失"，其他两个文本框设置为"出现"，中间一个文本框的"开始"设置为"之前"。如图 2－232 所示。

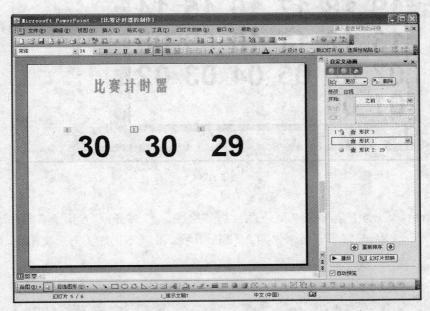

图 2－232

    （2）双击表示"出现"的动画标志，在"出现"对话框的"效果"选项卡中，"声音"选择"单击"，"动画播放后"选择"下次单击后隐藏"。如图 2－233 所示。在"计时"选项卡中，"延迟"设置为"1 秒"。图 2－232 中，两个"出现"的设置属性相同。

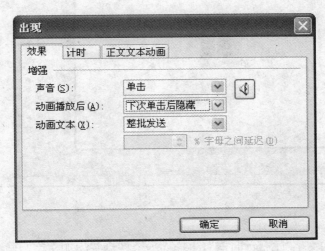

图 2－233

（3）将文本框"29"复制若干个，改变文本框内的数字。如图2－234所示。在实际制作中不需要排列整齐。可以将最后一个文本框"00"的"声音"设置成其他声音，以示区别。

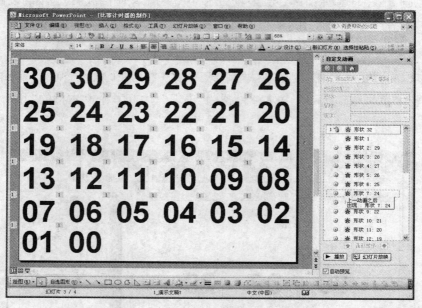

图 2－234

（4）按下"Ctrl＋A"，选中全部文本框，分别点击"绘图"→"对齐或分布"→"垂直居中"和"水平居中"，再加一个正方形线框，且置于底层。如图2－235所示。或者不另加正方形文本框，而设置每个数字文本框的填充色。

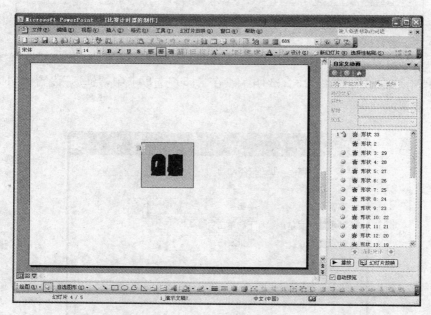

图 2－235

（5）插入文本框，添加文字"比赛计时器"，再插入一个棱台并添加文字"开始"。然后全部选中"自定义动画"下面的所有表示动作路径的标识，一次性设置触发器功能。这样点击"开始"棱台时，就会自动播

放。如图 2 – 236 所示。（参见光盘 2. 28 比赛计时器的制作）

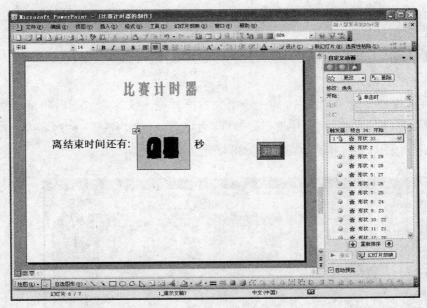

图 2 – 236

自主练习：

制作一个 30 秒计时器，数字的背景色采用文本框填充色来完成。如图 2 – 237 所示。

图 2 – 237

2. 29 小学识字教学

实例说明：

为了提高小学生的学习兴趣，可以制作各种适合小学生学习的动画课件，下面以一个小学识字课件中的幻灯片为例，来说明制作的过程和方法。

技术支持：

　　A. 对象的"组合"、"对齐或分布"的应用；

　　B. 批量设置"动画效果"的进入；

　　C. 绘图工具中利用"自选图形"工具进行绘图，并对图片设置填充效果；

　　D. 图片"动作路径"的设置。

　　（1）可以在网上搜索一个苹果图片，插入一个文本框并输入文字，如"习"，将两者组合在一起，得到一个组合后的图片，再将其复制六个，并改变文本框中的文字，利用"绘图"→"对齐或分布"→"顶端对齐"和"水平居中"，将六个图片整齐排列，如图 2 - 238 所示。

图 2 - 238

　　（2）利用文本框和绘图中的箭头，添加有关的文字和箭头，如图 2 - 239 所示。

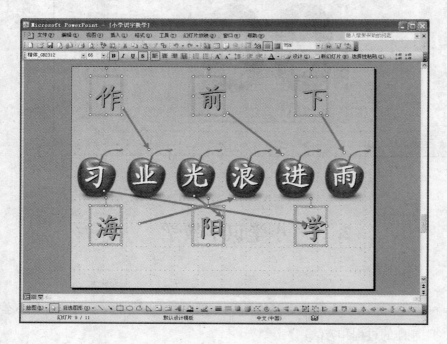

图 2 - 239

（3）动画的效果。同时选中上下六个文本框和中间的六个图片，点击"添加效果"→"进入"→"渐变式缩放"，一次性设置了十二个文本框"进入"的动画，如图2－240所示。

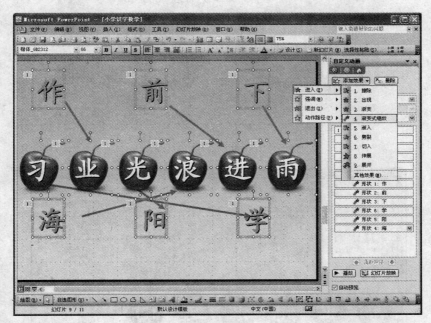

图2－240

（4）设置箭头的动画效果。同时选中六个箭头，点击"添加效果"→"进入"→"擦除"，一次性设置了六个箭头的动画擦除效果，并适当改变不同箭头"擦除"进入的方向。如图2－241所示。

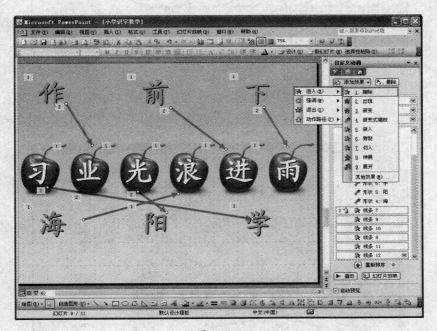

图2－241

（5）制作盘子。利用绘图工具绘制出不同填充和线条的椭圆形图片a、b、c、d，将四个图片组合在一起，得到图e。如图2－242所示。

（6）设置盘子的动画。将盘子复制到幻灯片中，选中盘子，点击"添加效果"→"动作路径"→"向上"，设置好以后，复制若干个，如图2－243所示。

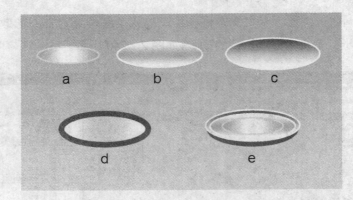

图 2－242

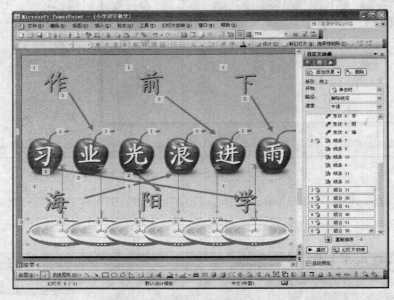

图 2－243

（7）调整动作路径。六个盘子将要运动到上下六个文字的右边，所有盘子均从左下角出发，所以每个盘子的运动路径不同，为了便于调节，先将六个动作路径调整为不同的方向。如图 2－244 所示。

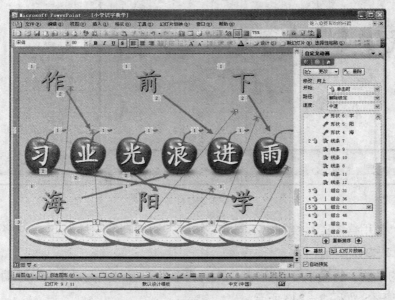

图 2－244

（8）盘子的对齐设置和运动路径的重新调整。选中下面六个盘子，点击"绘图"→"对齐或分布"→"左对齐"和"顶端对齐"。将六个盘子对齐到左下角，为了使上面三个盘子和下面三个盘子运动时的末状态高度相同，需要再次调整六个盘子的动作路径，使其水平位置相同。如图 2 - 245 所示。

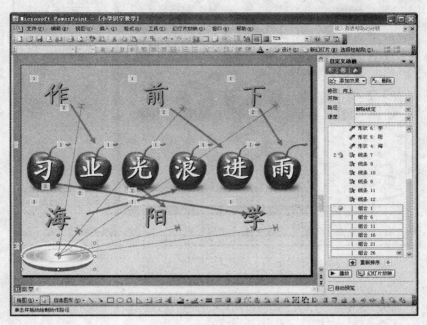

图 2 - 245

（9）设置苹果图片的动作路径。选中苹果图片，点击"添加效果"→"动作路径"→"向上"或"向右"，得到每个苹果图片的动画，并适当调整运动的路径，使其水平位置基本等高。如图 2 - 246 所示。

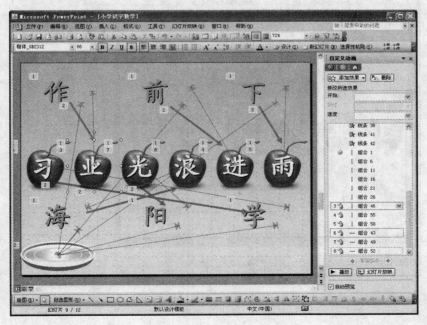

图 2 - 246

（10）箭头的擦除动画。选中所有箭头，点击"添加效果"→"退出"→"擦除"，如图 2 - 247 所示。并调整动画的擦除方向，使其按箭头方向以擦除的方式消失。

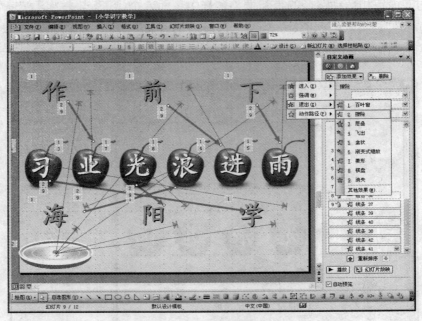

图 2 - 247

（11）调整箭头"消失"的擦除方向，调整箭头的动画位置，使其在苹果运动后消失。如图 2 - 248 所示。（参见光盘 2.29 小学识字教学）

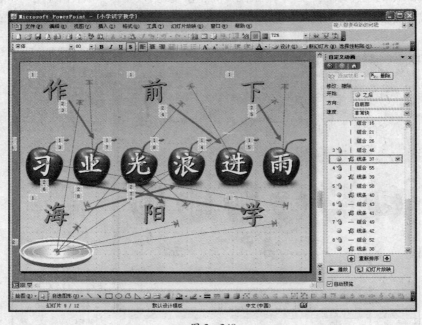

图 2 - 248

自主练习：

画出一个卡通的树木，可以在网上找一个苹果图片和一个卡通人物，再利用汉字的分解方法做出几个汉字的笔划。所有图片可以"渐变式缩放"出现，然后利用触发器功能进行设置每个苹果的动作路径，即点击任意一个苹果，苹果能进入到"篮子"里且笔划消失。如图 2 - 249 所示。

图 2-249

2.30 行星的运动

实例说明：

利用绘图工具画出若干个图片，再利用"自定义动画"中动作路径的设置制作行星绕太阳转动的动画课件。

技术支持：

A. 绘图工具的应用；

B. 动作路径的设置及调整；

C. 路径设置中"锁定"和"解除锁定"的应用。

操作步骤：

（1）利用绘图工具画出太阳和行星的轨道图线。如图 2-250 所示。

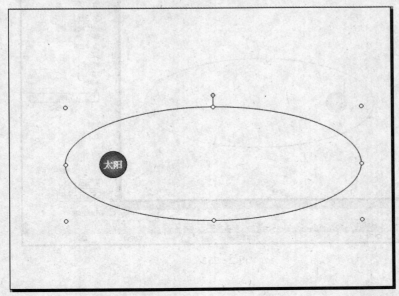

图 2-250

（2）设置太阳的转动动画。选中太阳，点击"添加效果"→"强调"→"陀螺旋"，设置太阳的转动速度及重复次数。再设置行星的转动效果，选中行星，点击"添加效果"→"动作路径"→"其他动作路径"，得到"添加动作路径"对话框，选中"圆形扩展"，得到小球做圆周运动的动画。如图2－251所示。

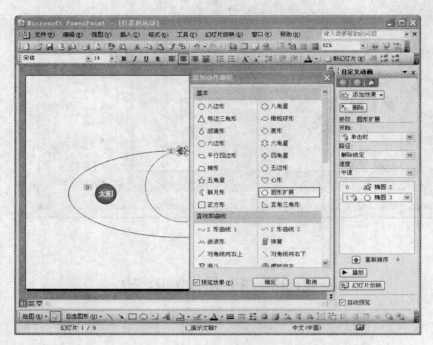

图 2－251

（3）调整轨迹线。选中轨迹线，用鼠标左右上下拉动，使其与画好的椭圆线相重合，在调整小球和运动轨迹的关系时，可以在"路径"中选择"锁定"，这样移动轨迹时小球不会移动，如果"路径"选择"解除锁定"，则可以通过移动路径到小球上，再移动小球也可以达到相同效果。如图2－252所示。

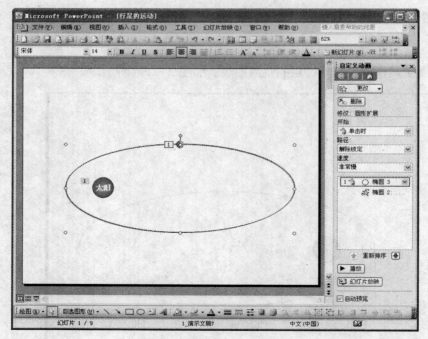

图 2－252

（4）设置行星的运动效果。双击"自定义动画"下面表示圆轨迹动作的图标" 1 ○ 椭圆 3 ▼ "，在得到的"圆形扩展"对话框的"效果"选项卡中，"平稳开始"和"平稳结束"不选中，如图2－253所示。在"计时"选项卡中，"速度"选中"非常慢"，"重复"选中"直到下一次单击"。则一个行星绕太阳转动的动画就做成了。

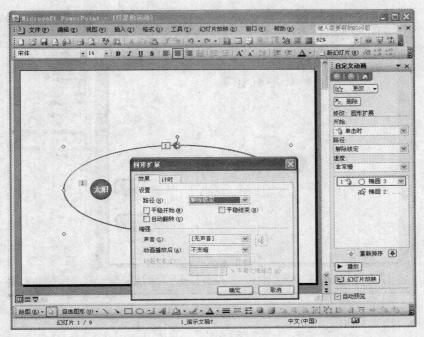

图 2－253

（5）利用类同的方法，制作出其他行星绕太阳转动的动画。如图2－254所示。（参见光盘2.30行星的运动）

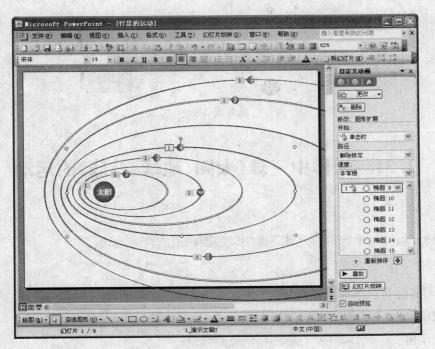

图 2－254

自主练习：

做两个小球表示双星，各自设置小球的自定义转动路径，绕两球连线上一点转动，且周期相同，再设置两个小球转动的轨迹，利用触发器功能，点击时"显示轨迹线"，点击"隐藏轨迹线"，则轨迹线隐藏。如图2－255所示。转动效果如图2－256所示，两个球本身不发生自转。

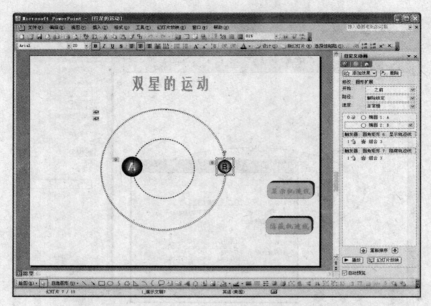

图2－255

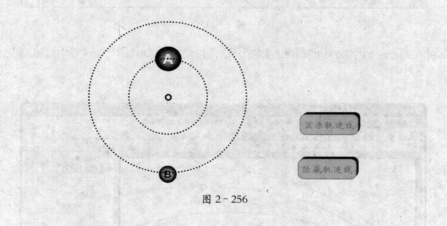

图2－256

2.31 天体中三球（太阳、地球、月球）的运动

实例说明：

月球绕地球转动，同时地球带着月球绕太阳以椭圆轨道的轨迹运动。

技术支持：

A. 图片的对齐分布及添加文字；

B. "自定义动画"中"陀螺旋"的应用和设置；

C. "自定义动画"中"动作路径"的应用和轨迹的调整；

D. "填充效果"中"渐变"的应用。

操作步骤:

(1)点击"绘图"工具栏中的"椭圆"按钮,画出三个小圆,小圆为月球,较大的为地球,选中三个圆,利用"绘图"中的"对齐或分布"→"纵向分布"和"水平居中",把两个小球放在大球的上下对称位置上。如图2－257所示。

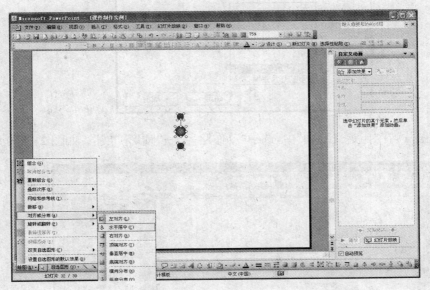

图2－257

(2)画一个参考圆,并将其组合,将下面的小圆,"填充颜色"设置为"无填充颜色","线条"设置"无线条颜色",选中图片,点击"幻灯片放映"→"自定义动画"→"强调"→"陀螺旋"。如图2－258所示。

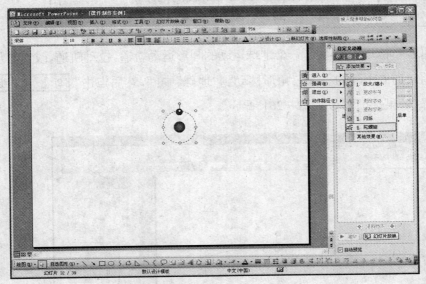

图2－258

(3)在"陀螺旋"对话框中,选项卡"效果"中的"平稳开始"、"平稳结束"、"自动翻转"均不选中。在"记时"选项卡中,设置"速度"为"10秒"(直接输入即可),并设置"重复"的次数。如图2－259所示。点击"确定"。这样就制作成了月球绕地球转动的图片。

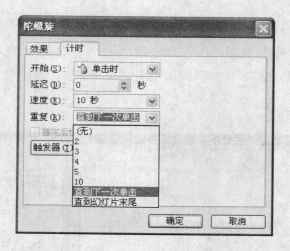

图 2－259

（4）选中该图片，在"自定义动画"中，选中"动作路径"→"圆形扩展"。如图 2－260 所示。

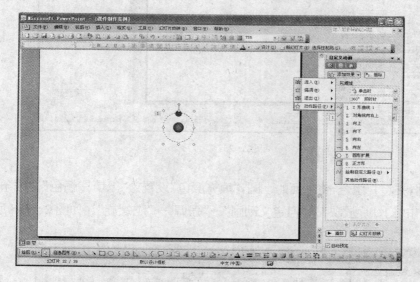

图 2－260

（5）点击"圆形扩展"后即得到了一个地球运动的圆形运动轨道，拉动轨道，改变其形状，并选中轨道线，利用方向键将轨道的上面的小绿三角形移动到"地球"中间，然后点击" 2 ○ 组合 1 ▼ "右边的小三角，选择"效果选项"。如图 2－261 所示。

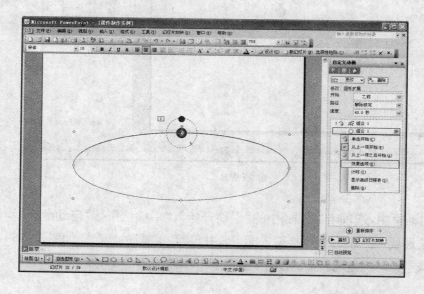

图 2－261

(6) 在得到的"圆形扩展"对话框的"效果"选项卡中,"平稳开始"、"平稳结束"、"自动翻转"均不选中。在"记时"选项卡中,"开始"设置为"之前","速度"设置为"20 秒"。设置"重复"的次数。点击"确定"即可。如图 2－262 所示。

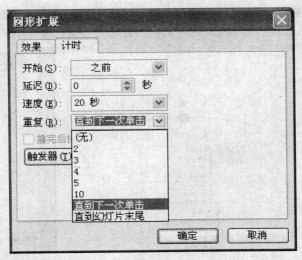

图 2－262

(7) 画一个与"地球"运动轨道相同的椭圆,最后画出一个圆作为"太阳",双击"太阳",设置"太阳"的填充色,在"填充效果"对话框"渐变"选项卡中,"颜色"设置为"双色","颜色 1"设置为"红色","颜色 2"设置为"橙色","底纹样式"选择"中心辐射",点击"确定"。如图 2－263 所示。"利用"陀螺旋"也可以设置"太阳"的转动效果。

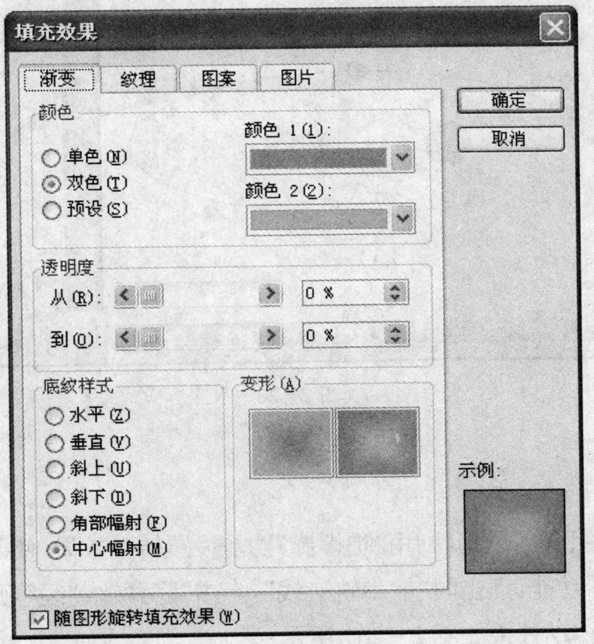

图 2－263

（8）对"太阳"添加文字。右击鼠标，选中"编辑文字"，如图 2-264 所示，对图片添加文字。利用填充的渐变，可以设置太阳周围的黄色光芒。最后得到了一个三球转动的动画。如图 2-264 所示。设置好后的三球动画如图 2-265 所示。（参见光盘 2.31 天体中三球（太阳、地球、月球）的运动）

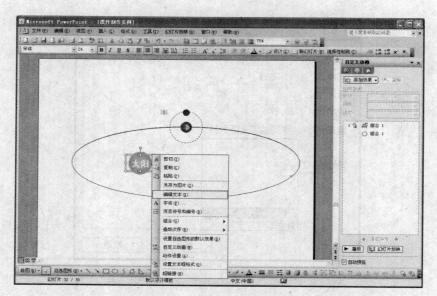

图 2-264

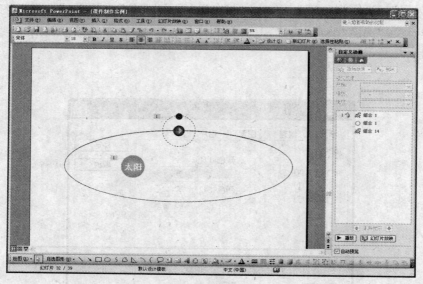

图 2-265

自主练习：

　　做两个小球表示双星，组合到一起，利用"陀螺旋"功能设置转动效果，使两个球在转动过程中之间的正对位置不变。利用触发器功能，点击时"显示轨迹线"，点击"隐藏轨迹线"，则轨迹线隐藏。设置及其动画效果如图 2-266 所示。转动效果如图 2-267 所示。

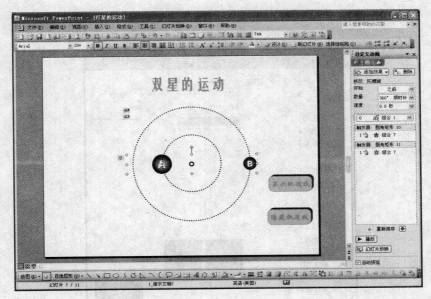

图 2－266

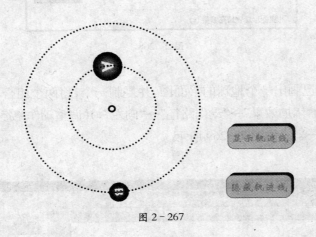

图 2－267

2.32 "转动"地球的制作

实例说明:

利用绘图工具和自定义动画中的动作路径功能,并且设置不同图片的叠放次序,可以制作看起来是转动的地球。

技术支持:

A. 绘图工具的应用及其填充色的设置;

B. 自定义动作路径的设置;

C. 不同图片的叠放次序的设置。

操作方法:

(1)画出一个直径 6 厘米的圆,设置该圆的填充效果。在"填充效果"对话框的"渐变"选项卡中,"颜色"选择"单色"(这里选择蓝色),"底纹样式"中选取"中心辐射","变形"中选取左边的变形式样。

如图 2 - 268 所示。

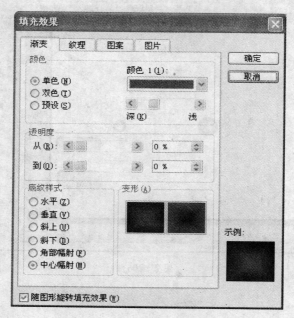

图 2 - 268

（2）在网上找，或者自己画出一个地球的平面图，并复制一个，将两个组合在一起，选中组合后的图片，点击"自定义动画"中的"添加效果"→"动作路径"→"向左"，并调整动作路径的长度，使动作路径的长度等于组合后图片长度的一半。如图 2 - 269 所示。

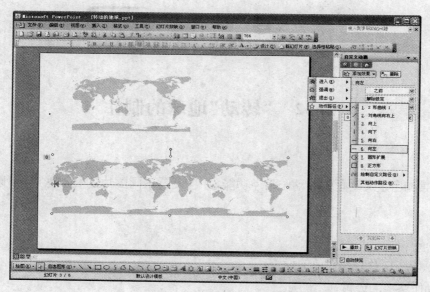

图 2 - 269

（3）动作路径对话框的设置。双击表示动作路径的图标" 0 ⬛ 组合 1 ▼ "，在"向左"对话框的"计时"选项卡中，"速度"设置"慢速（3 秒）"，"重复"设置为"直到幻灯片末尾"。如图 2 - 270 所示。

在"效果"选项卡中,"平稳开始"、"平稳结束"、"自动翻转"均不选中。

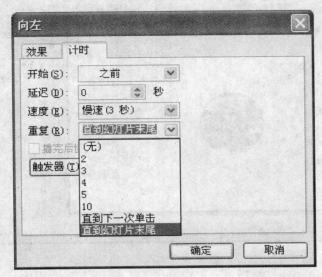

图 2 - 270

(4) 将设置好的地球平面图,复制到前面画好的表示地球的圆上,并将地球置于底层,再利用"自选图形"→"基本形状"→"同心圆",在上面画出一个填充色为"白色"的圆环(为方便阅读,填充色设置成灰色)。如图 2 - 271 所示。

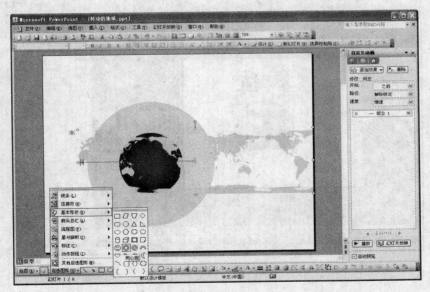

图 2 - 271

(5) 画出一个直径为"6 厘米"的无填充色的圆,放在最上方,作为地球的边框,再画出两个填充色为白色的矩形线框(为方便阅读,填充色设置成灰色),放在上面,遮挡住左右两边可能出现的地球平面图。如图 2 - 272 所示。(参见光盘 2. 32"转动"地球的制作)

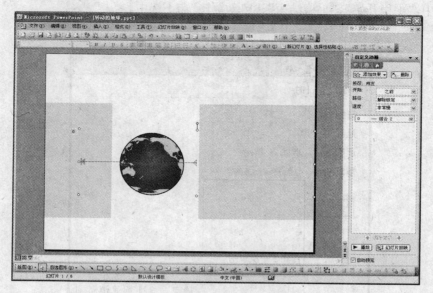

图 2 - 272

自主练习：

选取四张照片，利用自定义动画中的动作路径的设置，以及各图片叠放次序的设置，制作出照片在圆形图片中连续运动的动画。速度设置为"25 秒"。且圆的上下两部分有不同的填充色。如图 2 - 273 所示。

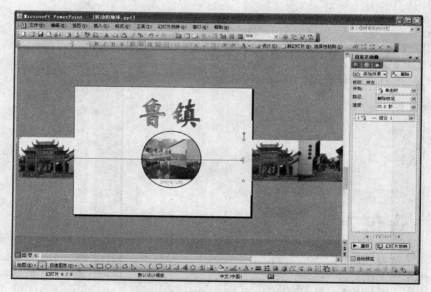

图 2 - 273

2.33　卫星的发射过程

利用绘图工具和自定义动画的功能，可以制作出卫星绕地球运动发射过程的动画。先制作地球自转的动画，卫星发射过程的动画制作操作方法如下：

（1）利用绘图工具画出卫星的几个不同运行轨道。如图 2 - 274 所示。

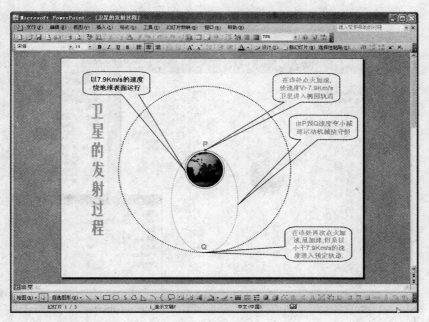

图 2 - 274

（2）设置小球的动画。可以先设置小球出现的动画，再设置小球转动的动画。选中小球，点击"添加效果"→"进入"→"出现"；再次选中小球，点击"添加效果"→"动作路径"→"圆形扩展"。调整圆运动的轨迹，再双击"自定义动画"下面表示动作路径的图标，在得到的"圆形扩展"对话框的"计时"选项卡中，"速度"选择"中速"，"重复"选择"4"。如图 2 - 275 所示。

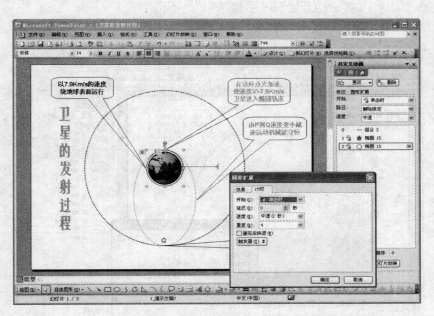

图 2 - 275

（3）设置小球的椭圆轨道运动。再次选中小球，点击"添加效果"→"动作路径"→"圆形扩展"。调整圆运动的轨迹，再双击"自定义动画"下面表示动作路径的图标，在得到的"圆形扩展"对话框的"计时"选项卡中，"开始"选择"之后"，"速度"选择"中速"，"重复"直接输入"4.5"，即让小球转动四圈半时下一个运动开始进行。如图 2 - 276 所示。

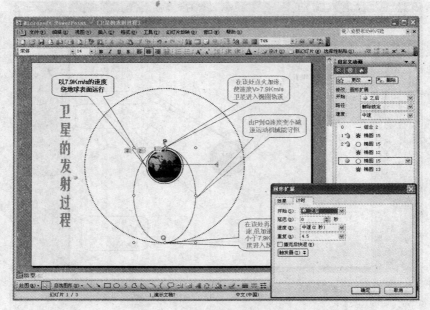

图 2 - 276

（4）设置小球的大圆周轨道运动。再次选中小球，点击"添加效果"→"动作路径"→"圆形扩展"。调整圆运动的轨迹，再双击"自定义动画"下面表示动作路径的第三个图标，在得到的"圆形扩展"对话框的"计时"选项卡中，"开始"选择"之后"，"速度"选择"10 秒"，"重复"选择"直到幻灯片末尾"。如图 2 - 277所示。所有的效果选项卡中的"平稳开始"和"平稳结束"均不选中。

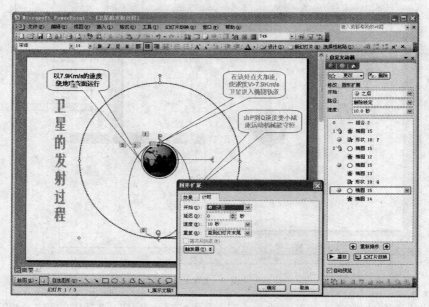

图 2 - 277

（5）再设置文本框进入的动画，并设置动画的顺序，即得到卫星发射全过程的动画。设置好了的动画如图 2 - 278 所示。（参见光盘 2.33 卫星的发射过程）

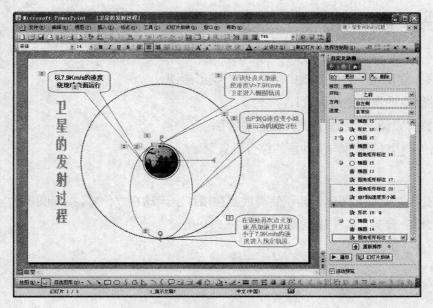

图 2 - 278

自主练习：

搜索两个图片，分别表示地球和月球，然后再设置卫星的发射动画，要求：卫星先绕地球转动三圈后，"点火加速"进入"地月转移轨道"，然后绕月球做椭圆运动转动五圈，通过"减速制动"，进入绕月球表面的轨道飞行。如图 2 - 279 所示。

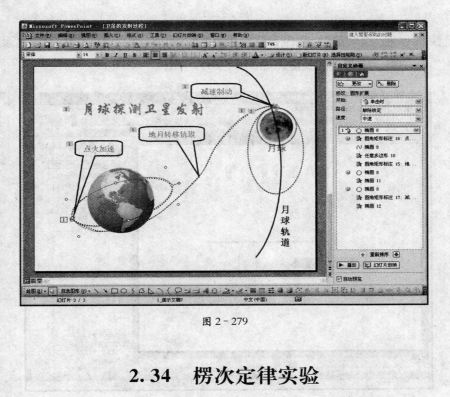

图 2 - 279

2.34 楞次定律实验

实例说明：

利用动画功能的"动作路径"和"强调"中的"闪烁"等功能制作楞次定律演示实验。套在直杆上的金属环线圈，当磁铁靠近线圈时，线圈远离磁铁，出现逆时针方向的电流，当磁铁远离线圈时，线圈靠近磁铁，出现顺时针方向的电流。

技术支持：

    A. 绘图工具的应用，利用"三维效果样式"制作条形磁铁；

    B. 自定义动画中动作路径的设置；

    C. 自定义动画"强调"中交替"闪烁"功能的应用；

    D. 动作路径与"闪烁"两种同步动画的综合设置。

操作步骤：

（1）用绘图工具画出有关图形。为了使得线圈在横杆上运动有立体感，在椭圆形的上端增加一个小矩形并与椭圆组合在一起，二者一起运动。如图 2-280 所示。

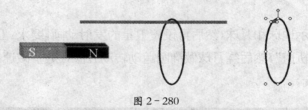

图 2-280

（2）设置磁铁的动画。选中磁铁，先设置磁铁的"进入"动画，再次选中磁铁，点击"添加效果"→"动作路径"→"向右"，并调整动作路径的长度。如图 2-281 所示。

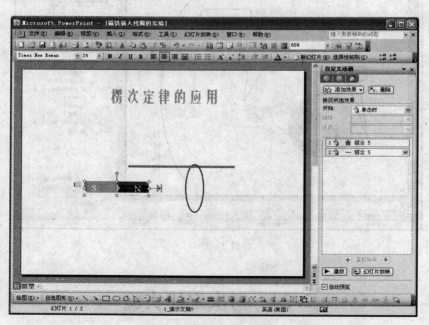

图 2-281

（3）再双击"自定义动画"下面表示动作路径的标志" 2 🕐 — 组合 5 ▼ "，在得到的"向右"对话框的"效果"选项卡中，选中"平稳开始"、"平稳结束"和"自动翻转"，如图 2-282 所示。

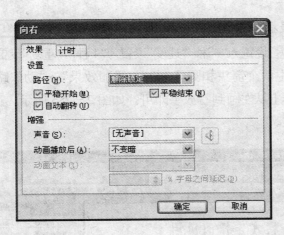

图 2－282

（4）设置两个表示电流不同变化方向的动画。分别画出两个表示电流方向的小箭头，选中两个小箭头，点击"添加效果"→"进入"→"出现"，再次选中两个小箭头，点击"添加效果"→"强调"→"闪烁"。即两个都设置为"出现"和"闪烁"的动画，并且"开始"都设置为"之前"。如图 2－283 所示。

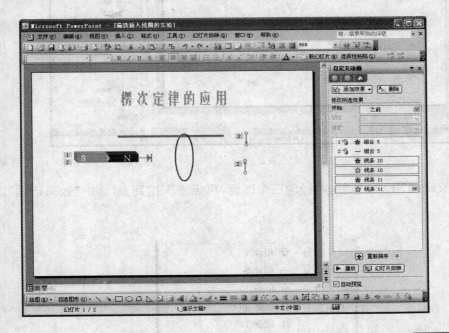

图 2－283

（5）设置两个"闪烁"动画的属性。双击"自定义动画"下表示"闪烁"动画的" 线条 10 "，在得到的"闪烁"对话框的"计时"选项卡中，"延迟"设置为"2"秒，"速度"设置为"4 秒"，"重复"设置为"直到幻灯片末尾"。如图 2－284 所示。

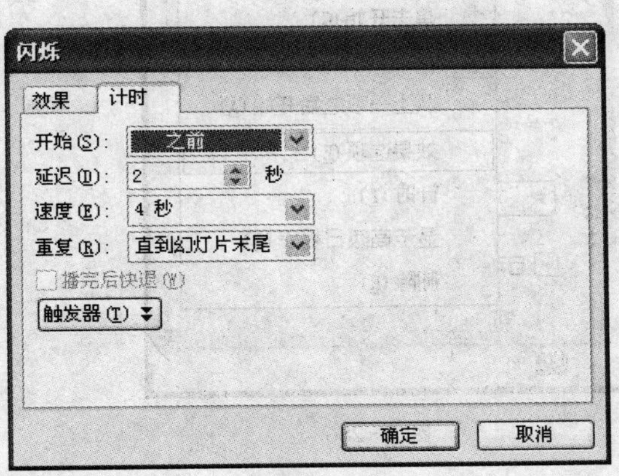

图 2－284

（6）再双击"自定义动画"下表示第二个箭头"闪烁"动画的"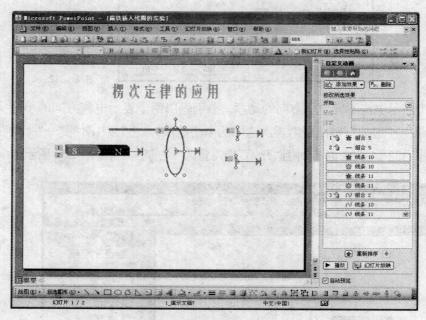"，在得到的"闪烁"对话框的"计时"选项卡中，"延迟"设置为"0"秒，"速度"设置为"4秒"，"重复"设置为"直到幻灯片末尾"。

（7）设置动作路径。一次选中两个箭头和圆环，点击"添加效果"→"动作路径"→"绘制自定义路径"→"直线"。用鼠标左键在图形上从左画到右放手即可。如图2-285所示。这样保证三个图形动作一致，运动时相对位置不发生变化。

图 2-285

（8）选中"自定义动画"下表示动作路径的三个图标，再点击下拉列表，选中"效果选项"。如图2-286所示。

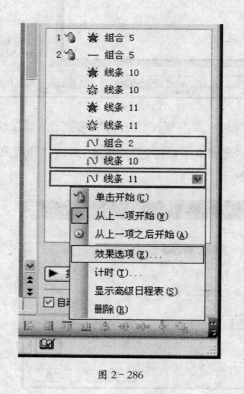

图 2-286

（9）在"自定义路径"对话框的"效果"选项卡中，选中"平稳开始"、"平稳结束"、"自动翻转"，如图2-287所示。

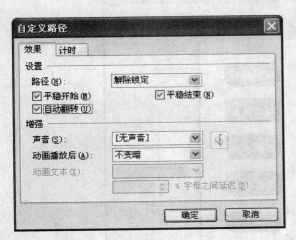

图2-287

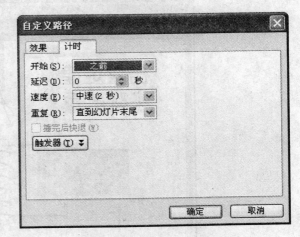

图2-288

（10）在"计时"选项卡中，"速度"设置为"中速（2秒）"，"重复"设置为"直到幻灯片末尾"。如图2-288所示。

（11）将两个箭头放置在适当位置，幻灯片的动画设置如图2-289所示。（参见光盘2.34楞次定律实验）

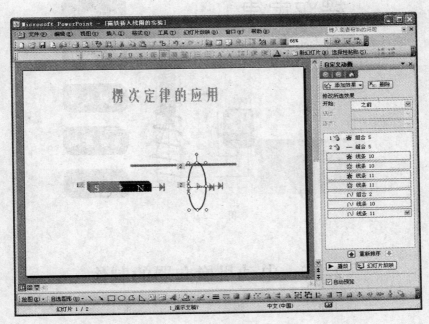

图2-289

自主练习：

制作楞次定律实验演示动画。按图中的要求做出若干个图片，动画要求：点击"向下插入"，磁铁向下运动，且线圈上端电流方向向左，同时表中指针偏转方向向右；点击"向上抽出"，磁铁向上运动，且线圈上端电流方向向右，同时表中指针偏转方向向左；点击"连续运动"，磁铁连续地向下和向上运动，且线圈上端表示电流方向的箭头和表盘上的指针，都随着磁铁的上下运动，而偏转的方向做相应的变化。点击"复原再做"，幻灯片从上一页立即自动跳到本页，点击"返回上页"，则可以返回到上上页。动画设置如图

2-290 所示。放映效果如图 2-291 所示。

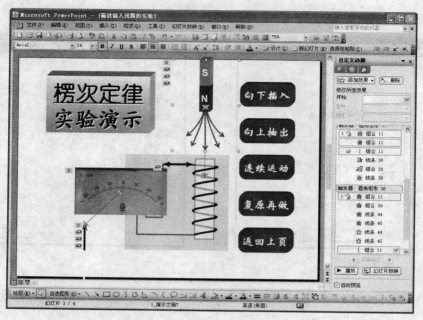

图 2-290

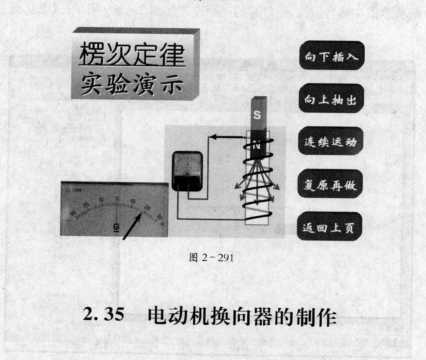

图 2-291

2.35　电动机换向器的制作

实例说明：

　　利用绘图工具"自选图形"中的"空心弧"和线条中的"任意多边形"画线，再利用绘图工具中的"三维效果"，画出电动机换向器的工作原理图。

技术支持：

　　A. "自选图形"中"空心弧"画法应用；

　　B. 三维效果的应用及设置；

　　C. "任意多边形"的画线。

（1）利用绘图工具画图。点击"自选图形"→"基本形状"→"空心弧"，按下"Shift"，用鼠标画出空心圆弧 a，调整小黄棱形块，得到图 b，再点击"绘图"→"旋转或翻转"，然后调整大小，得到图 c。选中图 c，点击下面工具栏中的"三维效果样式"，点击左上角的"三维样式 1"，再点击"三维设置"，在得到的"三维设置"工具栏中，"深度"选择"72 磅"，设置"填充颜色"及"三维颜色"，即得到图 d。如图 2 - 292 所示。

图 2 - 292

（2）将图 a 复制后再转动，改变三维颜色后得到图 b，再与图 c 组成图 d。如图 2 - 293 所示。

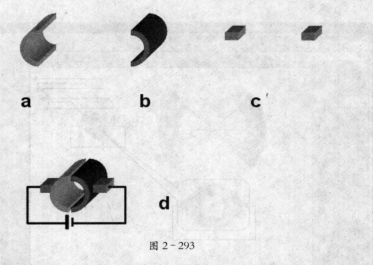

图 2 - 293

（3）利用"自选图形"→"线条"→"任意多边形"，画出折线。再搭配上一些辅助图片，得到如图 2 - 294 所示的图片。

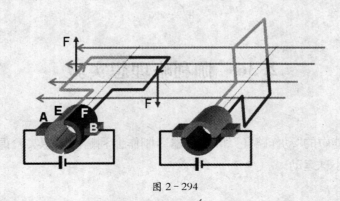

图 2 - 294

（4）利用上述类同的方法，可以制作出在转动一周内各个不同时刻的直流电动机的换向器的工作原理图。如图 2 - 295 所示。（参见光盘 2.35 电动机换向器的制作）

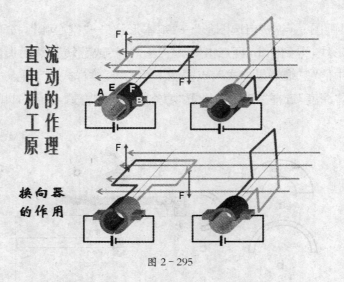

直流电机工作原理
流动的作用

换向器的作用

图 2-295

自主练习：

画出上图换向器的截面放大图，设置放大图的转动动画。要求：换向器和磁极间的线圈同步转动。如图 2-296 所示。

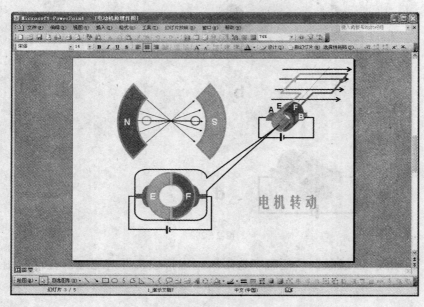

图 2-296

2.36 伽利略理想实验

实例说明：

利用自定义动画功能中的"动作路径"和"触发器"，制作伽利略的理想实验课件，要求：分别点击"开始"，小球出现，再点击，小球运动。

技术支持：

A. 利用绘图工具画出曲线和"棱台"；

B. 自定义动画曲线动作路径的绘制及路径的修改；

C. 触发器的应用设置。

（1）绘制所需图片。利用"自选图形"→"线条"→"曲线"画出轨道，再画出小球，点击绘图工具中的"自选图形"→"基本形状"→"棱台"，画出一个棱台。如图 2-297 所示。

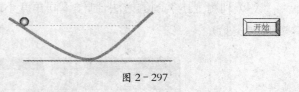

图 2-297

（2）设置小球的动画。选中小球，点击"添加效果"→"进入"→"出现"，再选中小球，点击"添加效果"→"动作路径"→"绘制自定义路径"→"曲线"。调整小球动作路径的轨迹，右击鼠标，点击"编辑顶点"，调整小球动作路径的轨迹线。使轨迹与轨道的弯曲程度相吻合。如图 2-298 所示。

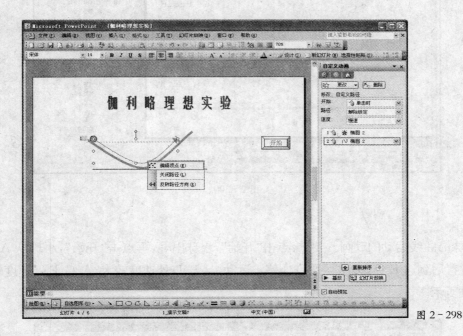

图 2-298

（3）选中上图中"自定义动画"下面表示小球动画的两个图标，点击右边的下拉列表，选中"计时"，在"效果"对话框的"计时"选项卡中，点击"触发器"下面的"单击下列对象时启动效果"，选中"棱台 5：开始"，如图 2-299 所示。即第一次点击棱台时小球"出现"，再点击时小球开始运动。

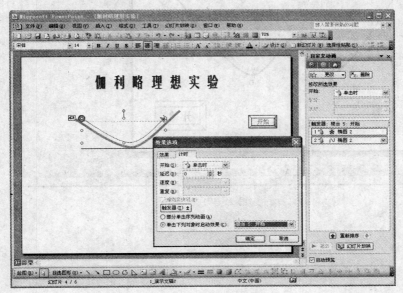

图 2-299

（4）利用上述类同的方法，制作不同角度小球的运动情况。如图 2 - 300 所示。（参见光盘 2. 36 伽利略理想实验）

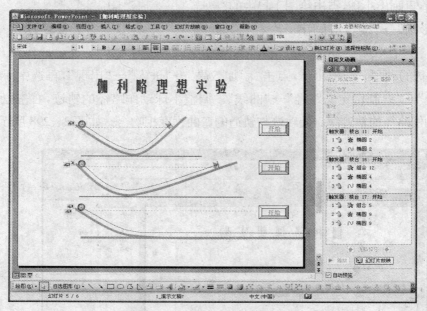

图 2 - 300

自主练习：

做一个小球沿曲线运动的动画。要求：点击"开始"，小球出现，再点击"开始"，小球从 A 处开始运动经过 B、C、D 位置后到达 E 处，又返回到 D 处停止运动，且 B、D 处速度较大，A、C、E 处速度较小，动画设置如图 2 - 301 所示。

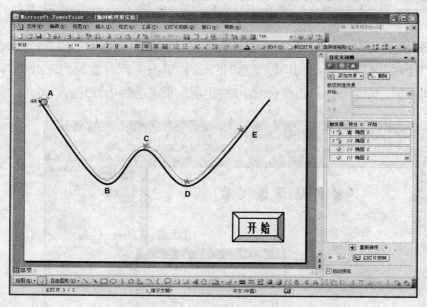

图 2 - 301

2.37　小球碰撞实验

实例说明：

　　利用动画中的"自定义路径"和"触发器"，制作两个小球相互碰撞的演示实验。要求：运动的小球去碰撞另一个质量相等的小球时，交换速度，小球碰撞大球时，小球被反弹回来，大球去碰撞小球时，两个球同方向运动。

技术支持：

　　A. 利用绘图工具作图，在图片上输入文字；

　　B. "自定义动画"中"动作路径"的设置；

　　C. 触发器的应用；

　　D. 多个动作路径的混合应用。

操作步骤：

　　(1) 利用绘图工具，画出如图 2－302 所示的图片。并输入有关文字。

图 2－302

　　(2) 设置两个小球及轨道的动画。选中两个小球及轨道，点击"添加效果"→"进入"→"出现"。同时选中两个小球，点击"添加效果"→"动作路径"→"向右"，画出两个小球的运动路径。选中五个表示自定义动画的标志，调出"效果选项"对话框，在"计时"选项卡中，选中下面的"单击下列对象时启动效果"，选中"棱台 22"作为"触发器"按钮。并注意，动作路径的"开始"的设置是，第一个运动结束时，第二个小球开始运动。如图 2－303 所示。两个球的速度设置相同。

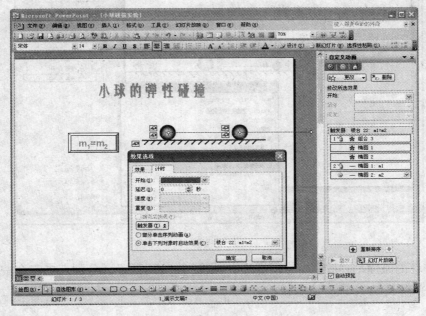

图 2－303

（3）当用大球去碰撞小球时，碰撞后大球仍然向前运动，只是大球速度小于小球的速度，大球要分别完成两个动作，先向前运动，与小球相碰，小球开始运动时，大球同时改变速度大小继续向前运动。所有动作由棱台按钮控制。设置方法与前面类同。如图 2－304 所示。两个球的速度设置为，大球碰前速度为"非常快"，碰后速度为"中速"，小球的速度为"快速"。

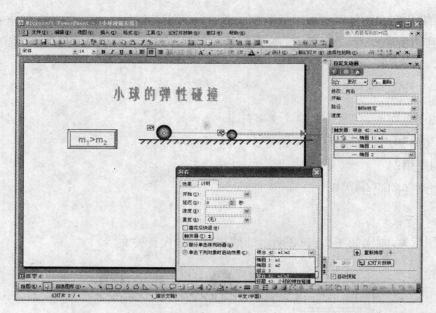

图 2－304

（4）当用小球去碰撞大球时，碰后要反弹。设置方法类同，小球碰撞前速度为"非常快"，碰后小球速度为"中速"，大球的速度"非常慢"，如图 2－305 所示。

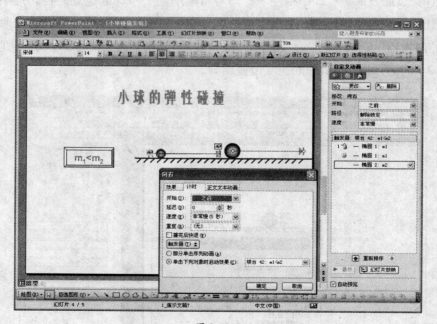

图 2－305

（5）将三个小球的碰撞动画放在一张幻灯片中，如图 2－306 所示。分别点击三个按钮，出现不同的碰撞过程。（参见光盘 2.37 小球碰撞实验）

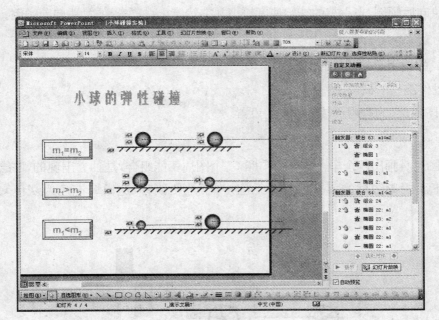

图 2 - 306

自主练习：

做两个小球，两个球一起自由下落，与地相碰后，小球以较大的速度反弹向上运动，而大球反弹速度较小。如图 2 - 307 所示。

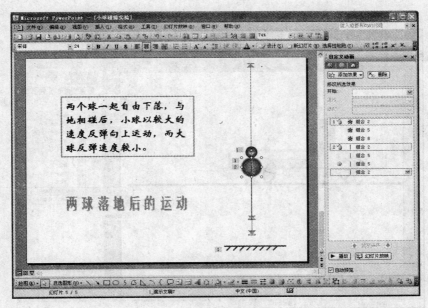

图 2 - 307

2.38   惯性小车的制作

实例说明：

利用绘图工具和自定义动画功能，可以制作演示物体惯性的实验课件。要求：当小车的初始速度较大时,车上的物块向后倾倒,当小车的初始速度较小并突然停止时,车上的物块向前倾倒。

技术支持:

    A. 绘图工具的应用及其图片的组合;

    B. 自定义动作路径的批量设置;

    C. 强调中"陀螺旋"的应用及转动效果的设置。

操作方法:

(1) 利用绘图工具画出两个车轮和一个车厢,三个图片不能组合,是独立出现的,并绘制两个对角放置的矩形线框(下面矩形线框的填充色应为无色,为了方便读者,这里填充色为灰色)。如图 2 - 308 所示。

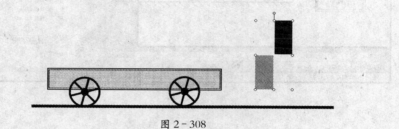

图 2 - 308

(2) 将表示物体的矩形块放置在适当位置,全部选中四个图片,点击"添加效果"→"动作路径"→"绘制自定义路径"→"直线",在图片上从左到右画到适当位置,画出四个对象的动作路径。如图 2 - 309 所示。

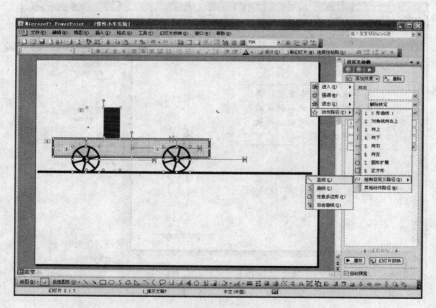

图 2 - 309

(3) 设置车轮的转动动画。选中两个车轮,点击"添加效果"→"强调"→"陀螺旋",两个的速度设置为"中速","开始"设置为"之前",在"陀螺旋"对话框的"效果"选项卡中,"数量"设置为"360°顺时针",即两个轮子转动一周,选中"平稳结束",这样开始运动的速度较快,最后慢慢停止。同时添加四个图片的进入动画。如图 2 - 310 所示。

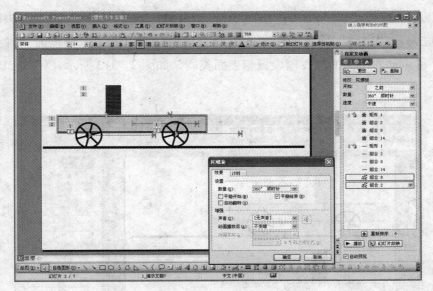

图 2－310

（4）设置物块的翻倒动画。选中组合后的矩形对象，点击"添加效果"→"强调"→"陀螺旋"，速度设置为"非常快"，"开始"设置为"之前"，在"陀螺旋"对话框的"效果"选项卡中，"数量"设置为"90°逆时针"，即车子启动时，由于开始速度较大，物体逆时针翻倒，"平稳开始"、"平稳结束"及"自动翻转"都不选中。如图 2－311 所示。

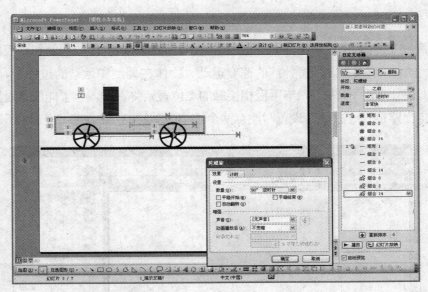

图 2－311

（5）制作车子突然停止时，物体翻倒的动画。由于物块要顺时针翻倒，所以制作物块图形时，矩形线框的右下角放置一个白色的矩形线框，如图 2－312 所示。其他的设置方法与上述类同。

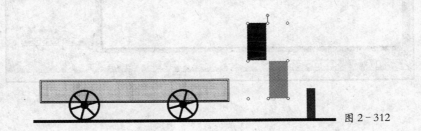

图 2－312

（6）设置触发器功能。用自选图形画出两个棱台，并输入文字"开始"，选中上边四个对象，点击"添加效果"→"进入"→"出现"，将上面四个图的所有动画全部设置为点击上面"开始"时，先整体出现，再点击时，小车运动。下面的触发器设置与上面类同。如图2－313所示。（参见光盘2.38惯性小车的制作）

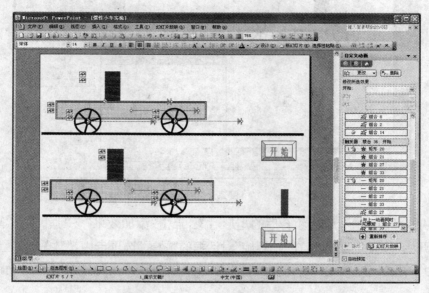

图 2－313

自主练习：

平板上面放置一个物体，当平板突然向右运动时，物体向左翻倒，物体的翻倒和平板的运动都设置为"快速"，然后两个物体一起向右以"非常慢"的速度运动。物体在翻倒和运动的过程中，要求始终与平板水平方向保持相对静止，即物体左下角与平板相接触的点位置始终不变。为了能任意设置动作路径的长度，采用"绘制自定义路径"→"直线"，设置时注意两个连续运动的衔接。如图2－314所示。

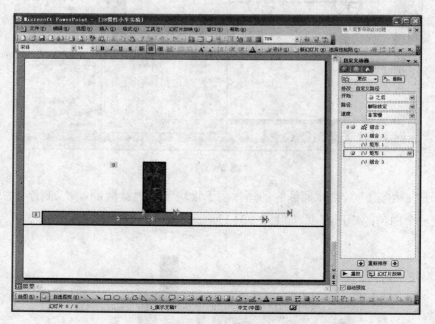

图 2－314

2.39　波的干涉实验演示

实例说明：

波在传播过程中，当两列波发生干涉时，某些点的振动加强，而另一些点的振动减弱，利用绘图工具画出波形图线，再用自定义动画中动作路径的设置，制作出当两列波发生干涉时，不同的质点有不同振动的动画课件。

技术支持：

A. 利用绘图工具中的"自选图形"画出三角函数图线；

B. "自定义动画"中"动作路径"的设置；

C. 多个质点、多个动作路径的设置方法。

操作方法：

（1）制作三角函数图线并设置动画。利用《2.1 正弦曲线的制作》一节介绍的方法，绘制两个正弦曲线，线条可以设置为"3 磅"，组合后两个正弦曲线图片高"5.5 厘米"，宽约"22 厘米"。如图 2－315 所示。

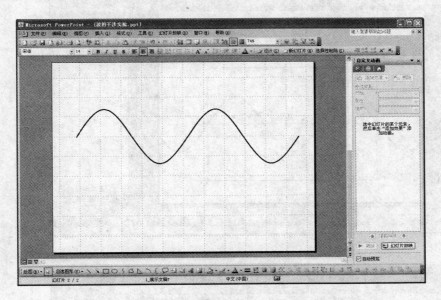

图 2－315

（2）组合图片设置动画。将上图中的两个正弦曲线图形复制后再组合，得到四个正弦曲线的组合图片。再将该图形复制，设置不同的颜色（如上面为黑色，下面为红色），分别设置两个组合图片的动作路径，黑图片向左，红图片向右，路径的长度都是图片总长度的一半。如图 2－316 所示（设置方法参见《1.3.23 图片连续运动的制作方法》一节）。

（3）将两个波形图的一半重合放置。画一个参考表格，再画一个小圆表示质点，设置质点的动作路径。点击"自定义动画"下面的"添加效果"→"动作路径"→"向下"，并调整运动路径的长度，如图 2－317 所示。

（4）将上图的质点复制两个，放在适当位置，并改变中间一个小球的运动方向，这三个小球振动的幅度最大，即振动加强点。再在两边画上矩形白色线框（为方便阅读，填充色暂为灰色）。如图 2－318 所示。这三个小球的振动动画也可以在图 2－319 中统一设置。

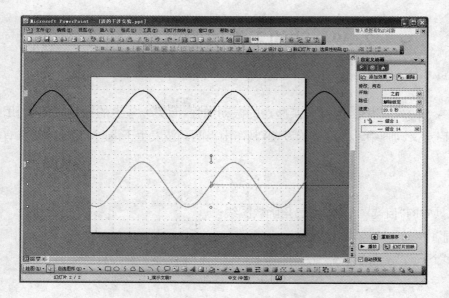

图 2-316

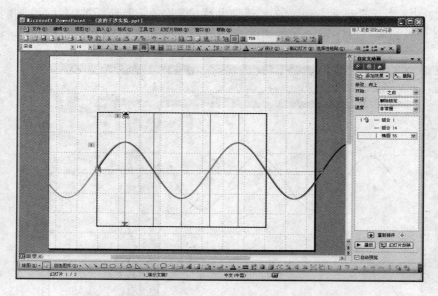

图 2-317

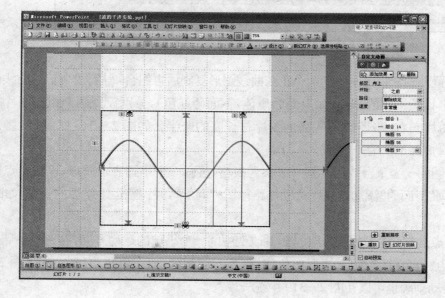

图 2-318

（5）把参考表格复制到另外一张幻灯片上，再做出一条正弦曲线，图线的最大值是上图图线最大值的两倍，制作若干个振动点，放置在适当位置，如图2-319所示。

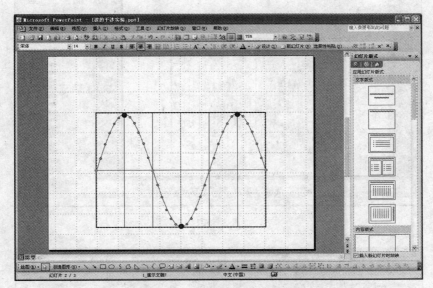

图2-319

（6）再将上图的三角函数图线复制后，上下翻转，作为设置质点振动路径最大位置的参考线。如图2-320所示。

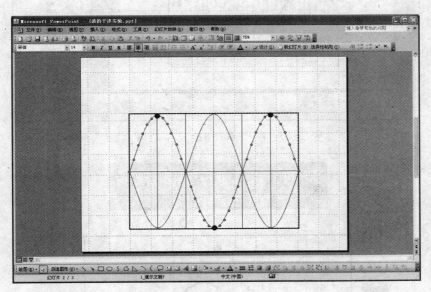

图2-320

（7）设置所有质点的振动路径。如图2-321所示。实际上质点的动作路径不是一个个的设置，采用复制的方法可以提高制作的速度。

（8）把上图中所有设置好动作路径的质点，复制到前面已经设置好两个相向运动的波的幻灯片上，全部的设置如图2-322所示。放映效果如图2-323所示。（参见光盘2.39波的干涉实验）

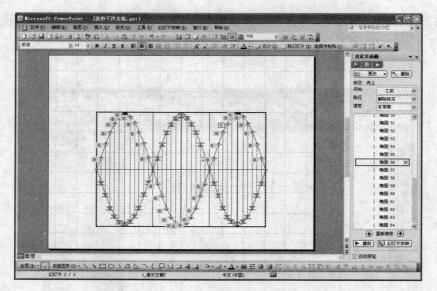

图 2-321

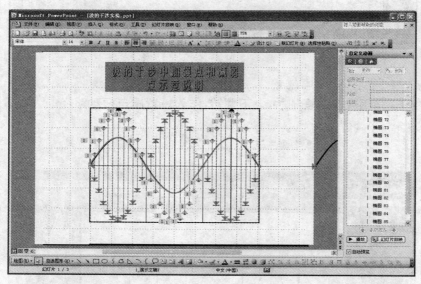

图 2-322

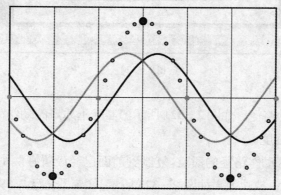

图 2-323

自主练习：

利用上述方法,设置传输带的转动效果,上面传输带向右,下面传输带向左,两个轮子转动,同时,上面的物体不停的落到传输带上后与传输带一起向右运动。两个轮子转动设置"慢速",物体和传输带的速度都设置为"非常慢",所有动画虽然都设置为同时进行,但是,设置五个物块,每个依次延迟"1 秒",所有设置均为"直到幻灯片末尾"。设置效果如图 2-324 所示。放映效果如图 2-325 所示。

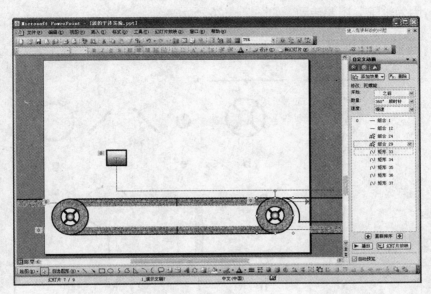

图 2-324

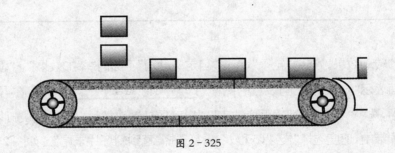

图 2-325

2.40　滑　轮　的　制　作

实例说明：

滑轮在转动过程中,把物体提起来。利用自选图形工具,可以画出滑轮,利用"陀螺旋"可以设置滑轮的转动,利用动作路径可以设置物体和动滑轮的运动。利用这些功能的组合可以制作定滑轮、动滑轮以及滑轮组。

技术支持：

A. 利用绘图工具中的"自选图形"画出滑轮以及滑轮架；

B. "自定义动画"中"陀螺旋"的应用设置；

C. "自定义动画"→"强调"中"放大/缩小"功能的应用设置；

D. "自定义动画"中多个对象"动作路径"的批量设置；

E. 多个对象多个动画的协调设置。

操作方法：

（1）制作滑轮。利用"自选图形"中的工具，画出图片 e、f、g，组合后得到图片 b，图片 h、i 组合后得到图片 d，图片 h 中的"钩子"，利用"自选图形"→"线条"→"曲线"，画出一个较大的图片 k，右击图片 k，点击"编辑顶点"，可以对曲线进行修改，然后再缩小，图片 b、c、d 放在一起，可以得到图片 a。但滑轮与滑轮架不能组合，因为轮子 b 还要转动。如图 2－326 所示。

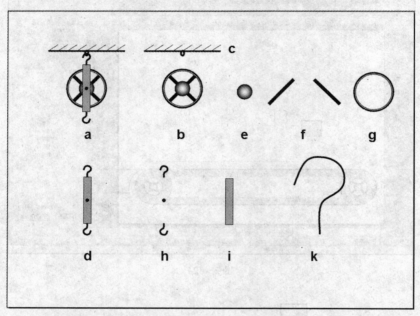

图 2－326

（2）设置轮子的转动效果。选中"轮子"，点击"自定义动画"下面的"添加效果"→"强调"→"陀螺旋"，双击"自定义动画"下面表示"陀螺旋"动画设置的图标" 0 组合 1 "，在得到的"陀螺旋"对话框的"效果"选项卡中，选中"平稳开始"、"平稳结束"、"自动翻转"。"数量"选择"360°顺时针"。如图 2－327 所示。在"计时"选项卡中，速度选择"慢速（3 秒）"，重复选择"直到幻灯片末尾"。如图 2－328 所示。

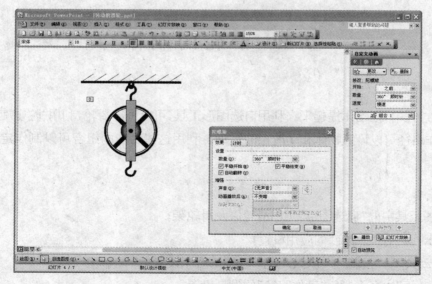

图 2－327

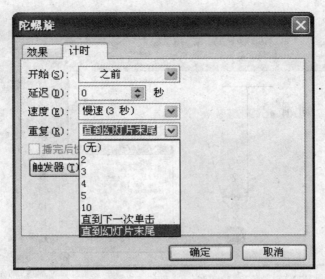

图 2-328

（3）配上附件设置动画。利用"自选图形"中的"基本形状"，画出一个立方体图片，与线条组合到一起，得到组合图片，设置该图片的"动作路径"为"向上"。再画一条斜直线，设置该直线的斜"向下"的动作路径。这两个图片动作路径的设置，都选中"平稳开始"、"平稳结束"、"自动翻转"。在"计时"选项卡中，速度都选择"慢速（3 秒）"，重复都选择"直到幻灯片末尾"。再画两条辅助线，将这些图片放置在适当位置。如图 2-329 所示。

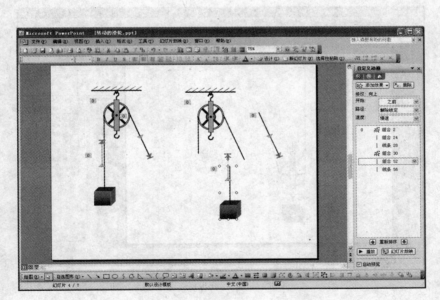

图 2-329

（4）动滑轮的制作。轮子转动效果的设置与前面相同，将前面的图片复制过来即可，画出一条倾斜直线，选中该直线，点击"添加效果"→"强调"→"放大/缩小"，在"放大/缩小"对话框中，选中"平稳开始"、"平稳结束"、"自动翻转"。"尺寸"选择"自定义 125％"和"垂直"。如图 2-330 所示。在"计时"选项卡中，速度选择"慢速（3 秒）"，重复选择"直到幻灯片末尾"。

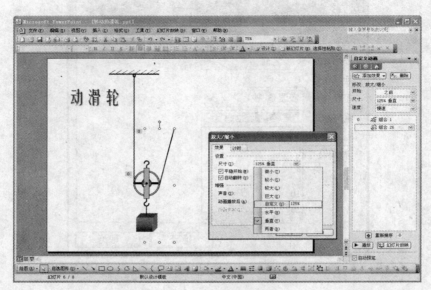

图 2 – 330

（5）设置图片的动作路径。选中下面要运动的所有图片，点击"添加效果"→"动作路径"→"向上"，如图 2 – 331 所示。也可以点击"添加效果"→"动作路径"→"绘制自定义路径"→"直线"，画出任意长度的动作路径。

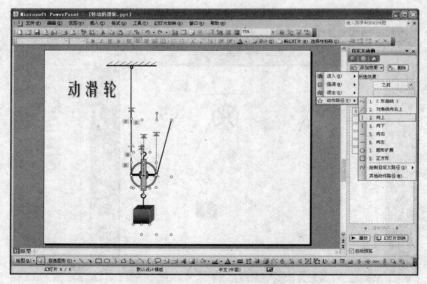

图 2 – 331

（6）设置动作路径的属性。可以一次性设置向上动作路径的属性。在"效果"选项卡中，"平稳开始"、"平稳结束"、"自动翻转"都选中。如图 2 – 332 所示。在"计时"选项卡中，速度都选择"慢速（3 秒）"，重复都选择"直到幻灯片末尾"。（参见光盘 2.40 滑轮的制作）

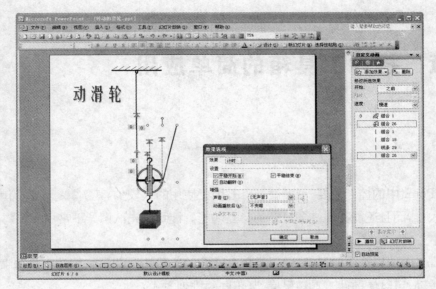

图 2-332

自主练习:

利用上述方法,制作一个有动滑轮和定滑轮的滑轮组,制作出的效果如图 2-333 所示。

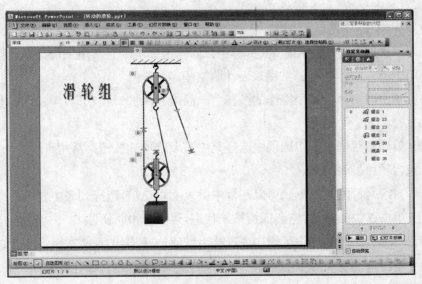

图 2-333

第3章　控件工具箱的简单应用

使用 PowerPoint 中的控件需要一些编程知识，因此使用的人较少，其实掌握一些简单常用的控件使用方法，并不是太难，而且还能实现许多复杂的交互功能。让我们先认识一下常用控件。

1. 显示控件工具箱

在 PowerPoint 中选择菜单"视图"→"工具栏"→"控件工具箱"，即可将控件工具箱调出。如图 3-1 所示（通过鼠标拉动，可以使控件工具箱呈横、竖不同的排列方式）。

图 3-1

2. 常用按钮的介绍

（1）复选框：用于选择或者清除相应的选项，可以同时选择多个。常用来设计多选题。

（2）文本框：用于键入文本的框。常用来设计填空题。

（3）命令按钮：单击时可执行某个操作的按钮。一般给它添加一些代码，单击时执行代码，完成指定的命令。

（4）选项按钮（单选）：用来从一组选项中选择其中某个选项的按钮。常用来设计单选题或判断题。

（5）列表框：包含项目列表的框。

（6）组合框：具有组合框的文本框。可以在框中键入文本，或者选择列表中显示的选项。

（7）切换按钮：单击这类按钮时，它会保持按下状态，再次单击时还原。

（8）数值调节钮：单击相应的箭头可增加或者减少数值，一般附加到文本框，让它改变文本框的值。

（9）滚动条：当单击滚动箭头或者拖动滚动框时，可以滚动数值列表的控件。

（10）标签：用于显示文本，不同于普通文本框，它是可以动态变化的。

（11）图象：嵌入图片或图形的控件，可以动态的改变它的图片对象。

3. 插入控件的方法

单击控件工具箱上的工具按钮就会出现一个"十"字光标，然后在幻灯片中拖动到适当大小放手即可。

4. 打开属性框

选中相应的控件，单击控件工具箱中的"属性"按钮，或者直接在控件上右击，在弹出菜单中选择"属性"，即可在"属性"框中对控件的相关属性进行设置。在"属性"框中对控件的属性进行设置这是使用控件的基本操作。

5. 进入编程（VBA）

选中相应的控件，单击控件工具箱中的"查看代码"按钮；或者直接在控件上右击，在弹出菜单中选择

"查看代码"；或者直接在控件上双击，都可打开"代码"窗口，对选中的控件添加代码。

在打开代码窗口时，会看到这样两行代码：

Private Sub CommandButton1_Click()

{这里可以输写代码}

End Sub

如图 3-2 所示。这是 VB 程序设置好的程序段开始和结束的标志，我们只需在这两行代码中间填写事件行为就可以了，其中 CommandButton1 是按钮的名称，1 表示第一个按钮，再添加按钮时，它的名称将是 CommandButton2、CommandButton3……如果对编程不是很熟悉，一般不要修改它，以免出错，Click()是单击事件。

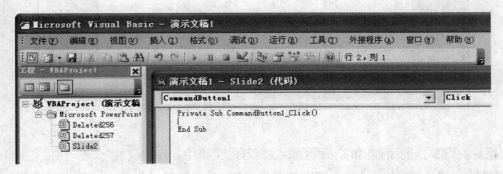

图 3-2

3.1 插入 Flash 动画

在播放 PowerPoint 的过程中，常常需要插播 Flash 动画，在 PowerPoint 中插入 Flash 动画的方法如下。

（1）在操作界面中点击"视图"→"工具栏"→"控件工具箱"命令，打开"控件工具箱"面版窗口。用鼠标单击该窗口中的"其他控件"按钮，选择其中的"Shockwave Flash Object"命令，如图 3-3 所示。随后光标的形状就变成了"十"字形，再将光标指针移动到幻灯片上画出一个大小合适的矩形区域，以便在其中播放 Flash 动画。如图 3-4 所示。

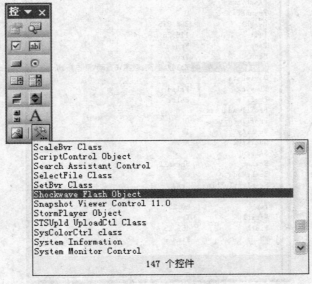

图 3-3

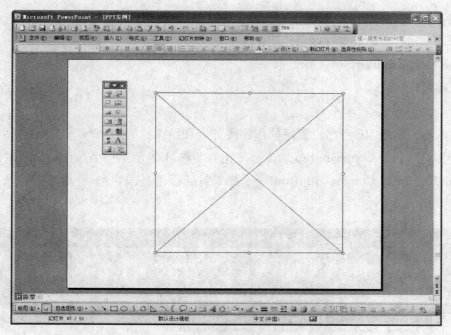

图 3－4

（2）用鼠标右键单击前面画出的矩形区域，在打开的菜单中，点击"属性"命令，然后在弹出的"属性"窗口中，找到"Movie"并直接输入 Flash 文件的路径，（Flash 文件最好与 PowerPoint 文件在同一个文件夹中），输入时要注意 Flash 文件的后面要加上扩展名. swf，如图 3－5 所示。

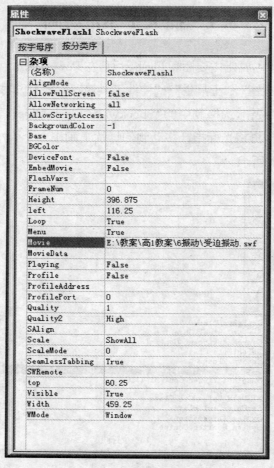

图 3－5

（3）显示文件的扩展名。由于插入 Flash 文件时后面要加上扩展名. swf。若不记得扩展名，文件中又没有显示，可以通过设置让每个文件显示出它的扩展名。点击工具栏上面的"工具"，再点击"文件夹选项"，如图 3－6 所示。在得到的"文件夹选项"对话框的"查看"选项卡中，去掉"隐藏已知文件类型的扩展名"前面的"√"。如图 3－7 所示。点击"确定"后，所有文件都显示出了文件的扩展名。

图 3－6

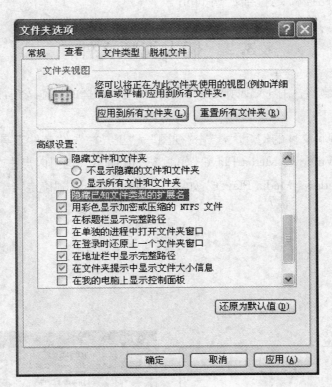

图 3－7

（4）如果输入路径不方便，可以采用复制的方法。右击 Flash 文件，选中"打开方式"，点击"Internet Explorer"，打开网页浏览器，如图 3－8 所示。选中地址栏中的文件路径，"复制"后"粘贴"即可。如图 3－9所示。

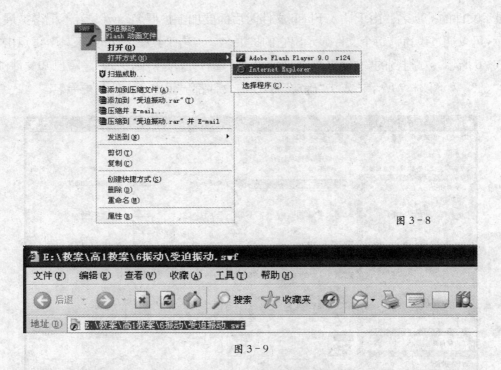

图 3-8

图 3-9

注意：放映时，可右击鼠标后进行有关设置。以后在其他幻灯片中需要插入 Flash 文件时，只须复制一下该幻灯片，把文件的路径和文件名改一下即可。

3.2 插入视频文件

利用控件工具箱在幻灯片中插入视频文件时，有多种可供选择的操作按钮，播放进程可以自己控制，方便、灵活。设置方法如下：

（1）打开需要插入视频文件的幻灯片，点击"视图"→"工具栏"→"控件工具箱"，在控件工具箱中选择"其他控件"，再选择"Windows Media Player"如图 3-10 所示。也可以点击"插入"→"对象"，在插入对象对话框中，选择"Windows Media Player"，如图 3-11 所示。点击"确定"。

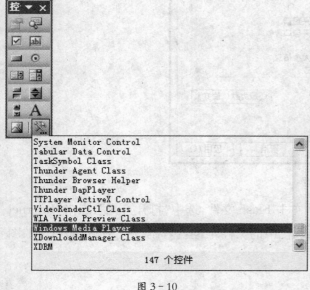

图 3-10

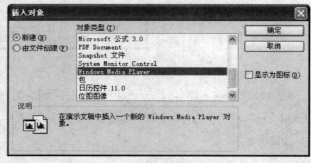

图 3-11

（2）在得到的黑色对象框中右击，点击"属性"，得到"属性"对话框，选中"按字母序"选项卡，再选中"自定义"，点击"自定义"后面有三个小黑点的按扭。如图3-12所示。

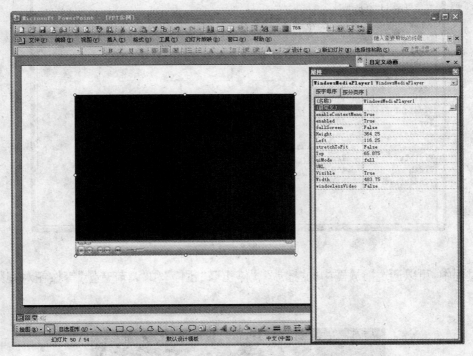

图3-12

（3）在打开的"Windows Media Player 属性"对话框的"常规"选项卡中，点击"浏览"，找到视频文件所在的位置，点击"打开"，即将视频文件的路径自动输入到了"常规"选项卡"源"下面的"文件名或 URL"中，点击"确定"即可。如图3-13所示。也可以在"属性"对话框的"按字母序"选项卡中，直接在"URL"中输入文件的地址。如图3-14所示。

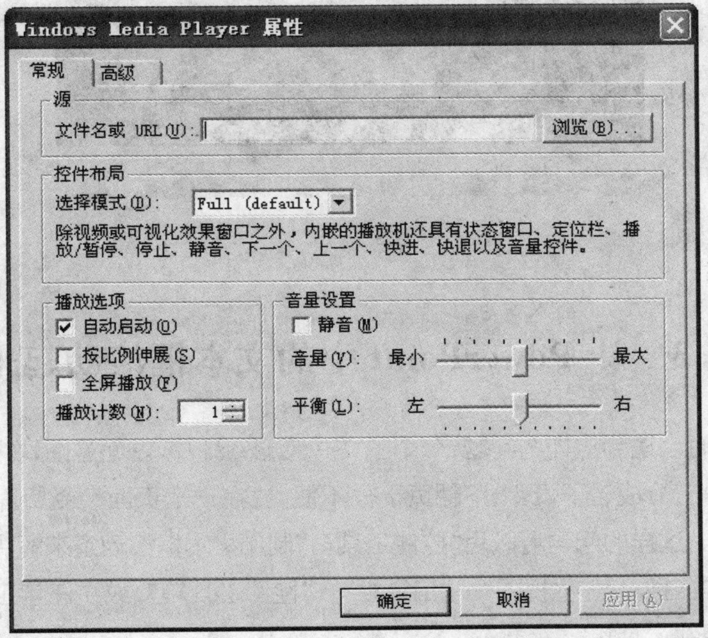

图3-13

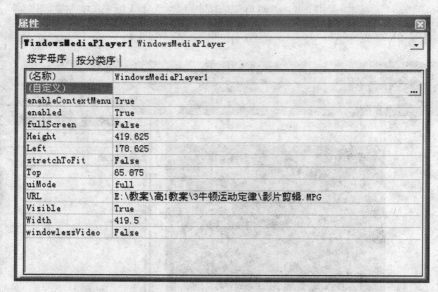

图 3-14

在播放过程中,可以通过播放器中的"播放"、"停止"、"暂停"和"调节音量"等按钮对视频进行控制。如图 3-15 所示。

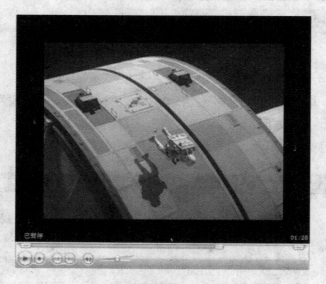

图 3-15

3.3　让 PowerPoint 中的文本框滚动起来

在制作课件时,有时会遇到这样的问题:一个图文并茂的幻灯片,左面是图,右面是说明文字,文字内容过多,不能全部展示;若分成若干页,上下翻页十分不便,放在一个页面又受版面的限制,容纳不下,文字调太小,又看不清楚。这样的问题可以用"控件工具箱"制作文本框滚动条来解决,操作方法如下:

(1) 打开"控件工具箱"。点击"视图"→"工具栏"→"控件工具箱",或在任意工具栏或菜单栏上点击鼠标右键,然后选择"控件工具箱"。

(2) 插入"文本框"控件。选择"控件工具箱"中"文本框"选项,在编辑区按住鼠标左键拖拉出一个文本框,调整位置及大小。如图 3-16 所示。

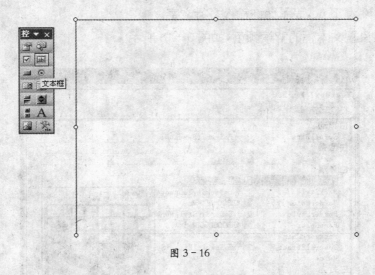

图 3-16

（3）设置"文本框"属性。在"文本框"上点击鼠标右键,选择"属性",则出现"文本框"属性窗口,如图 3-17 所示。

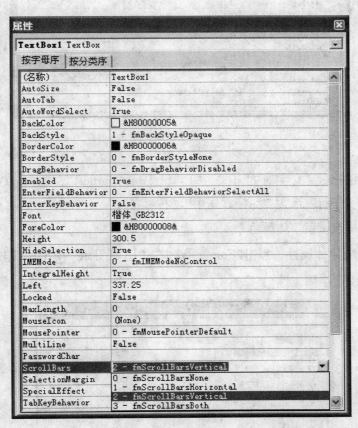

图 3-17

（4）在"属性"窗口中设置文本框的一些属性。其中:

1）"ScrollBars":利用滚动条显示多行文字,其中 1-fmScrollBarsHorzontal 为水平滚动条;2-fmScrollBarsVertical 为垂直滚动条;3-fmScrollBarsBoth 为水平滚动条与垂直滚动条均存在,一般选择"2-fmScrollBarsVertical"。

2）"EnterKeyBehavior"：设为 True，表示允许使用回车键换行。

3）"MultiLine"：设为 True，表示允许输入多行文字。

4）"BackColor"：设置文本框的背景颜色，如图 3－18 所示。

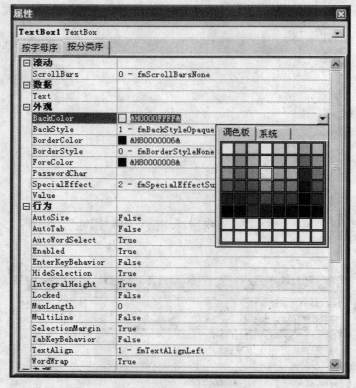

图 3－18

5）"TextAlign"：用来设置文字对齐方式。"1－fmTextAlignleft"、"2－fmTextAlignCenter"、"3－fmTextAlignRight"三项分别表示"左对齐"、"居中"、"右对齐"。

6）"ForceColor"：用来设置字体颜色。

7）"Font"：用来设置字体属性。点击"Font"后，在右边出现图标" ... "，点击后出现如图 3－19 所示的字体属性对话框，设置字体属性。

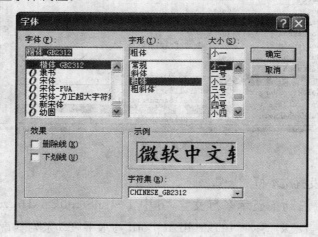

图 3－19

（5）输入文本框内容。右击"文本框"，选择"文字框对象"→"编辑"，即可进行文字内容的输入，或利用"复制"→"粘贴"把其他文档中的文字复制到文本框中。文本编辑完之后，在文本框外任意处单击左键退出编辑状态。结果如图3-20所示。

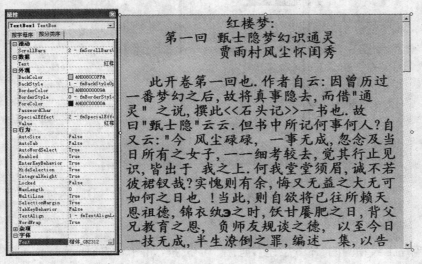

图3-20

3.4　单项选择题的制作

利用控件工具箱可以制作选择题。

（1）调出控件工具箱，点击"选项按钮"。用鼠标拉出一个选项按钮。如图3-21所示。

（2）右击"OptionButton1"，调出"属性"对话框，在"caption"中，修改文字，改为答案的内容，如改为"A 增大"；在"ForceColor"中，设置字体颜色；在"Font"中，设置字体的属性。得到如图3-22所示。

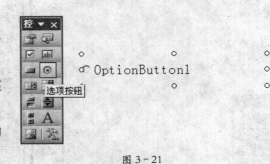

图3-21

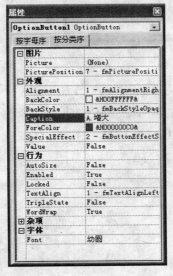

图3-22

（3）将"A. 增大"复制三个，并改变三个不同选项的文字。如图 3 - 23 所示。

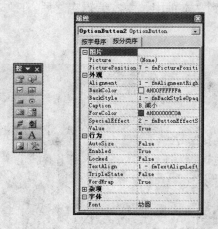

A. 增大　　B. 减小　　C. 不变　　D. 不确定

图 3 - 23

（4）再点击控件工具箱中的"命令按钮"，画出一个按钮，如图 3 - 24 所示。

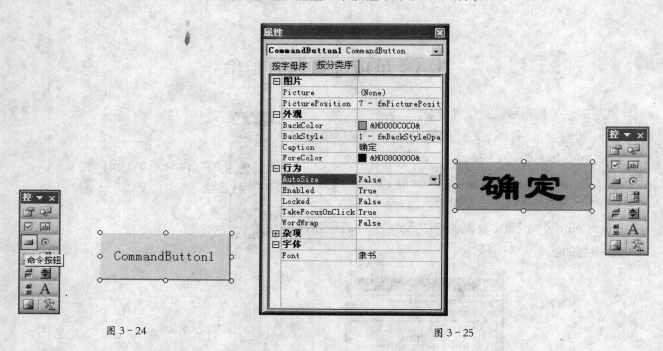

图 3 - 24　　　　　　　　　　　　　　　　　　　　　　　　图 3 - 25

（5）在属性中，"字体"下面的"Font"可以改变文字的字体、字号；在"外观"下面的"BackColor"中可以设置底纹的颜色，外观下面的"ForceColor"，可以改变字体的颜色，如图 3 - 25 所示。

（6）双击"确定"按钮，在"Microsoft Visual Basic（VBA）"窗口中修改代码：在 Private Sub CommandButton1_Click( ) … End Sub 中间粘贴如下代码：

If OptionButton2. Value = True Then

Msgbox "恭喜你，答对了!"

Else

Msgbox "对不起，答错了"

End If

"OptionButton2"中的"2"表示第二个选项是正确,可以修改。如图3-26所示。

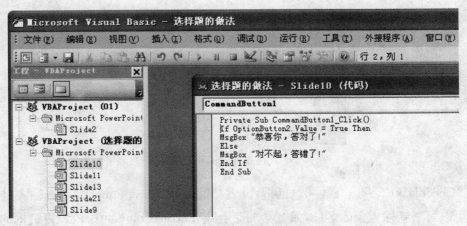

图3-26

(7) 再用文本框加入文字内容,如图3-27所示。在其他幻灯片页面中制作选择题时,复制一下,然后更改有关内容即可。

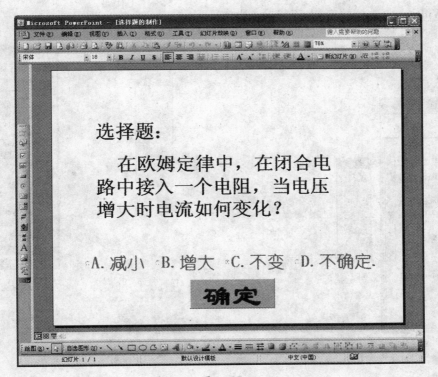

图3-27

3.5 多项选择题的制作

利用控件工具箱中的控件不仅可以制作单项选择题,还可以制作多项选择题。例题要求如下:四个选项中,1和3选项正确。选择了1和3选项后,点击"确定",出现"恭喜你答对了";若只选择1或者3,点击"确定",出现"对不起,没有选全";若全选或者选择"1、2、3"、"1、3、4"、"2、3、4"等均为错误;若重新选择,点击"重选",则重新开始。制作方法如下:

（1）调出控件工具箱，点击"复选框"。用鼠标拉出一个选项按钮。如图 3 - 28 所示。

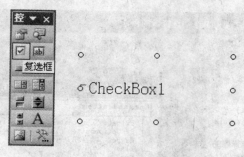

图 3 - 28

（2）右击"CheckBox1"，调出"属性"对话框，设置属性。在"Caraption"中，可以输入控件的名称，把默认值删除，可以再重新输入新的名称，如"A. 加速上升"；"BackColor"可以设置复选框的背景颜色，单击该属性框出现下拉按钮，选择"调色板"选项卡后选择颜色；在"ForceColor"中，设置字体颜色；在"Font"中，设置字体的属性。设置后的结果如图 3 - 29 所示。其他选项："AutoSize"：有两个值，"True"表示根据字的多少调整复选框的大小，"False"表示复选框为固定大小；"Height"：复选框的高度，直接输入数字即可；"Width"：复选框的宽度，直接输入数字即可。

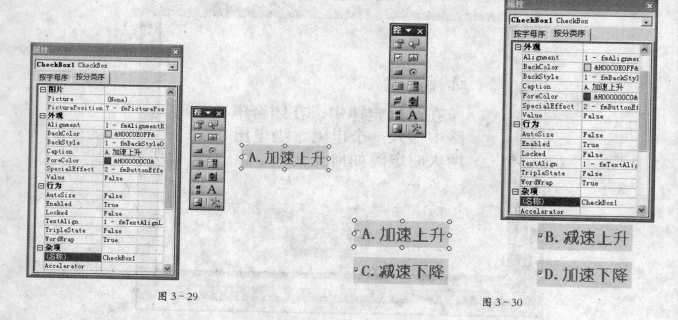

图 3 - 29

图 3 - 30

（3）将"A. 加速上升"复制三个，并改成不同的文字，放置在适当的位置。如图 3 - 30 所示。

（4）再点击控件工具箱的"命令按钮"。用鼠标拉出一个命令按钮框。如图 3 - 31 所示。

（5）右击"命令按钮"文本框"CommandButton1"，选择"属性"，在"属性"对话框中，设置文本框的填充颜色、字体颜色和字体的字号等内容。在"Caption"中，改变命令按钮的文字为"确定"，如图 3 - 32 所示。

（6）再双击"确定"按钮，在"Microsoft Visual Basic（VBA）"窗口中修改代码：在 Private Sub CommandButton1_Click() ... End Sub 中间粘贴如下代码（可以将光盘中的有关代码复制过来）：

If CheckBox1. Value = True And CheckBox2. Value = False And CheckBox3. Value = True And

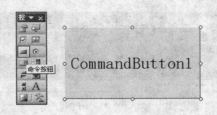

┌A.加速上升   ┌B.减速上升

┌C.减速下降   ┌D.加速下降

图 3 - 31

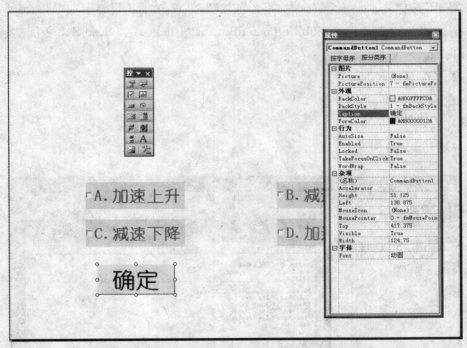

图 3 - 32

CheckBox4. Value ＝ False Then

  MsgBox("恭喜你答对了!")

  ElseIf CheckBox1. Value ＝ True And CheckBox3. Value ＝ False And CheckBox2. Value ＝ False And CheckBox4. Value ＝ False Then

  MsgBox("对不起,没有选全!")

  ElseIf CheckBox1. Value ＝ False And CheckBox3. Value ＝ True And CheckBox2. Value ＝ False And CheckBox4. Value ＝ False Then

  MsgBox("对不起,没有选全!")

  Else

  MsgBox("对不起,答错了!")

  End If

如图 3 - 33 所示。

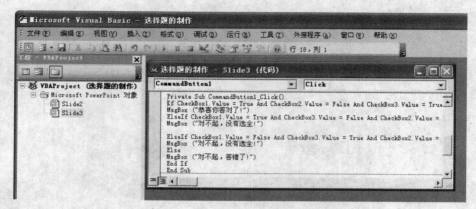

图 3 - 33

（7）再将"确定"按钮复制出一个，修改文字为"重选"，再双击"重选"按钮，在"Microsoft Visual Basic（VBA）"窗口中修改代码：在 Private Sub CommandButton2_Click() ... End Sub 中间粘贴如下代码：

CheckBox1. Value = False

CheckBox2. Value = False

CheckBox3. Value = False

CheckBox4. Value = False

如图 3 - 34 所示。

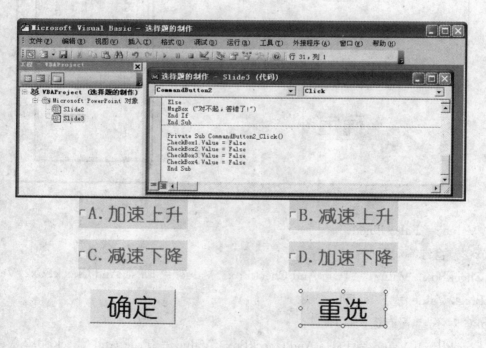

图 3 - 34

（8）再用文本框加入文字内容，如图 3 - 35 所示。

（9）放映时，点击 A 和 C 两个选项时，出现正确答案"恭喜你答对了"，如图 3 - 36 所示。如果选择 A 或者 C，则得到"对不起，没有选全"的标签，如图 3 - 37 所示。除此以外，都得到"对不起，答错了！"的标签。如图 3 - 38 所示。

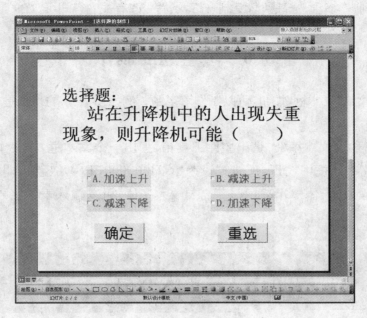

图 3-35

图 3-36

图 3-37

图 3-38

在应用控件工具时,由于使用了 VBA 程序,而 PowerPoint 默认情况下是禁用"宏"的,所以如果播放的时候没有出现设置的效果,请将"宏"的级别设置为"低"。方法是:点击"工具"→"宏"→"安全性",在"安全性"对话框的"安全级"选项卡中,安全级别选择"低",如图 3-39 所示。在打开该文档时,出现"安全警告"的命令框,点击"启用宏"即可,如图 3-40 所示。

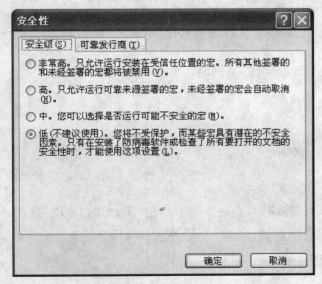

图 3-39

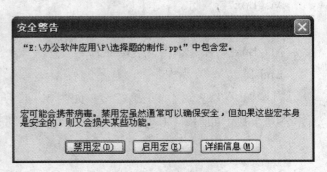

图 3-40

（10）在其他页面制作多项选择题时，复制一下，然后更改有关内容即可。

3.6　填空题的制作

利用控件工具箱中的"文本框"按钮，可以制作填空题。例如：5 和 8 的乘积是＿＿＿＿。操作方法如下：

（1）在下划线处插入"文本框"。调出控件工具箱，画出一个文本框，在文本框上右击，调出"属性"对话框，在"属性"对话框中，"ForeColor"设为"＆H000000FF＆（红色），即答案中的字体颜色，"Font"的字体设置；设为"楷体－GB2312"；若需要较大字体，可以输入表示字号的任意数值。如图 3－41 所示。

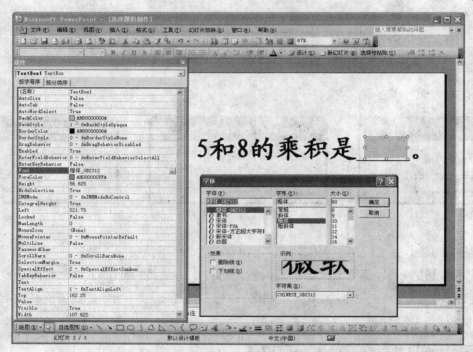

图 3－41

（2）插入一个"命令按钮"，在"属性"对话框中，将"caption"改为"确定"，双击后，输入以下代码：

If TextBox1. Text ＝ 40 Then

MsgBox"恭喜你，答对了!"

Else

MsgBox"对不起，答案错误"

End If

其中"40"就是本题的正确答案。如图 3－42 所示。放映时，当输入"40"点击"确定"时，出现"恭喜你，答对了!"。如图 3－43 所示。输入其他数字，则出现"对不起，答案错误"。

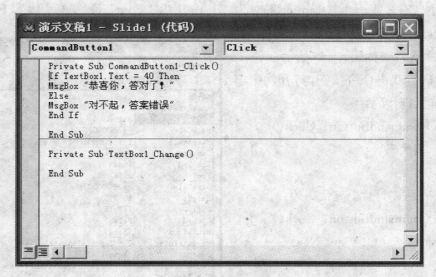

图 3-42

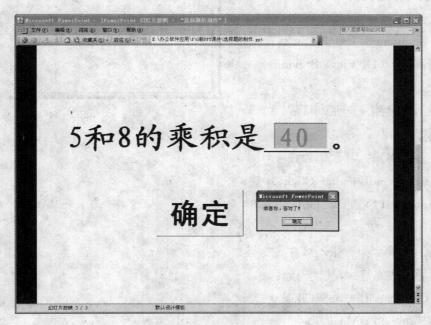

图 3-43

3.7　利用控件实现幻灯片间的切换

当幻灯片中插入的视频文件、Flash 动画以及其他控件对象属于高一级别的插件在幻灯片播放时,这些高级别对象会在上层遮盖住低级别的对象,使这些低级别的超级链接对象无法实现他们的作用。如果将视频文件或 Flash 动画文件的窗口放至满屏,那么就无法通过鼠标或键盘进行翻页。这时我们就需要通过添加控件来实现幻灯片间的切换。

具体操作方法如下:

(1) 先将视频文件或 Flash 动画文件插入到 PowerPoint 幻灯片中,调整好窗口大小,然后打开控件工具箱面板,选择"命令按钮",在幻灯片页面上添加一个命令按钮,右键单击按钮,打开属性面板,根据自己的需要设置按钮属性，如："Caption"改为"下一页"，"Font"设为"黑体"，ForeColor 设为"&H000000FF&（红色）"，还可以为 Picture 属性选择一个你喜欢的图片。如图 3-44 所示。

（2）编写代码。双击命令按钮，打开代码窗口，可以看到这样两行代码：

Private Sub CommandButton1_Click()

〔这里可以输写代码〕

End Sub

1）切换到下一张幻灯片。其代码为：

Private Sub CommandButton1_Click()

SlideShowWindows(1). View. Next

End Sub

点击命令按钮，切换到下一张幻灯片。

2）切换到上一张幻灯片。其代码为：

Private Sub CommandButton2_Click()

SlideShowWindows(1). View. Previous

End Sub

点击命令按钮，切换到上一张幻灯片。

3）切换到指定幻灯片。

如切换到第五张幻灯片，其代码为：

Private Sub CommandButton3_Click()

SlideShowWindows(1). View. GotoSlide 5

End Sub

点击命令按钮，切换到第五张幻灯片

4）切换到最后一张幻灯片，其代码为：

Private Sub CommandButton5_Click()

SlideShowWindows(1). View. Last

End Sub

点击命令按钮，切换到最后一张幻灯片

5）切换到第一张幻灯片，其代码为：

Private Sub CommandButton6_Click()

SlideShowWindows(1). View. First

End Sub

点击命令按钮，切换到第一张幻灯片

6）结束幻灯片放映。其代码为：

Private Sub CommandButton7_Click()

SlideShowWindows(1). View. Exit

End Sub

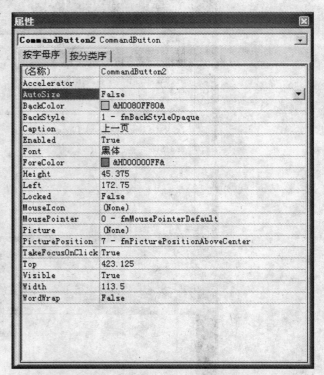

图 3-44

点击命令按钮,结束放映。

在一张幻灯片上若六个按钮全部使用,设置好后的代码如图 3 - 45 所示。图 3 - 46 显示了在放映文件时六个按钮全部在最上层,可以方便地进行切换。

图 3 - 45

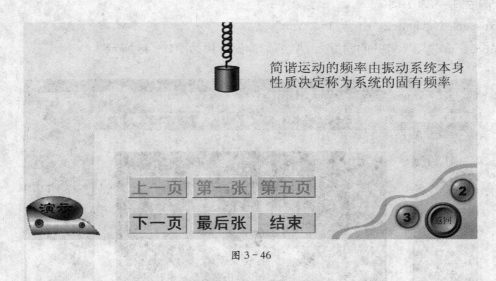

图 3 - 46

3.8　在幻灯片中嵌入网页

利用控件工具箱,可以在幻灯片中嵌入网页。即在放映幻灯片时,点击"打开网页",则打开已设置好的网页。操作方法如下:

(1) 调出"控件工具箱",点击"其他控件"按钮,在其下拉列表中选择"Microsoft Web 浏览器"控件,然后在文档中画出放映网页的范围,调整其大小和位置。如图 3 - 47 所示。

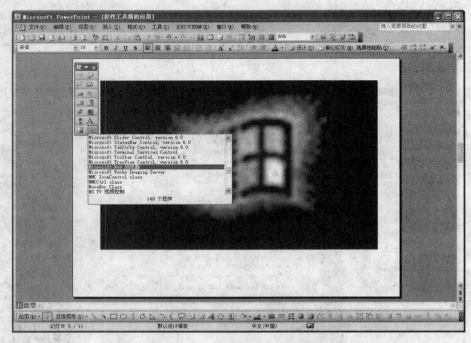

图 3 - 47

（2）在"控件工具箱"中，点击"命令按钮"，插入一个命令按钮，在属性对话框中，将"caption"改为"打开网页"，双击后，输入以下代码

WebBrowser1. Navigate2 "www. 163. com"

www. 163. com 表示要打开的网页。设置好后的幻灯片如图 3 - 48 所示。

图 3 - 48

（3）放映时点击"打开网页"按钮，则出现网易的首页。如图 3 - 49 所示。

图 3-49

3.9　制作三角函数图象

用"自选图形"工具可以很方便地画出"三角函数图线",那些图线只是定性的,没有函数关系,它不能按我们上课的实际需要精确演示函数图象。在实际教学中,我们经常要根据不同的 A、ω、φ 值画出准确的 $y = A\sin(\omega x + \varphi)$ 图象。在 PowerPoint 中,利用 VBA,可以画出三个变量任意变化的三角函数图线。

（1）打开控件工具箱工具栏。点击工具栏中的"文本框"工具,在编辑窗口中拖放三个文本输入框。利用这三个文本框,在幻灯片放映时,分别输入 A、ω、φ 的值,并利用这三个值画出函数 $y = A\sin(\omega x + \varphi)$ 的图象。

（2）点击控件工具箱中的"命令按钮"工具,在编辑窗口中拖放出一个按钮。选中该按钮,点击右键,在弹出的快捷菜单中选择"属性"命令,打开"属性"对话框。如图 3-50 所示。将"Caption"右侧的内容改为"画图象",并将"AutoSize"右侧的"False"改为"True",并设置文字的"字号"、"字体"及"颜色"等项。其他的可以采用默认形式。点击"确定"。

（3）编写代码。双击命令按钮,打开代码窗口,可以看到这样两行代码:

```
Private Sub CommandButton1_Click()
〔这里可以输写代码〕
End Sub
```

输入的代码为:

```
A = Val(TextBox1.Text) * 20
B = Val(TextBox2.Text)
C = Val(TextBox3.Text) * 3.14 * 20 / 180
SlideShowWindows(1).View.DrawLine 70,200,600,200
```

图 3－50

SlideShowWindows(1). View. DrawLine 100,60,100,400

Do While Count ＜ 450

x1 ＝ Count ＋ 100

y1 ＝ －A ＊ Sin((B ＊ Count ＋ C) / 20) ＋ 200

Count ＝ Count ＋ 1

x2 ＝ Count ＋ 100

y2 ＝ －A ＊ Sin((B ＊ Count ＋ C) / 20) ＋ 200

SlideShowWindows(1). View. DrawLine x1，y1，x1，y2

Loop

输入代码后的显示框如图 3－51 所示。

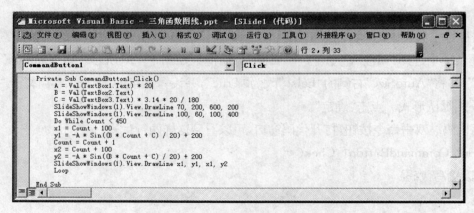

图 3－51

（4）在放映时，输入不同的数值，可以得到不同的三角函数图线，如图 3－52 所示。

（5）要把图线去掉，再加一个命令按钮，文字改为"清除图"，设置该命令按钮的填充色、字体、字号等内容。并输入如下代码：

SlideShowWindows(1). View. EraseDrawing

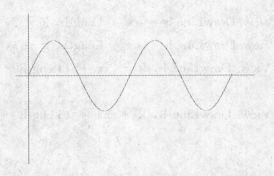

$$Y = \boxed{4}\ \sin(\boxed{0.56}\ x + \boxed{0}\ )\qquad \boxed{\text{画图象}}$$

图 3-52

放映时,画出图线后,点击"清除图",所有图线被清除。放映效果如图 3-53 所示。

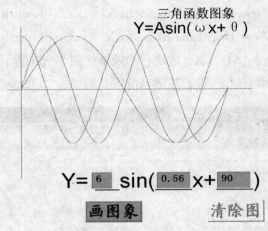

三角函数图象
$$Y = A\sin(\omega x + 0)$$

$$Y = \boxed{6}\ \sin(\boxed{0.56}\ x + \boxed{90}\ )$$

$$\boxed{\text{画图象}}\qquad\qquad \boxed{\text{清除图}}$$

图 3-53

(6) 如果想要图线的坐标,可以再画出第三个按钮,输入如下代码:

h = 100

k = 200

Length = 15.7

Number = 500

Dim xx

xx = 1

Do While xx < Number

If xx Mod 4 = 0 Then

SlideShowWindows(1). View. DrawLine h + xx * Length, k - 7, h + xx * Length, k

SlideShowWindows(1). View. DrawLine h - xx * Length, k - 7, h - xx * Length, k

SlideShowWindows(1). View. DrawLine h, k - xx * (Length + 4. 3), h + 7, k - xx * (Length + 4. 3)

SlideShowWindows(1). View. DrawLine h, k + xx * (Length + 4. 3), h + 7, k + xx * (Length + 4. 3)

Else

SlideShowWindows(1). View. DrawLine h + xx * Length, k − 3, h + xx * Length, k

SlideShowWindows(1). View. DrawLine h − xx * Length, k − 3, h − xx * Length, k

SlideShowWindows(1). View. DrawLine h, k − xx * (Length + 4.3), h + 3, k − xx * (Length + 4.3)

SlideShowWindows(1). View. DrawLine h, k + xx * (Length + 4.3), h + 3, k + xx * (Length + 4.3)

End If

xx = xx + 1

Loop

SlideShowWindows(1). View. DrawLine h, k, h + xx * Length, k

SlideShowWindows(1). View. DrawLine h − xx * Length, k, h, k

SlideShowWindows(1). View. DrawLine h, k, h, k − xx * Length

SlideShowWindows(1). View. DrawLine h, k, h, k + xx * Length

输入代码后的显示框如图3-54所示。放映时的效果如图3-55所示。或者不设置坐标命令按钮，直接在文档中画出一个坐标，标上刻度，设置在适当位置。当点击"画图象"时，图线出现。

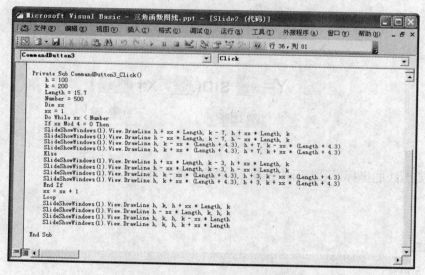

图 3-54

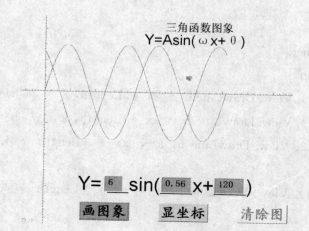

图 3-55

第4章　幻灯片的设计艺术

PowerPoint 的设计和制作效果将会直接影响到讲演者的演讲效果和教学效果,怎样才能够设计制作出具有较高质量的 PowerPoint 演示文稿呢? PowerPoint 的英文原意是"重点"、"要点"的意思,就是利用计算机和投影仪将你的发言重点、以及相关的辅助资料呈现在屏幕上,让听众能够看到你的发言要点。PowerPoint 只是辅助你的讲话,而不是替代你的发言。所以,PowerPoint 的设计要简洁、突出重点、观众能够清楚阅览。

在设计和制作时应关注以下几个方面:

4.1　整 体 设 计

在教学活动中,PowerPoint 是讲演者和听众之间传递思想和信息交流的媒体工具。它的主要功能是作为一种可视化的辅助工具,以支持讲演者的讲授;同时它还可以作为独立存在的媒体或读物,传递讲演者的思想或教学信息,供学习者阅读学习。

教学效果的关键,是决定于讲演者而不是教学用工具,在课堂中利用 PowerPoint 的演示文稿,目的是用来帮助和促进提高教学效果的。教师在进行教学设计时,首先要关注自己的学生,要根据教学内容的需要,根据学生的实际情况,灵活地设计和使用 PowerPoint,以此达到促进和提高教学效果的目的。

常见的误区是,许多讲演者常常把 PowerPoint 的演示文档,当作 word 来撰写内容,把要说的话全写在 PowerPoint 的演示文稿中,讲演者在 PowerPoint 文档上面写满了密密麻麻的文字,或者字体的颜色与背景的颜色混为一体,或者塞满了各种图表与曲线,听众看起来十分费力;有时候讲演者看着屏幕读 PowerPoint 讲稿,讲课变成了照本宣科,让人昏昏欲睡……。如图 4-1 所示,让 PowerPoint 演示文档充当了 word 角色。

图 4-1　　　　　　　　　　　　　　　　　图 4-2

上图的文档没有充分发挥 PowerPoint 在报告和讲授过程中的视觉辅助作用。这样常会使得听众努力去阅读屏幕上 PowerPoint 中的文字，从而干扰和分散了听众对讲演者本人发言的注意。如果将需要表述的内容进行整理，提炼加工，找出关键的词句和重点说明文字，将上面的内容制作成 PowerPoint 演示文档，成为如图 4-2 所示的文档就会增强演讲的效果。

另一种常见的情况是，使用的模板比较单一，只会使用 PowerPoint 中自带的几个常见模板，没有太多的新意。如图 4-3 所示。如果把原来的模板修改一下，如图 4-4 所示，或者自己设计一个简单的模板，如图 4-5 和图 4-6 所示，就会使文档更有新意。

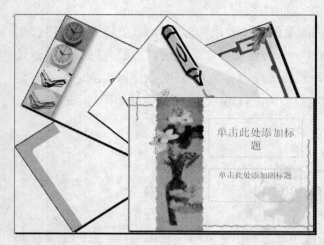

图 4-3

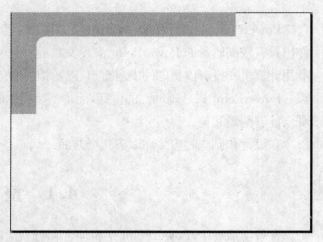

图 4-4

图 4-5

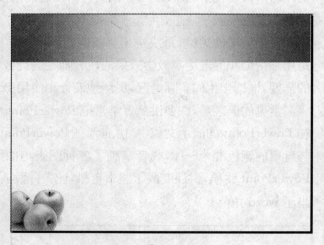

图 4-6

幻灯片的整体设计原则：讲演者要整体设计一下自己的讲授内容，充分发挥 PowerPoint 在讲演过程中的辅助作用，切不要用 PowerPoint 替代发言的文字稿。

PowerPoint 的辅助作用主要体现在以下几点：

（1）辅助提示作用。让 PowerPoint 帮助讲演者组织演讲思路，引导讲授线索，突出讲解的重点，保障演讲过程有序的进行。如在幻灯片中列举出要讲的重点内容的要点。

（2）提供直观的视觉感受和体验。利用 PowerPoint 将真实世界的图象展示在听众面前，将抽象的概念和理念转化成可视化图象给听众。如教学中可以将物质的微观结构和宏观的天体现象以及美好的自然景观展示在学生面前，使得学生有直观的视觉感受和体验。

（3）丰富讲述的事实和讲述的内容。利用 PowerPoint 作为多媒体平台，组织丰富的视觉和听觉材料，讲述丰富动人的故事。如教学中通过一些图片和影视文件提供大量的事例资料。

（4）发挥分析论证作用。在学术性或专项论证会议的报告中，讲演者为了分析某事物或项目的运作系统，或内部关系，或发展趋势，利用 PowerPoint 提供分析的图表和充足的资料。

（5）激发听众的情绪和会场气氛。通过色彩、动画、音乐等元素的运用，使听众与讲演者之间产生情感互动，煽动听众情绪，制造课堂或会场的气氛。

对于模板的应用，一方面自己设计一些简单的模板，另一方面可以使用别人 PowerPoint 中的一些模板。模板的选用要有新意和创意。

4.2　简洁是一种美

除了对幻灯片文档进行整体设计以外，还要设计好每一张幻灯片。常见的误区是，幻灯片文档上文字过多，字号过小，内容重点不突出，文档条理不清晰。

幻灯片设计的基本原则是：

（1）每一张幻灯片突出一个主题内容。最好不要出现两个以上的主题内容，否则，听众就不容易记住你所讲的内容了。

（2）幻灯片中只列出演讲的要点。将发言要点提炼出关键词，不要把 PowerPoint 当成 Word 文件，幻灯片上只出现关键性的词语或短句，而不是你要说的每句话。如果把你要说的每句话都写上，那就不需要你讲了，因为听众扫视屏幕文字的速度比你大声照读文字的速度快得多。演讲就是让你"讲"，而不是照演示文稿宣读。

（3）幻灯片中应当尽量少用文字多用图。最好用图来说明你想要说明的问题。一般图片在脑子中留下的印象较文字深刻。能用图片就不用图表，能用图表就不用文字。如果有更多的文字内容需要说明，可以写在备注栏里面，或者另外使用 word 文稿提供辅助学习的讲义和阅读资料。

（4）充分用好备注栏。备注栏就是让演讲者在其中写上要说明的问题的。如果你希望为听众提供更多的文字资料，可以将有关的文字资料放在文档下面的备注栏中，一方面可以作为发言者讲话的提示，另一方面可以制作阅读材料提供给听众学习。带有备注的 PowerPoint 就像简易讲义一样非常有用。还可以打印出既带有幻灯片内容又有备注内容的 word 文档，便于演讲者使用（参见《1.7.16 将 PowerPoint 发送到 word 文档中》一节）。还可以在两个不同的显示器上显示不同的内容，即在笔记本电脑显示屏上显示有备注内容的文档，而在大屏幕上只显示幻灯片文档内容（参见《1.7.15 放映时屏幕和本机有不同的显示》一节）。

（5）幻灯片中的文字放置与四边要留有余地。图 4－7 中上下左右全写满了文字，如果要将文字全部显示出来，可以改为图 4－8 所示的文档，周围四边留出空白，效果会好些。如果提炼出要点，每个要点采用不同的颜色单独分开，效果会更好。如图 4－9 所示。

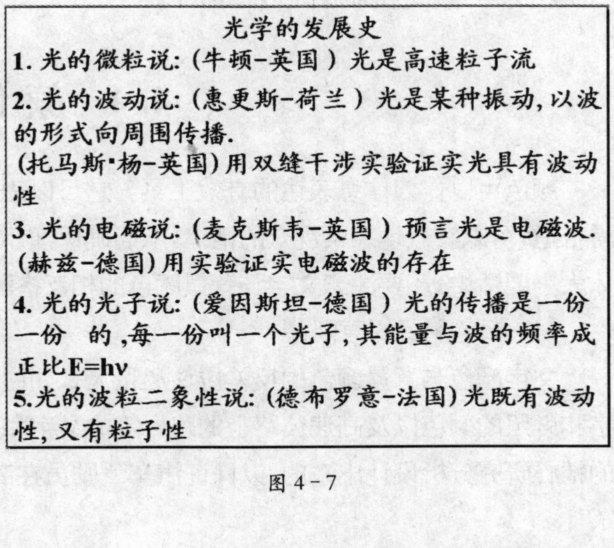

> **光学的发展史**
> 1. 光的微粒说:（牛顿-英国）光是高速粒子流
> 2. 光的波动说:（惠更斯-荷兰）光是某种振动,以波的形式向周围传播.
> （托马斯·杨-英国)用双缝干涉实验证实光具有波动性
> 3. 光的电磁说:（麦克斯韦-英国）预言光是电磁波.
> （赫兹-德国)用实验证实电磁波的存在
> 4. 光的光子说:（爱因斯坦-德国）光的传播是一份一份 的,每一份叫一个光子,其能量与波的频率成正比 E=hν
> 5.光的波粒二象性说:（德布罗意-法国)光既有波动性,又有粒子性

图 4－7

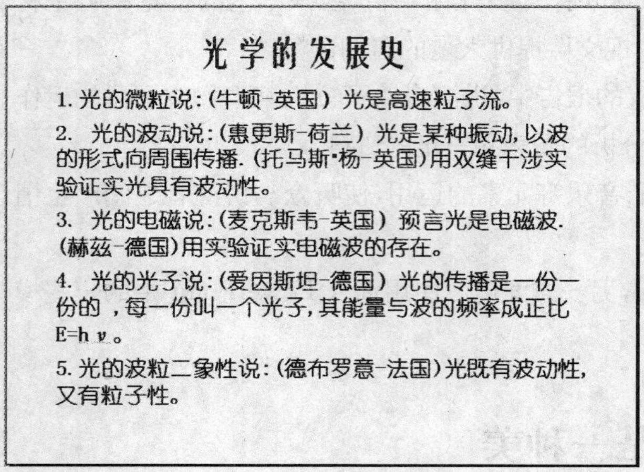

光学的发展史

1. 光的微粒说：(牛顿-英国) 光是高速粒子流。

2. 光的波动说：(惠更斯-荷兰) 光是某种振动，以波的形式向周围传播。(托马斯·杨-英国)用双缝干涉实验证实光具有波动性。

3. 光的电磁说：(麦克斯韦-英国) 预言光是电磁波. (赫兹-德国)用实验证实电磁波的存在。

4. 光的光子说：(爱因斯坦-德国) 光的传播是一份一份的，每一份叫一个光子，其能量与波的频率成正比 $E=h\nu$。

5. 光的波粒二象性说：(德布罗意-法国)光既有波动性，又有粒子性。

图 4-8

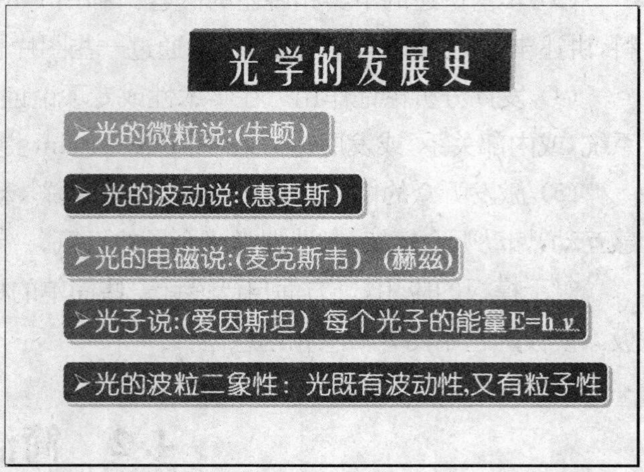

光学的发展史

➢光的微粒说:(牛顿)

➢光的波动说:(惠更斯)

➢光的电磁说:(麦克斯韦) (赫兹)

➢光子说:(爱因斯坦) 每个光子的能量E=h.ν

➢光的波粒二象性：光既有波动性，又有粒子性

图 4-9

4.3 字体大小的设置

不要仅仅根据自己的想法设计 PowerPoint，要知道 PowerPoint 是给听众看的，你的 PowerPoint 永远是为听众服务的，所以在设计的时候，一定要考虑字体的大小、色彩的搭配，不要以自我为中心，要从听众的角度去思考如何设计 PowerPoint。如果字体设置过小，或者文字与背景颜色反差太小，当将 PowerPoint 内容投影到屏幕上时，坐在后面的听众可能感觉是一头雾水。

设计的基本原则：

（1）幻灯片上面的字体要尽量大。保证坐在最后一排的听众都能够看清楚屏幕上面最小的字体；一般应不小于 30 磅，若文字较多，最小也不能小于 24 磅。

（2）幻灯片上面的文字行数要尽量少。作为报告的演示文档，遵循四个六原则：一般每页不超过六行；每行不超过六个字；六步远应该看到屏幕上面的字；听众六秒钟要理解 PowerPoint 上的内容。课堂教学中作为例题的文字可以适当多一些，但是要保证到后排和左右两边的同学能够清晰的看到 PowerPoint 的内容。字体大小和文字的行数究竟多少合适，文字与背景的反差是否清晰，可以利用某次上课的机会，坐到最后一排看看，再到左右两边看看，还要考虑到少数听众的视力差异。这样，以后再设置文档的字号和色彩时就心中有数了。

4.4 颜色的搭配

颜色可以作为信息表达的有效工具。它可以表达信息并增强文稿的效果。颜色及其使用方式选择得合适，可以有效地感染观众的情绪，从而确保演示活动的成功。所以，在设置幻灯片文档时，不仅仅字体大小要适中，还要注意文字与背景颜色的相互搭配。否则即使文字很大，也不一定看得清楚。

（1）颜色配置的原则：

文字颜色与背景颜色的反差应该尽量大。如白底黑字、蓝底白字。可以留意一下汽车牌照上面的文字和牌照的颜色以及高速公路上的路标等的文字和背景色是如何搭配的，它们都是经过对人们视觉效果的精心研究分析设计出来的，以保证汽车驾驶员在高速行驶的远处都能够看清楚标牌上面的文字说明。

交通标牌的文字颜色与背景颜色的搭配常有：

蓝底白字、黑底白字、白底黑字、白底红字、黄底黑字、绿底白字，等等。

（2）幻灯片在制作时常见的三种基本配色方案为：

1）白色背景：文字可以选择黑色、红色和蓝色。这是最常用也是最简单的配色方案。在浅色背景时要避免选择灰色和黄色等浅色字体。如图4-10所示。

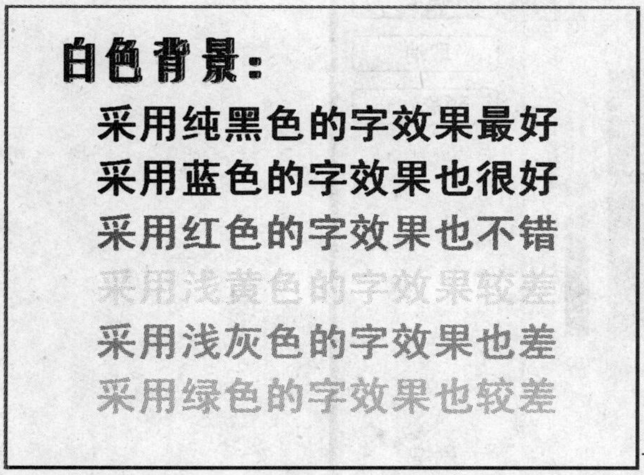

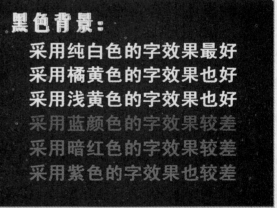

图4-10

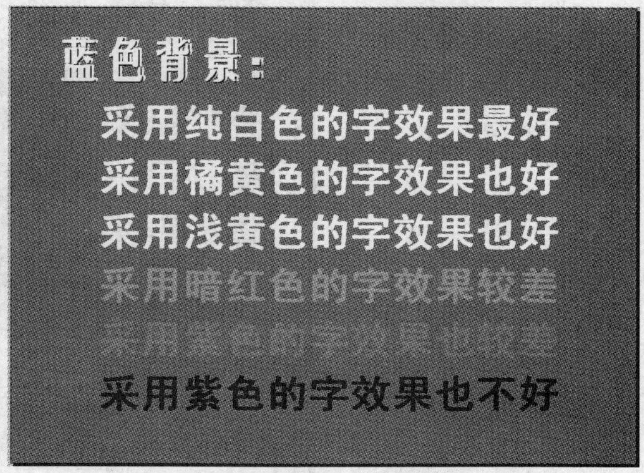

图4-11

2）蓝色背景：深蓝色更好一点，文字可配以白色或黄色（浅黄和橘黄）等浅色字，注意应避免选择暗红色、紫色和黑色等深色的字。如图4-11所示。

3）黑色背景：当以纯黑色作为背景时，可配以白色和黄色（橘黄比浅黄好）等浅色的字。若选择暗红色、紫色和蓝色等深颜色的字体，则背景和文字的反差较小，视觉效果较差。如图4-12所示。

（3）对于图片与文字的搭配，既要注意背景颜色与字体颜色的搭配，也要注意文字内容和背景内容的协调。如图4-13所示的文字与背景颜色和内容就没有如图4-14所示的搭配效果好。前者字体颜色与背景颜色反差较小，后者二者反差就较大，同时，后者文字内容与图片内容更加协调。

图4-12

图4-13

图4-14

（4）色彩搭配要注意的问题：

1）色彩的数量不是越多越好，一般控制在三种色彩以内，若有多个对象重叠，可以通过调整色彩的透明度和饱和度及亮度等属性来产生变化。如图4-15所示。

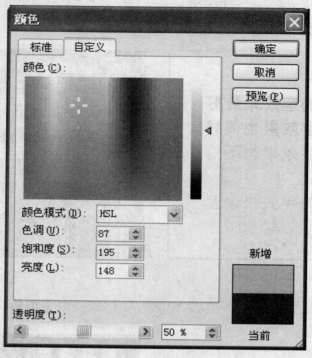

图 4-15

2）背景和文字的对比度应尽量大。背景色是浅色的，则应使用深色的文字，背景色是深色的，则应选择浅色的文字。背景色一般采用素雅的色彩，避免采用花纹繁杂的图片。

3）色彩的搭配要和谐、合理。色彩的配置与所表达的内容要和谐，色彩间的搭配要合理。

4.5　结构的一致性

学习与教学是一个由浅入深、前后衔接、循序渐进的过程，配合讲演的 PowerPoint 也应当是突出讲演主题、清晰表达讲演内容，辅助学习者认知，逻辑层次得当，要去掉无关的词语、画面和声音等材料，使听众更好的集中精力学习。

幻灯片上常见的误区：讲演者在 PowerPoint 上面堆积过多的内容元素（文字、图片、色彩、动画等等），干扰了听众对主题的注意和记忆；屏幕版式排列杂乱，前后幻灯片之间的内容联系缺乏逻辑顺序的关系，使听众丈二和尚摸不着头脑。

（1）设计原则：

1）整体设计 PowerPoint 的内容分布排列，报告与发言要有清晰、简明的逻辑主线，一般幻灯片的设计可以采用"递进"或"并列"两类逻辑关系来组织幻灯片的内容；

2）整套幻灯片的格式应该一致，包括颜色、字体、背景等。一般背景的设置可以只用一种模板。在设计幻灯片时要清晰地表达出讲话论点的层次性，通过 PowerPoint 每页的不同层次的"标题"，包括字体逐层变小、逐层缩进；同级的字体和大小、颜色要一致，让观众一目了然地了解整个 PowerPoint 的逻辑关系。一张幻灯片上一般最好不要超过三层的纵深。如图 4-16 所示。

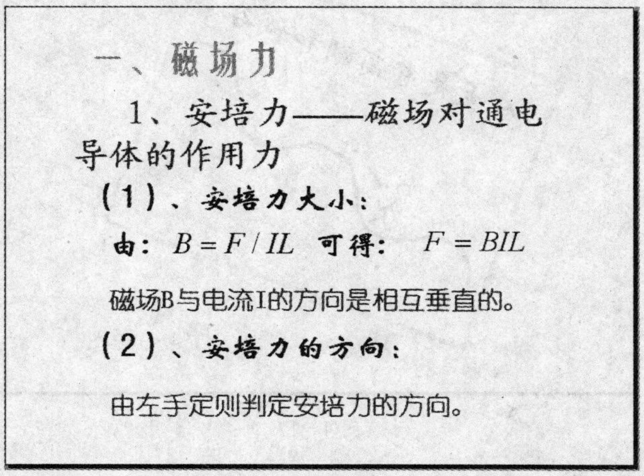

一、磁场力

1、安培力——磁场对通电导体的作用力

（1）、安培力大小：

由：$B = F/IL$ 可得：$F = BIL$

磁场B与电流I的方向是相互垂直的。

（2）、安培力的方向：

由左手定则判定安培力的方向。

图 4-16

3）在设计时，要注意设计好开头和结尾的幻灯片，因为人们对一场报告的开头和结尾记忆最深，开头要设计醒目的标题和署名，告诉观众你是谁，你准备谈什么内容；每个章节之间的过渡，可以插入章节标题幻灯片，给听众一个段落感；结束时最好有一张结论性的幻灯片，让听众回顾总结报告的主要精髓，也是你希望他们离开会场时能记住的信息，最后一张幻灯片要有讲演者或制作单位的署名和联系方法，给听众留下一个完整的印象。

4）设计幻灯片演示的顺序最好是顺序播放，切忌幻灯片来回倒腾，使讲演者自己和听众都容易陷入混乱，少用不必要的链接，必要时可以多复制几张幻灯片。

4.6 可视化思维与表达

与人们常常使用的文字和语言来表达思想不同，可视化是指将讲演者的思想主要通过可以看到的图片、图形的方式传播。由于 PowerPoint 主要用于教学和会议等场合，所以需要注意可视化思维与表达：

（1）首先是时间原因，在讲演过程中，PowerPoint 是由讲演者操控，配合讲演的进行而翻页，观众无法自己控制阅读 PowerPoint 的时间，所以，观众看 PowerPoint 时，不像阅览 word 可以自己细细品味和反复浏览与思考。人们看文字是线性阅读，并同时将抽象的文字符号在自己的头脑中转换为文字的意义去理解，这需要一定的时间；而人们看图象是瞬间完成并同时转换为图片的意义去理解，阅读和理解图象的速度比阅读和理解文字的速度快。同时，根据报告会和课堂教学的特点，不可能用过多时间让观众细细阅读屏幕上面的大量文字，只需要在第一瞬间给观众一个大致的印象即可。根据可视化图象传播的优点，要求讲演者把自己大段的文字或丰富的思想转换为可视化的图片进行表达，演讲的效果会更好。因此 PowerPoint 不需要像写 word 一样面面俱到。

（2）其次，可视化图象能够更好地传递复杂的信息，能够恰当地辅助讲演者的发言，不会重复讲演者的语言。一幅图胜过一千句话，如图 4-17 所示，比大段文字来论述人生的意义要强得多。因为图象所传递的信息量大于抽象的文字和语言符号。可视化图象与文字、语言、讲演者的体态表情等元素互相配合，共同传递复杂的思想和信息，效果会比仅仅使用文字更好。

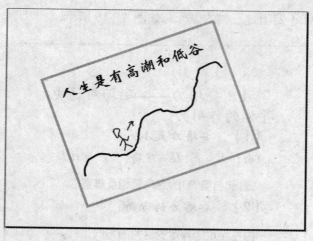

图 4-17

讲演者把 word 文件中大量文字和段落复制到 PowerPoint 中，在作报告时，讲演者的语速是远远落后于听众看完屏幕上面文字的速度的，或者观众在会场上根本无法细读 PowerPoint 上面的文字段落。

（3）幻灯片的设计原则：

1）整体设计 PowerPoint 时，充分考虑到整个讲演稿的可视化设计，从讲演主线→分层讲述→最后总结，恰当地设计和安排可视化思维和表达的结构；

2）将讲演的思想要点，采用可视化的图形表达，将主要的文字段落抽象归纳出关键词，使用关键词标注可视化图形；

3）利用 PowerPoint 的"自选图形"、"绘图"工具、"插入组织结构图"或 Windows 的"附件/画图"工具来设计可视化图形；

4）给 PowerPoint 加上可视化表达，还可以采用简笔画、概念图、插入示意图、照片等方法。在制作幻灯片时：能用图，不用表；能用表，不用字。

4.7 应用好图片

图片可以通过网络、摄影、利用自选图形绘制基本图形、绘制简笔画来获得。在制作幻灯片时，要充分利用图片的作用，增强可视化的思维表达效果。

（1）利用图片工具对图片进行简单处理，如图 4-18 和图 4-19 所示。

图 4-18

图 4-19

（2）根据内容的需要，对原有的图片进行裁剪，突出某一部分内容。如图4-20所示。

图4-20

图4-21

（3）对原有的图片加上边框，可以增强艺术效果。如图4-21所示。

4.8 运用动画和声音效果

为了使演讲的效果更加生动和形象，就要添加一些动画和声音。

（1）动画的添加。在课堂教学中，主要是文字、公式和图片，文字和公式的出现要类同黑板上的板书，即文字和公式的出现一般是从左到右，速度的控制也要以学生阅读的速度为标准。文字"进入"采用"出现"，在"出现"对话框的"效果"选项卡中，"动画文本"选择"按字母"，"字母之间延迟秒数"一般选择"0.2"或者"0.3"，如图4-22所示。在一个文本框内如果有多个段落，则应在"出现"对话框的"正文文本动画"选项卡中，"组合文本"选择"按第一级段落"，这样各段落点击时可以分别出现。如图4-23所示。

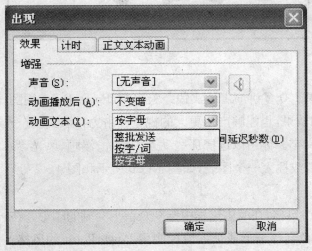

图4-22

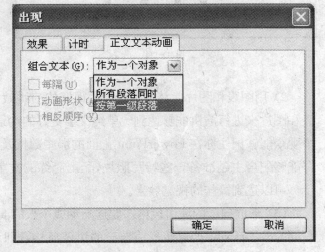

图4-23

（2）公式的出现采用"擦除"的方式从左到右。根据公式的长度，进入的速度可以选择"慢速"或者"非常慢"；图片的进入常可以采用"切入"或"渐变式缩放"等方式。

（3）课堂讲课和会议报告的动画一般不要太"花哨"，否则容易分散听众的注意力。

（4）除非是根据讲课或报告内容的需要，插入声音或其他影片资料，否则在设置动画时，不要加入诸如"爆炸"、"打字机"等声音，一般这些声音的添加常是刚学 PowerPoint 的人才会用的。

4.9　设计印象深刻的 PowerPoint

设计和制作水平都很差的 PowerPoint 演示文档，会干扰你的精彩报告，降低讲演者的讲授效果；反之，精彩的 PowerPoint 让观众难忘你的报告，甚至会不胫而走，被人们辗转拷贝传播流传，极大地拓展你的传播效果。

（1）常见误区：大多数人设计使用 PowerPoint，选用标准的模板，以文字表达为主，人们在各种场合看到的 PowerPoint 千人一面，没有特色，不能够给听众留下深刻的印象，教学效果平平。

（2）设计的原则：

1）文字的创意。用极其简单的方法呈现文字，每一页 PowerPoint 不超过 10 个文字，采用极大的字体凸显在屏幕中央，特大字突出报告关键词，有极强的视觉冲击力，让人难忘。如图 4-24 和图 4-25 所示。

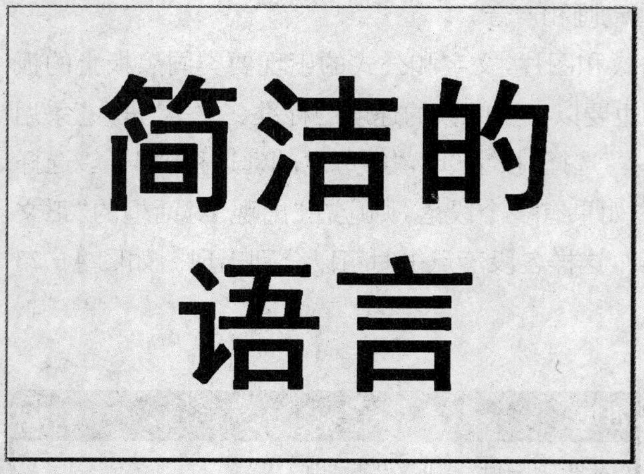

图 4-24

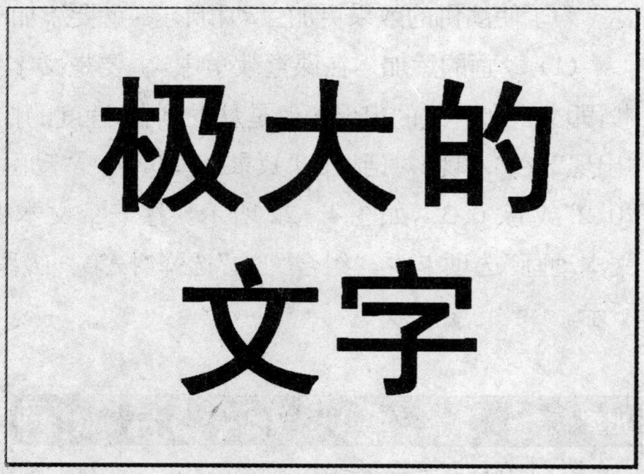

图 4-25

2）用图表和图片代替文字会产生很好的演讲效果。众多讲演者的实践经验表明，PowerPoint 用图表和图片来进行演讲能够达到比单纯文字更好的沟通效果，也能够产生更大的视觉冲击力，因为没有一个观众能够记住你在 PowerPoint 上面的那些数据及文字。你可以选择那些动人的照片、漫画、风光，最好能够配合主题准备一些特写照片，配上简练的文字，或插入一个图表，如图 4-26 所示和图 4-27 所示。可以达到极佳的视觉效果。

（3）形成自己的演讲风格。要逐渐形成个人的演讲风格，在演讲过程中给观众留下深刻的印象。在长期的教学活动中要逐步形成自己的讲课风格，同时也会逐渐形成个人设计使用 PowerPoint 的风格。PowerPoint 的风格主要体现在你常用的 PowerPoint 母版和标题页与结束页上。可以通过"母版"定义

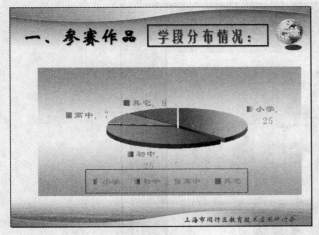

图 4-26

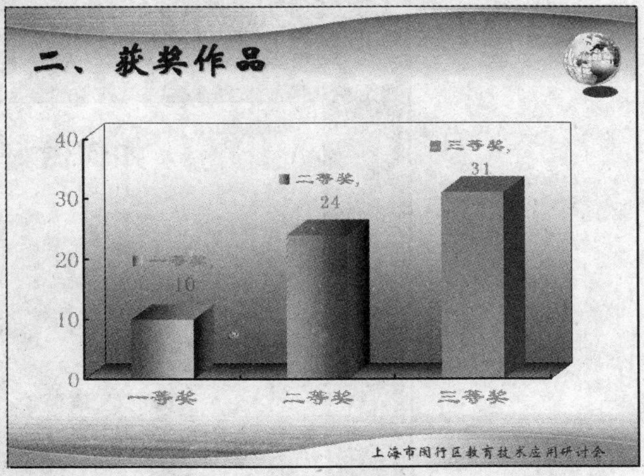

图 4-27

你的 PowerPoint 风格,例如:颜色风格(可以关注一下商业品牌的颜色风格,例如:富士－绿色,柯达－黄色,IBM－蓝色),构图风格,文字风格,LOGO 标志等。一旦你的 PowerPoint 风格形成并得到听众的好评,就一直保持,人们一见到你的风格的 PowerPoint,就会立刻联想到你的精彩报告或教学。

(4)下面是根据上述 PowerPoint 设计原则,对一个 PowerPoint 设计进行修改的例子:

(5)修改前的 PowerPoint 上面太多文字,如图 4-28 所示,基本上就象 word 文章,但在视觉上,它对讲演帮助不大,尽管 PowerPoint 上面的信息并没有什么问题,但关键是,听众对这些信息的获得应该来自讲演者的讲述,而不是费力地阅读屏幕上面的这些文字。

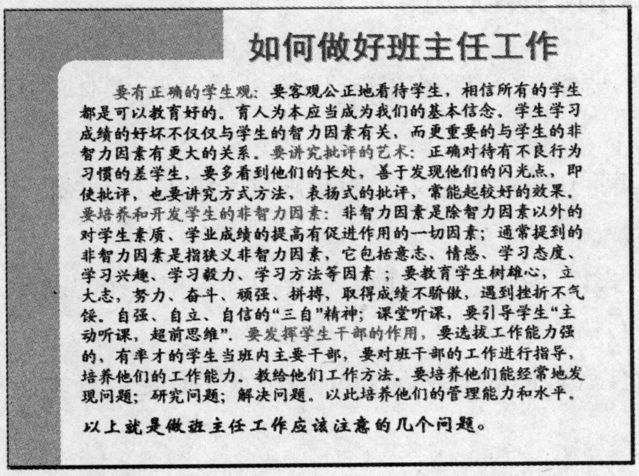

图 4-28

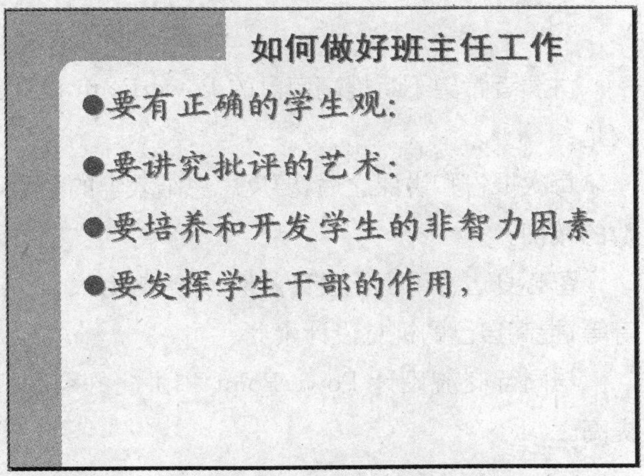

如何做好班主任工作

●要有正确的学生观:

●要讲究批评的艺术:

●要培养和开发学生的非智力因素

●要发挥学生干部的作用,

图 4-29

(6)修改后的 PowerPoint 如图 4-29 所示,将这一段文字整理归纳出四个要点。

(7)修改后的 PowerPoint 如图 4-30 所示,将四个要点抽象整理为四个关键词,并用可视化的方式展示出四个要点。原来的整段文字被放在备注栏中。四个关键词放在利用自选图形画出的艺术性图片上,再配以适当的动画效果,可以让听众在平常单调的学术报告中带来美的享受,体验和发掘学习生活的美感。

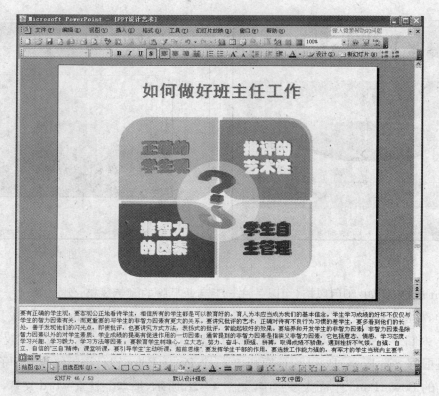

图 4 - 30

4. 10   注意学习持续改进

讲演者希望不断提高自己的 PowerPoint 设计艺术,要注意学习和积累自己与他人的经验,具体的建议是:

每次报告和讲课之后,要反思总结教学的经验,收集听众对讲演的反馈意见,注意比较成功经验和失败的教训。

留心身边的可视化设计范例,如电影海报、街头广告、设计类杂志、各种展览会的广告和展板的设计等等,提高自己的视觉设计素养。

与同行交流设计 PowerPoint 和讲演的经验,持之以恒,你的 PowerPoint 制作水平必定会有大的提高。

4. 11   PowerPoint 教学课件的设计综述

课件制作的基本原则是要求内容与美的形式的统一,美的形式能够激发学生的学习兴趣,更好地表现教学内容。展示的对象要求结构对称、色彩柔和、搭配合理、有审美性,在不违反简约性原则的前提下,使对象更加逼真。艺术性和简约性既统一又矛盾,简约本身就是一种美,如果过于求美可能又要破坏简约,所以要在简约性和艺术性相统一的前提下,追求一种和谐美。

要制作一个精美的课件,需要考虑多方面的因素,板面设计,文字和背景色彩的搭配,模板的应用,动画的自定义设计,视频、音频、图片的应用,声音的添加等内容都要综合考虑。

（1）文字

文字内容要力争简洁、突出重点，以提纲式为主。因此字号的选择要尽量大。

1）标题一般用 44 或 48 号，正文用 30 号，一般不应小于 24 号。不要把幻灯片制作得太满，周围要留空白。若是 24 号字，一行字的字数不超过 25 个；若是 36 号字，一行字的字数不超过 17 个；行数尽量不超过 7～8 行，最多为 10 行。

2）合理设定字间距和行间距，要留出适当的空隙。如果文字内容不太多，成段文字的行间距不应小于字高的 0.3 倍，即行距的设置为"1.3"倍左右。

3）每一段文字首行应当缩进（英文段落首行不缩进）。单行字数少于 12 个字时可缩进 1 个字，否则应缩进 2 个字。行首不可以有标点符号。文字版式要符合人们的浏览习惯。

4）选用字体时，字体要醒目、清晰，可以让每个听众都看得清楚。文字一般宜采用楷体、黑体、幼圆。标题一般用黑体，还可以用方正姚体，正文用楷体、幼圆，都要加粗显示（一般不用宋体，因为横线太细）。文档中不要使用过多的字体。对于关键性的标题、结论、总结等，要用不同的字体、字号、字形和颜色加以区别，也可以使用字号的变化来代替字体的变化。

5）标题字体的颜色要和文本字体颜色区别开来，同一级别的标题要用相同字体颜色和大小。一个句子内尽量用一种颜色，个别需要突出显示的文字，可以用另一种颜色或加粗显示。文档内文字的颜色一般使用 3 种字体颜色，要求搭配醒目、和谐。文字和背景的颜色搭配要合理，字体的颜色选择是和背景颜色息息相关的，搭配要求醒目、易读，避免视觉疲劳。

6）文字的动画显示。为提高演示效果，整版文字不可以全部同时出现。可以采用自定义动画的形式，随着讲课的过程，逐步显示出文字的内容。一般选用"出现"、"擦除"、"切入"等几种即可，不可用过于华丽的动画。

7）对于各行文字内容排列要整齐。同一段落的文字，可以在一个文本框中显示，这样便于统一进行格式及自定义动画的设置。如果是使用多个文本框，可以利用"绘图"中的"对齐或分布"，使对象对齐或均分排列。当然也可以在一个文本框中有不同的段落，这样可以方便设置整体格式。

8）艺术字的应用。在选择"艺术字"样式时不要过于繁杂，对于各类艺术字，要进行合理的加工，包括艺术字的"样式"、"填充颜色"和"线条"等，还可以通过对艺术字进行倾斜、旋转、加阴影、三维效果等，增强文本的艺术魅力。但是要适当运用，不可使用太多。

（2）图片

幻灯片中使用的图片、图表要清晰，大小要适当。

1）图片的格式选择。图片一般使用 JPEG 和 GIF 格式，尺寸一般不超过 800×600 像素，大小不超过 200K 为宜。

2）图片的压缩。要注意图片的文件大小，对于用到的位图和插图，首先应使用 Acdsee 等进行压缩，或者在幻灯片的编辑过程中，通过调用图象工具栏对一个或几个位图图片进行压缩。如果对图片需要进行复杂处理，可以用到 Photoshop 等软件。

3）图片的位置、大小、颜色等都需要符合要求，背景的选择以图片为主，界面布局要合理，整体风格要统一，色彩搭配要协调，界面及界面内容要简洁、美观，符合视觉心理。要注意课件展示的画面应符合学生的视觉心理，突出重点，构图匀称、均衡。整个作品风格既要统一又要有变化。

4）要防止花花绿绿的动画背景图案冲击你的主题内容，只要你的背景统一、规范，没必要使用变化多端的动画背景，淡雅的背景做出的模板其实也是不错的选择。同一画面对象不宜太多，注意动、静的色彩对比,前景与背景的色彩对比,线条的粗细对比……

5）图片画面要清晰。在选用图片时,画面模糊不清、变形的图片一概不能选用,要选用高清晰的图片,像素不能太少,尽量少用剪贴画,利用绘图工具自己可以绘制出效果很好的图片。

（3）声音

课件中的声音,是为了烘托气氛、渲染情绪、增强艺术感染力、深化教学主题、描写背景、激发、联想、组合画面、转换时空、强化节奏等。在课件中,对声音的选择和使用要目的明确,格调和谐。

1）课件中恰当的音乐和音响效果,可以更好地表达教学内容,同时吸引学生注意力,增加学生的学习兴趣。所以应根据课件内容,选择相应的乐曲。多媒体课件中的解说、音响和音乐三者之间是相互补充、相互联系、相互配合的,都从属于教学、服务于教学,都是为课件的画面内容和主题思想服务的。三种声音互相配合,才能创造出一种有多层面、立体感的总体效果,才能使课件得到更好的烘托、渲染和深化。

2）音乐和音响效果要使用合理,舒缓的背景音乐,可以很好地调节课堂的紧张气氛,有利于学生思考。注意音乐的节奏要与教学内容相符,重点处要选择舒缓、节奏较慢的音乐,以增强感染力,过渡性内容选择轻快的音乐。要尽量设置播放开关按钮或菜单,便于教师控制。

3）音乐素材的选择要适合自己的主题和气氛。背景以轻音乐为最好,钢琴曲就不错。Mp3、wma 等格式的都可以,声音的选用不可太多。

（4）动画

各种对象的动画,主要是由"自定义动画"设置的。虽然有多种动画可供选择,但是也不宜用过多的动画形式。一般"出现"常用"擦除"、"切入"、"百叶窗"、"渐变式缩放"等少数几种动画效果,一般不宜用"飞入"的动画效果。回旋效果用来添加悬疑或奇怪的效果;从屏幕中心渐变式放大效果表示揭示谜底;缩小效果强调观点;使用切入效果用来比较数据;如果想要重点突出某些文字,就用"闪烁"的强调效果;如果是正在读的一段文字或公式,可以采用向右擦除的效果;如果想控制文字出现的节奏,可以设定为"按字母"的方式出现……。

（5）切换

幻灯片间的转换叫幻灯片的切换,单击"幻灯片放映"菜单中的"幻灯片切换"命令可以进行"幻灯片切换"方式的设置。

1）速度、声音、换片方式的设置。在"幻灯片切换"的窗口下面,可以设置幻灯片的切换效果,如速度、声音、换片方式,在"换片方式"中可以设置"单击鼠标时"运行,还是"每隔"一定时间让其自动切换。在设置切换方式时既要富于变化,又要减少观看者的视觉疲劳。

2）要谨慎使用声音。幻灯片切换时加入的声音主要是要告诉学生幻灯片已经切换,在重要的概念处加入不同的声音,是强调这里内容很重要。切换声音可以采用系统内提供的声音,也可以采用其他声音,但声音文件必须是 wav 格式的文件,文件大小不宜太大,应不超过 100k。应控制音量的大小,避免分散学生的注意力。

3）切换设置的原则。如果两页之间的内容有演变关系,就采用"溶解"方式,放完第一张后,第二张渐渐出来;如果是很长的流程图,采用"向左插入",画面连惯、流畅;在展示不重要的照片时,可以用从对角线方向"抽出"方式;如果两页内容相差不太大,标题一致,只是正文内容有些变化的,最好不要在两页之间加幻灯片切换,采用"无切换"而直接过渡。切换的不可太频繁,以不影响课堂效果为好。

（6）链接

幻灯片之间的转换或幻灯片与其他程序间的切换,可以用超链接的方式进行链接。利用文字的超级链接设置,可以建立漂亮的目录。利用超级链接,可以改变课件的线性放映方式,从而提高课件的交互性。

1）设置动作按钮,可以点击"幻灯片放映"→"动作按钮",利用自带的动作按钮。也可以自制一些有特色的按钮,还可以到网上搜索,如动画格式的图片按钮,效果就不错,但不可用太多,容易分散学生注意力。

2）图形对象链接的修改。对于图形对象链接,可以自制一些图形对象代替,也可以到网上搜索。

3）文字的超级链接设置。设置超级链接时,不要设置字体的动作,而要设置字所在的文本框的动作。既可以避免使文字带有下划线,又可以使文字颜色不受母板的影响。

（7）交互

课件的交互往往是课件的精髓,一节课的目的就是为了让学生学会学习,发展学生能力,因而练习题的设置也就非常重要。填空、选择、连线、判断题、填图都可以做成交互式课件。练习题的交互可以从几个方面入手:

1）直接用自定义动画的形式呈现。点一下,出一个答案,按次序进行,优点是有条不紊,缺点是死板,无人机交互。

2）利用触发器的形式。利用触发器,设置答案的交互原理很简单,就是把结果链接到相应的选项上,点哪个出哪个答案,有一定的交互性,缺点是画面出现东西太多,影响学生观看。

3）用 VBA 控件做效果最好。虽然说它有点高深莫测,但是我们没必要研究那么深,只要知道一些简单的代码即可。没必要知道那些代码的含义,会一点套用一下就足够了,只要知道那些代码能出现什么结果就行,通过复制、粘贴,一张幻灯片可以变出很多张。

（8）课件的制作要与教学思想相结合

教学课件制作,不仅仅是课件本身,还有教学资源、设计理念、教学策略、教学目标的选择、教学媒体的选择、教学资源的熟悉程度、教学手段的熟练程度等等。

1）首先要确定教学目标,从教学实际出发,体现以学生为主体,教师为主导;明确的教学目的和学习目标;符合教学规律,体现教师的教学思想和教学艺术。认真钻研教材,明确要达到的目标,解决教学中的问题。采用什么方式,突出重点,突破难点,以达到教学目的等,并按要求写出教学方案,教学过程结构的流程图。

2）其次要设计创作脚本,根据设计,分析可行性程度,必备条件以及还需增补的材料,确定课件类型,进而选择硬件和软件环境,选用适合的媒体,收集、采集素材资料,完成课件的编辑制作。

附录

常用快捷键

1	Ctrl + A	全部选中
2	Ctrl + Z	撤消操作,即撤消刚刚进行的操作
3	Ctrl + X	剪切
4	Ctrl + C	复制
5	Ctrl + V	粘贴
6	Ctrl + S	保存
7	Ctrl + D	复制和粘贴一次完成
8	Ctrl + M	插入新幻灯片(或者选中在普通视图下左边的某一幻灯片,然后再打回车键)
9	F5	幻灯片放映
10	Shift + F5	放映当前幻灯片
11	Ctrl + Shift	各种输入法之间的转换
12	Ctrl + Space	中文输入法与英文输入法之间的转换
13	Shift + Space	全角与半角之间的切换
14	Ctrl + . (句点)	中英文标点之间的切换
15	PrintScreen	复制整个屏幕到剪贴板,然后可以在画图软件或在幻灯片中粘贴
16	Alt + PrintScreen	复制当前活动窗口到剪贴板。在画图软件或在幻灯片中粘贴
17	Ctrl + Y	可以插入刚刚输入的内容
18	Ctrl + =	可以插入下标。选中某个文字可以使其变为下标
19	Ctrl + Shift + +	可以插入上标。选中某个文字可以使其变为上标
20	Ctrl + Shift + 空格	在使用"公式编辑器"编辑公式时添加空格
21	Ctrl +]	增大字号
22	Ctrl + [	减小字号

后记

自己作为一个物理特级教师,多年来一直致力于中学物理教学的研究与实践,从来没有想到搞多媒体信息技术的研究,以前发表的论文和著作中,也从来没有涉及到多媒体技术的内容,只是自己近年来在教育教学过程中,充分的利用多媒体技术辅助教学,在学生的管理过程中发挥了计算机的作用,取得了一定的成效,引起了同事和有关领导的关注,进一步的研究得到了信息技术教育专家的肯定,才慢慢地使自己在教学工作之余,进一步地去研究和探索。将自己多年来在使用 Office 的过程中,一些方法和技巧加以总结和整理。

教育现代化要求教师在转变教育观念的同时,要实现教育手段的现代化,要求教师具有将多媒体信息技术与课堂教学进行整合的能力。计算机应用于教育应根据教学对象选择教学内容,以案例与任务驱动,所选的案例与任务应来源于工作、学习与生活,并解决工作、学习与生活中的实际问题。

为了让计算机信息技术充分地为教学服务,为教师服务,让教师办公自动化、工作高效率,提高课堂教学的质量,将教师从繁杂的日常工作的手工操作中解放出来,以提高教师在教学管理中的工作效率和课堂教学的绩效,我立足教育教学的实践,对每个计算机上都装有的 Microsoft Office 的几个办公软件进行深入研究,以满足我们一般教师的常规教育管理和课堂教学的需要。

几年来,我带着教育教学及教学管理中遇到的问题,在班级管理和年级管理工作中深入研究了 PowerPoint、Word 和 Excel 的功能,结合自己的管理工作的需要,探索出了 Word 和 Excel 在教学管理中的一些方法和应用技巧,并取得了一定的成效,所带班级为上海市闵行区先进班集体,学科成绩和各项工作均为年级前列。在课堂教学中,利用 PowerPoint 制作的具有动感的课件,变抽象的问题具体化,变复杂的问题简单化,变杂乱的问题系统化。把微观的世界和超大的宇宙空间呈现在学生的面前,提高了学生们学习的积极性和课堂教学的实效性,学科成绩名列前茅。

班主任有很多事情要做,如何提高班主任在班级管理工作中的实效? 把班主任从日常繁杂的事务性工作中解放出来? 我们要让计算机信息技术为我们的班级管理服务。班主任要打印学生的成绩单和学期结束时每个学生的期末评语,可以把 Excel 作为数据源,利用 Word 的邮件合并功能在 Word 中设置好一个页面,就可以打印出不同学生的成绩单和评语,班主任工作中常用的文档设置好以后可以一劳永逸,每次只需要复制不同的数据而已;教师在教学工作中常用的考试卷子试题的自动编号,表格的制作,教案中的绘图,文档的修订,长文档目录的自动生成,插入图片的自动排序,文档中某个字或词的出现个数的统计等等,都可以通过 Word 来完成;利用 Excel 的强大统计运算功能,帮助班主任进行班级管理,并进行教师的常规教学统计,还可以根据输入的数学、物理等学科的函数式绘制出各种函数图象。课堂教学中,不少教师通常只有开设公开课时才制作一节课的课件,实际上掌握了 PowerPoint 的应用方法和技巧之后,制作具有 flash 动画效果的课件是很简单和轻松的事情,每一节课都可以根据教学的需要制作出生动有趣的教学课件,积累了两三年后,备课便会变得十分轻松。我们要抛弃那种认为计算机很难学,课件很难做的观念,只要去做,只要深入进去,你就会发现,教育教学工作原来会这么轻松有趣,你会乐在其中。这样,你就会把工作当成娱乐,生活才会感到是在享受。你天天的教育教学工作才会感到其乐无穷。正像黎加厚教授说的:很多东西你都不知道,只有你深入进去,你才有机会,发现美。深入是一种体验,体验则是一种过程,过程才是一种人生享受……。

目前,快速掌握 PowerPoint 制作教学课件技术的研究成果,已经在一定的范围内推广使用,很多从事教育技术应用研究的领导和专家教授都给予了高度评价。国家督学、中国教育学会副会长,上海市总督学、上海市教育学会会长,原上海市教委副主任张民生教授,在闵行区专门组织的 PPT 应用研究汇报会上,听了我的汇报后说,PowerPoint 的这项应用技术的研究达到了很高的水平,它操作简单,容易学会和掌握,并且具有创新性。这项研究成果很值得我们在更大的范围去推广应用。后来张主任又谈到,这项技术不需要掌握计算机理论,且简单易学,可以在学生中开选修课,让中学生在学校就掌握这门技术。上海师范大学计算机系主任黎加厚教授认为:"这项研究工作作为在基础教育中推广应用现有的 Microsoft Office/PowerPoint 为平台,实现高质量的计算机辅助教学做出了贡献,这是一项很有作者原创特色的中学教学研究成果";华东师范大学物理系博士生导师、全国高等物理教育研究会理事长胡炳元教授认为:"这种制作课件的动画效果可以达到甚至替代 Flash 的部分功能。师范院校的学生及广大教师在从事课堂教学的过程中,对提高课堂教学的效率,会起到积极的作用";上海大学理学院副院长、博士生导师张金仓教授认为:"这种利用 PowerPoint 制作课件的方法和技巧在我多年接触和使用过的物理学相关课件中尚未见到,是一项高水准的物理教学研究成果"。

许多专家都认为这项研究成果简单易学,极具有推广价值。目前已经在闵行区小学到高中的一百多所学校的所有教师中,进行 PowerPoint 的深度应用培训,培训后组织统一考试。这个培训得到了参加学习学员的一致认同,从闵行区组织的"PowerPoint 在课堂教学中的有效应用研讨会"上的获奖作品可以看出,教师制作课件的水平有了极大的提高。

该研究的成果,教育部教师信息技术培训专家,带到联合国教科文组织,去年六月份在朝鲜召开的多媒体信息技术应用大会上,展示后引起了与会专家的高度评价。该书初版发行以后,受到了读者的普遍好评。全国不少地方都来电来函,咨询在使用中遇到的技术问题,不少地方,把这本书作为教师培训的教材使用。另一些师范院校,已经把该书作为学生课件制作的教科书使用。从众多的来电中发现,这本书的读者对象,不仅仅是中小学教师,还有大学教师及在校大学生,工程技术人员,办公室工作人员,行政干部等。读者的认可是对作者的最高奖赏,下半年计划出版《Word 2003 在教育教学中的深度应用》一书,(有关消息可在http://majk5168.blog.163.com 查询)。让我的研究成果造福于社会,造福于教育,造福于教师是我的最大心愿。对全国各地的教师培训机构和广大读者朋友对该研究成果的认可,在此深表感谢。由于本人水平有限,殷切希望广大读者朋友在使用本书的过程中,多提宝贵意见,以便再版时修改来信请发:PPT5168@163.com。

在本书的编辑过程中,得到了上海交大电器工程系主任、博士生导师江秀臣教授,东华大学纺织学院博士生导师王府梅教授,上海大学理学院副院长、博士生导师张金仓教授,中国科学院上海技术物理研究所博士潘鸣研究员,洛阳师范学院党委书记、博士生导师孙金峰教授,河南师范大学物理与信息工程学院副主任、硕士生导师李兴毅教授等专家的关心帮助和支持。特别是华东师范大学物理系博士生导师、全国高等物理教育研究会理事长胡炳元教授,上海师范大学教育技术系主任、教育部全国教师教育信息化专家委员会委员黎加厚教授,多次给予了指导和帮助,对本书提出了很多的编写意见和编写素材。上海市闵行区教师进修学院、闵行区教育科学研究所和上海市七宝中学的领导对本书的编辑和出版给予了很大的帮助和支持，闵行区教师进修学院计算机高级教师朱林辉老师对全书进行了审阅。对以上专家和领导在本书编辑和出版过程中的帮助、关心和支持，在此表示深深的感谢。

　　广大的读者朋友，一份春华一份秋实，相信通过您自己的努力，一定能使您每一个奇特的想法在教学中得以落实，一定会使您对学生的教育润物无声，教化无痕，一定会使您在教育教学工作中收获沉甸甸的果实！

作　者

2009 年 5 月 18 日

本书提供 PPT 课件的网络下载。

下载地址：http://www.hdsdbook.com.cn/教学资源下载